Olivier Bal a été journaliste pendant une quinzaine d'années, a animé des Masterclass à la Cité des sciences et de l'industrie de Paris, et se consacre aujourd'hui pleinement à l'écriture.

Après un diptyque salué par la critique – *Les Limbes* (Prix Méditerranée Polar 2018 du premier roman et Prix Découverte 2018 des Géants du Polar) et *Le Maître des Limbes* (Prix des Géants du Polar)–, il a publié chez XO Éditions *L'Affaire Clara Miller* (2020), *La Forêt des disparus* (2021) et *Méfiez-vous des anges* (2022). Ces romans sont tous repris chez Pocket.

OLIVIER BAL

LES LIMBES

DE SAXUS

© Éditions De Saxus, 2018 pour la présente édition.
ISBN : 978-2-266-29119-4
Dépôt légal : avril 2019

À Julia,
mon rêve.

1

14 mai 1970
Sud-ouest du Viêtnam
Température extérieure : 18 °C

Je n'arriverai plus jamais à dormir.

Cela fait quatre jours maintenant.

Quatre jours que nous sommes là.

Dans la boue et dans la peur.

Dans la nuit et dans la haine.

Mon unité, la 6e d'artillerie, a été envoyée à la frontière cambodgienne pour rejoindre Svay Rieng. Des troupes Viêt-congs seraient cachées dans le secteur, tolérées par le gouvernement cambodgien. La zone serait également un sanctuaire dans lequel les Viets auraient caché des réserves de munitions.

On doit les localiser et les détruire, coûte que coûte.

On pensait tous que ça irait vite, que ce serait l'affaire de quelques heures. Mais comme me l'a dit ce matin le lieutenant Richards, « dans ce merdier, on ne peut s'attendre à rien… ou alors au pire ». Je commence à mieux comprendre ce qu'il signifiait par là.

Ça fait deux ans qu'il est là, lui. Moi, à peine une semaine.

Je me vois encore à la fin de mon entraînement dans une base de Floride. J'ai l'impression que c'était hier, que c'était il y a quelques heures. Je nous revois tous en ligne, tous les gars de ma promotion, en attendant fébriles de savoir où on serait mobilisé. Impatients et enthousiastes. Si on avait su. Je revois l'instructeur s'avancer vers moi, prononcer mon nom : « James Hawkins, vous rejoindrez la 6e dans la province Nord Viêtnam. Vous partez demain. » Dieu que j'étais fier… la 6e d'artillerie… Et me voilà, maintenant. Trempé jusqu'à l'os… mes vêtements recouverts d'une boue ocre.

Je me remets à trembler. Je regarde mes mains. Je ne peux pas contrôler leur frémissement. Est-ce la peur ou la fatigue ? Je ne sais plus trop.

Je regarde autour de moi.

La tranchée file sur un peu plus de cent mètres. Artère vivante et palpable qui frissonne et oscille à chaque nouveau coup de mortier. En son sillon attendent une trentaine d'hommes, prostrés, usés. Certains ont les yeux clos, les deux mains accrochées à leur fusil. Mais je sais que, comme moi, ils ne dorment pas. Ils essaient simplement de penser à autre chose, à un ailleurs, même si c'est impossible. D'autres restent les yeux dans le vague, dessinant des formes dans la boue… D'autres encore fument cigarette sur cigarette. Personne ne parle, pas même un chuchotement. Ça fait longtemps que l'envie nous en a passé.

Je pose une main sur mon casque, comme pour m'assurer qu'il est bien sur mon crâne, puis élève précautionneusement la tête pour la sortir légèrement de la tranchée. Je lève un œil lentement pour voir au-dessus.

La plaine est désolée. Plus un arbre, plus même une brindille. Rien que des silhouettes calcinées et une sale odeur de mort. Il y a cinq jours, la veille de notre arrivée, la zone a été bombardée au napalm. Et ça brûle encore… De-ci de-là, quelques fumerolles, des flammèches qui consument une terre morte et éclairent cette nuit qui ne veut pas se terminer. Au sol, des formes noires recroquevillées sur elles-mêmes. Figées dans des positions étranges et atroces. Des postures de douleur absolue. Ici, une main, là, une épaule. Là encore, à quelques mètres, au milieu d'un visage à moitié brûlé, un œil mort qui semble nous fixer. Lors du bombardement, une centaine de Viêt-congs, cachés dans ce qui était autrefois des sous-bois, ont été carbonisés. Quand on est arrivé sur place, en haut de la colline, en surplombant la plaine, on a tout de suite vu cette fumée noire, épaisse. On aurait pu la toucher. Mais le pire, c'était l'odeur. Une odeur âcre et insupportable. Une odeur de peau brûlée. On a tous fini par vomir, à un moment ou à un autre. Et on s'est habitué. On s'habitue à tout. Même à la pire des horreurs.

Une fusée éclairante jaillit dans le ciel, s'élève dans un sifflement, puis retombe lentement en éclairant la plaine de sa lumière blanchâtre.

Nous éclairant, nous et eux, en face.

Leur position est à peine à soixante mètres de la nôtre. On se fait face, on s'observe. J'aperçois quelques mouvements dans leur tranchée. Ils doivent être crevés, comme nous, pourtant ils ne montrent rien. Ils nous défient.

À chaque fusée éclairante, une tirée toutes les demi-heures lorsqu'il fait nuit, on les entend hurler dans un anglais approximatif : « Américains, morts, morts ! » Au début, nous aussi on gueulait : « Enculés de cocos, sales Viets de merde… », puis on s'est lassé. Pas eux. Ils tirent quelques coups de feu, puis hurlent à nouveau, puis c'est le silence, avant que ça recommence, encore et encore.

Ça fait quatre jours maintenant.

Quatre jours et toujours impossible de fermer l'œil.

Leur psalmodie, la lumière, la moiteur, la peur nous empêchent de nous reposer. C'est ce qu'ils veulent. Nous user… Nous pousser à bout, histoire que, lorsque l'assaut sera donné, on ne soit plus que des zombis, errant sans but dans la plaine. Et le pire, c'est qu'ils vont peut-être finir par y arriver, ces salauds.

Depuis hier, ils ont eu une nouvelle idée pour nous foutre à cran. Ils ont récupéré des prisonniers américains, les ont traînés au cœur de leur tranchée, les ont attachés. Et ils les torturent sans relâche. Leurs cris, leurs appels à l'aide nous déchirent les tympans depuis vingt-quatre heures. Parfois, entre deux hurlements, on les entend implorer : « Arrêtez, arrêtez… Je vous en supplie… Mais finissez-en putain… » Je ne sais pas à qui ils s'adressent. À leurs tortionnaires ou à nous, qui restons là, sans rien faire ? En attente d'un ordre d'assaut qui ne vient pas.

Qu'avons-nous fait pour mériter un tel enfer ?

Je me retourne vers Irving, assis à côté de moi… Lui, il est là depuis un bail. Il a fait le Têt et en est revenu avec un éclat de grenade logé dans le bide. Quand je suis arrivé ici, il m'a rapidement pris sous son aile.

— Une clope, Hawkins ?

Il me tend une cigarette, je la saisis. Il craque une allumette sur son casque, puis approche la flamme fragile de mon visage. J'allume ma cigarette, aspire un bon coup. Relâche la tête en arrière, souffle.

— Putain, quand est-ce que ce vieux con de Krieg va donner l'assaut ? Faut qu'on aide ces gars.

Irving s'interrompt et me montre du doigt une autre recrue : Mike quelque chose…

— Et puis il y en a certains qui ne vont plus tenir le coup longtemps. Regarde-le, lui…

En effet, Mike a les yeux fermés. Les mains pressées sur les oreilles, il sanglote lentement. On dirait qu'il parle, qu'il se dit quelque chose pour lui-même. Mais de là où je suis, je n'entends rien.

Je m'efforce de cacher la peur qui monte en moi auprès d'Irving. J'essaie de me maîtriser.

— Mouais, faut vraiment qu'on en finisse. Vous pensez que ça peut durer longtemps lieutenant ?

— L'ordre viendra. C'est sûr. Mais quand ? Ces enculés sont assis tranquillement sur leur gros cul en sirotant un café bien chaud, alors que, nous, on est en train de devenir tous cinglés, ici. Ils doivent être en train d'étudier leurs petites cartes, de déplacer leurs petits pions en se disant que peut-être, que non, qu'il ne vaut mieux pas…

Je lâche un sourire faux et complètement hors de propos. Il doit se rendre compte que je suis terrorisé, et c'est normal, alors pourquoi est-ce que je continue à faire semblant de tout maîtriser ?

— En tout cas, c'est un sacré baptême du feu pour moi.

— Je vais te dire Hawkins, en trois ans, je n'ai jamais vécu un truc pareil. On est dans la bouche du diable. Si on s'en sort, t'auras plus grand-chose à craindre, petit.

La bouche du diable… Je finis ma cigarette, les yeux perdus dans le vide de la plaine.

Une fusée éclairante, une autre.

Je ne sais plus quelle heure il est.

La pluie recommence à tomber. Mon treillis humide me colle à la peau. J'ai froid.

Ça pue la pisse et la mort.

Je ferme les yeux, essaie d'oublier, envie de partir ailleurs.

Je m'endors peut-être.

Je ne sais plus vraiment si je suis éveillé.

Un cri, tout proche…

Je rouvre les yeux, à peine le temps de voir, à quelques mètres, le jeune Mike « quelque chose » se lever en hurlant, se hisser en haut de la tranchée et se mettre à courir dans la plaine vers les Viets, le fusil dressé au-dessus de la tête. Je vois ses yeux creusés, grands ouverts, sa bouche béante, déchirée dans un rictus de folie. Un mètre, deux, trois, quatre…

Une balle siffle.

Son crâne explose. Son corps tombe en arrière, lentement, et rebondit au sol comme dans un lit de coton.

Et moi, à ce moment, je ne me demande pas pourquoi il a fait ça, s'il a voulu aider les soldats torturés, s'il a voulu en finir, j'essaie simplement de me souvenir de son nom.

C'est le troisième à perdre les pédales comme ça.

On va tous y passer, maintenant j'en suis sûr.

On se regarde les uns les autres, on pense à la même chose.

À un autre part, à notre famille, notre aimée, notre chambre de gamin. On pense que l'on ne reverra jamais tout ça, qu'on ne sera jamais plus apaisé.

La vie s'arrête là, dans cette putain de tranchée.

•

4 heures du matin… Irving me tape sur l'épaule.

— Dans cinq minutes, prépare-toi !

— Quoi ?

— On donne l'assaut…

— Non…

— Si. On vient de recevoir le feu vert du Q.G.

— Merde.

— Hawkins ?

— Oui.

— Cours, ne t'arrête surtout pas. Saute dans leur putain de tranchée, c'est là que t'auras le moins de chances de te faire trouer.

— D'accord.

J'attrape mon fusil, retire la sécurité. En vérifie l'armement. Je tremble. Autour de moi, on s'active en silence. Sur les visages, je lis une même expression de peur et de résignation mêlées.

Je replace mon casque, attache la sangle sous mon cou, serre.

Ça y est.

Des soldats lancent des grenades fumigènes.

J'entends hurler : « Maintenant ! »

Je me lève et me lance comme tous les autres autour de moi.

Je ne vois pas à cinq mètres dans la purée de pois des fumigènes.

Je me mets à courir. J'entends mon cœur battre la chamade, prêt à exploser. Bam-bam.

J'entends des coups de feu, ça tire de partout. Le martèlement des sulfateuses viets me déchire les oreilles. Autour de moi, des silhouettes tombent comme des pantins désarticulés, les balles sifflent, j'en sens une me frôler le bras. Tout en courant, je vérifie si je ne suis pas blessé. Le tissu de mon treillis est simplement déchiré. Je n'ai rien. J'ai de la chance.

Je cours. La fumée se fait moins épaisse, moins dense. Je suis à moins de vingt mètres de la ligne adverse. Sans m'arrêter, je place la crosse de mon fusil contre mon épaule, j'arme. Je vois un casque bouger dans la tranchée, je tire, je tire encore.

Je ne suis plus qu'à quelques mètres. J'y suis presque.

Je vois un Viet se dresser devant moi. Je vois son regard, son visage. Ce n'est qu'un adolescent. Son regard… il a peur…

Il braque son fusil sur moi, je lève le mien vers lui. Tout se ralentit. Le temps n'existe plus. Je vois l'explosion du canon de son fusil. Je vois la balle partir. Je sens un choc dans ma tête, sourd et vrombissant. Je sens une douleur atroce, comme une décharge de souffrance, une déchirure se répandre en moi.

Mon regard se trouble, du sang sur mes yeux.

Je tombe au sol.

Je ne sens plus rien.

Je suis mort.

2

...

Où suis-je ?

J'ouvre les yeux. Autour de moi, le noir, le silence. Pas un bruit, juste un souffle comme un léger courant d'air.

Je me touche le crâne, je passe ma main gauche dans mes cheveux.

Je ne sens rien, pas de plaie, pas même de sang séché. Pas de trace de blessure. Pourtant, je suis certain d'avoir été touché.

Mais qu'est-ce qui se passe ?

Quelqu'un m'aurait récupéré dans la plaine, mis à l'abri et soigné ?

J'essaie de me lever.

Je me redresse difficilement, comme si mes membres étaient endoloris.

Je marche à tâtons, les mains en avant. Je ne vois quasiment rien, mes yeux ont beau s'être habitués à l'obscurité, j'ai du mal à discerner quoi que ce soit, sinon un point de lumière, au fond là-bas. Il fait froid.

Mais putain, je suis où ?

Je palpe ma ceinture, touche mon étui à pistolet. Rien. Quelqu'un m'a retiré mon arme. À moins que je l'aie perdue lors de l'assaut dans la plaine. J'essaie de me rappeler ce qui s'est passé après. Après m'être fait tirer dessus par le Viet. Mais rien ne me revient.

Qu'est-ce qui m'arrive ?

Je suis mort ?

Non... tout cela semble trop réel...

J'avance toujours les mains devant moi, les yeux écarquillés. D'un pas hasardeux, j'essaie de percevoir quelque chose.

Ça dure une éternité.

Finalement, ma main droite entre en contact avec une paroi. De la roche froide, je suis dans une grotte... J'avance en laissant ma main glisser le long de la pierre.

Je vois mieux maintenant l'ouverture d'où provient une lumière diffuse, bleuâtre.

Peut-être qu'il fait nuit dehors ?

Je m'approche encore.

Au bout d'interminables minutes, j'arrive à l'ouverture.

Je me baisse et me glisse dans la faille.

J'en ressors et redresse la tête.

Je vois...

Mais qu'est-ce que c'est ?

J'ai émergé dans une immense grotte.

Au-dessus de moi, s'élevant à plus d'une centaine de mètres, la voûte de la grotte ressemble à un dôme naturel.

C'est impossible.

Je suis dans un espace aux dimensions démesurées.

Je comprends désormais d'où venait la lumière bleuâtre. J'observe la pierre de la grotte. Ce n'est pas de la roche, pas uniquement.

Partout, des milliers de lumières frémissantes d'un bleu électrique scintillent lentement.

On dirait des cristaux, non, des saphirs. Je m'approche de l'une de ces formations géologiques.

Au début, j'ai cru qu'il s'agissait de reflets, de jeux de lumière, mais à proximité de la pierre, je comprends que la lueur bleutée qui s'en échappe semble pulser, comme si elle respirait, comme si elle était vivante.

Je regarde à nouveau cette incroyable cathédrale souterraine.

J'y vois mieux désormais.

Partout, parsemant la voûte de la grotte, des milliers de trous, comme autant de tunnels, d'un diamètre d'un peu plus d'un mètre. On dirait une ruche, une fourmilière.

Étrangement, je ne ressens aucune peur. Mon inquiétude a fait place à une étrange sérénité. Le spectacle qui se présente sous mes yeux est d'une beauté saisissante et fantastique. Il semblerait que les cristaux bleus pulsent tous à un rythme différent. On dirait une voûte étoilée étincelant de millions de lumières.

En avançant, les yeux perdus dans l'immensité de la salle, je bute sur quelque chose et tombe au sol. Je me redresse. Je comprends que le sol est constellé de dalles plates, posées les unes contre les autres et formant d'étranges symboles, des lignes sinueuses, des arrondis et spirales s'entrecroisant. Un chemin… fait par une main humaine.

Mais je n'ai jamais vu de tels symboles avant. Les temples vietnamiens sont recouverts d'inscriptions et calligraphies bien différentes. Moins primitives. J'avance en suivant cet étrange fil d'Ariane. Le chemin serpente vers le centre de la grotte.

À gauche et à droite, des stèles de pierre se dressent, comme des balises, marquant le passage. Plus j'avance, plus ces stèles sont imposantes. Au bout d'une quinzaine de mètres sur le chemin, elles laissent place à d'énormes blocs de roche, sculptés sommairement dans une forme oblongue. Ils ressemblent assez à des menhirs, ces vestiges du néolithique que l'on trouve en Europe. Chacun de ces blocs est recouvert de ces mêmes symboles, composés de spirales s'enchevêtrant et de lignes qui courent et s'entrecoupent.

Plus de doute, il ne s'agit pas de formation naturelle, c'est impossible, quelqu'un a sculpté ces pierres. Il y a longtemps, extrêmement longtemps. J'observe encore. Les colonnes sont disposées face à face de façon assez symétrique. J'avance sur le chemin. Autour de moi, les stèles sont de plus en plus hautes, certaines font plusieurs mètres de hauteur, peut-être trois ou quatre.

Comment ont-elles pu être dressées ainsi ? Ici, à cette profondeur, et pourquoi ?

Le chemin remonte lentement sur une dizaine de mètres, jusqu'à un piédestal en hauteur. Je grimpe, je suis au centre de la grotte. Face à moi, une énorme dalle rectangulaire, bien plus imposante que toutes les autres, est placée au centre du piédestal, en position horizontale. La dalle mesure plus de quatre mètres de longueur sur deux de largeur. On dirait un autel. Sur toute sa surface des milliers de spirales, comme des entrelacs, des vagues qui se mêlent et se démêlent à en donner le tournis. Je pose ma main sur la stèle. La roche est étrangement tiède. Je laisse mon index suivre l'un des sillons creusés dans la pierre, je le laisse courir le long des lignes et des spirales. J'ai l'impression de voir papillonner des milliers de lumières bleues le long de la ligne que je suis. J'entends un grondement sourd. J'essaie de retirer ma main de la stèle, mais je n'y parviens pas, elle est comme happée, aimantée à la pierre.

Soudain, les particules bleues se rapprochent de ma main, comme si elles convergeaient vers cette dernière. La lumière bleutée se répand peu à peu sur le bout de mes doigts, le dos de ma main.

Non… non… C'est impossible. Ma main devient translucide, remplie à son tour de lumières frémissantes.

La sérénité que j'éprouvais il y a quelques minutes a laissé place à une terreur sourde. Je crie, j'essaie d'arracher ma main de la pierre, je tire de toutes mes forces avec ma main libre. Le scintillement bleuté s'étend le long de mon bras, comme s'il sillonnait en mes veines, qu'il irriguait mon propre sang. Le serpent bleuté glisse sous ma peau, passe le coude, remonte jusqu'à l'épaule, je le vois se faufiler jusqu'à mon cou.

Je ne sens plus rien.

J'ai l'impression que mon corps s'élève.

Je flotte au-dessus de la stèle, je m'élève encore.

De plus en plus vite, comme si j'étais aspiré… aspiré par l'un des tunnels creusés dans la roche.

Je dois rêver. C'est un cauchemar, ce n'est pas possible autrement.

J'ai l'impression que mon corps glisse le long du tunnel, l'impression de me déplacer à une vitesse phénoménale. J'essaie de me débattre, mais je suis paralysé.

Des flashs de lumière bleue.

Puis, je ne vois plus rien.

Il fait noir, à nouveau.

J'entends un vrombissement, puis des cris, des hurlements, des coups de feu.

J'ouvre les yeux, je mets quelques secondes à reconnaître l'endroit.

Je suis dans la tranchée, c'est ça. En tout cas, ça y ressemble. Autour de moi, ça s'agite, ma vue est encore trouble, je ne vois que des silhouettes qui courent dans tous les sens. Finalement, je parviens à discerner des visages…

Mais ce sont des Viets. Je suis dans la tranchée viet !

J'essaie de bouger, de fuir, mais je suis comme paralysé, comme prisonnier de mon propre corps. Je ne suis maître de rien. Un Viet s'approche de moi. Mon Dieu, il va me faire la peau !

Mais il m'attrape par les épaules, s'approche de mon visage et me hurle des mots à la gueule que je ne comprends pas. J'essaie de bouger, je ne peux pas. Finalement, mon corps se met à frémir, comme mû par sa volonté propre, il se redresse, se saisit de son fusil.

Sans que moi je ne puisse rien y faire, mon corps se soulève, je vois de la fumée, des silhouettes qui se dessinent à quelques mètres. Des hommes courent vers nous. Mon corps arme son fusil, les mains tremblantes. J'essaie de tourner la tête, de bouger le bras, mais je ne suis que spectateur…

Autour, c'est le chaos. À mes côtés, un homme tire en hurlant. En face, j'aperçois une silhouette émerger de la fumée et tirer. J'essaie de fermer les yeux, de faire quelque chose, de crier, mais je ne parviens à rien. Une balle s'enfonce dans la terre à quelques centimètres de moi, une autre vient atteindre le Viet à mes côtés. Sa tête est projetée en arrière, un geyser de sang pisse de son œil béant. Mon corps se crispe, il hurle.

La silhouette en face de moi s'avance en courant, surgit du rideau de fumée.

Non…

Là, à quelques mètres, je me vois, moi, en train d'armer mon fusil et de viser dans ma direction.

« Mon » corps arme à son tour son fusil, le place à l'épaule. Je me vois dans la ligne de mire.

Soudain, je comprends.

Je suis dans le corps de… du jeune Viet qui m'a tiré dessus.

Je suis en train de voir ma propre mort.

De la vivre par les yeux de celui qui m'a tué.

« Mon » corps tire une balle, une seule.

— James ?

Je me vois par l'œil de l'autre me prendre la balle en plein front, mon casque valdinguer en arrière, et ma carcasse chuter au sol.

— James ? Vous m'entendez ?

J'entends la voix de « mon » corps se mettre à hurler, suivie d'autres cris stridents autour…

Je me vois écroulé au sol, baignant dans mon propre sang.

« Mon » corps tourne la tête. Un autre Viet s'avance vers lui avec un regard de fou. Il tient un couteau ensanglanté à la main. Il s'approche encore…

— James ? Je sais que vous m'entendez. Ouvrez les yeux.

Le noir se fait à nouveau.

Mon cœur bat à cent à l'heure. Mais, qu'est-ce qui m'arrive merde ?

Un flou.

Comme dans un brouillard.

J'entends des voix autour de moi.

J'y vois un peu mieux.

Je suis… je suis sur un lit. Je peux sentir les draps sur mon corps.

Je commence à mieux voir.

Je suis sur un lit en fer.

Je suis dans une grande salle, au sol des carreaux noir et blanc.

Partout autour de moi, d'autres lits. Un dortoir ?

Non, je sais… un hôpital.

À ma gauche, un homme en blouse blanche et une femme à ses côtés.

L'homme s'approche de mon visage et me parle lentement en articulant bien les mots.

— Bonjour, James, je suis le Dr John Brimley. Vous êtes à l'hôpital militaire de Saigon. Tout va bien…

J'essaie de parler, mais ma bouche est pâteuse.

— Je…

— On a vraiment cru vous avoir perdu James…

— Mais…

— Vous avez une sacrée chance, vous savez.

— Quel…

— Oui ?

— Quel jour ?

Il jette un regard vers l'infirmière, mal à l'aise.

— Écoutez, ça va être un peu dur à accepter au début… mais nous sommes le 16 juin.

— Quoi ?

— James, vous venez de passer un mois dans le coma.

3

25 juin 1970
Saigon, hôpital militaire
Température extérieure : 24 °C

Ça fait dix jours que j'ai repris connaissance. Il paraît que j'ai eu énormément de chance. C'est ce que tout le monde me dit. Le médecin, les infirmières… D'abord de la chance que la balle qui a frappé ma tête n'ait pas traversé la boîte crânienne et atteint mon cerveau. Et puis la chance de revenir. C'est la première fois, dans cet hôpital, qu'un blessé revient après un si long coma. Les soixante-douze premières heures, je n'ai pas pu bouger. Mais depuis trois jours, une infirmière vient s'occuper de ma rééducation. Je n'arrive pour le moment qu'à remuer péniblement les doigts, les jambes. On m'a mis un fauteuil roulant à disposition. Mais on m'a promis que ce serait temporaire. Que je remarcherai sans problème, le temps de réhabituer mes muscles à l'effort.

Alors, la plupart du temps, je reste là, allongé. Avec tous les autres à côté.

Nous sommes une trentaine de blessés, entassés les uns contre les autres, dans ce qui devait être autrefois un couloir. Les infirmières et médecins peuvent difficilement circuler entre chaque lit, tellement nous sommes serrés.

Car, ici, dans chaque salle de l'hôpital, une énorme demeure coloniale réquisitionnée par l'armée, les corps en charpie, les jambes arrachées se comptent à la pelle. On ne sait plus quoi en faire ni où les mettre.

J'ai demandé si je pouvais voir mes camarades d'unité. J'ai appris qu'Irving s'en était sorti. Je sais qu'il est ici, en permission à Saigon. Mais Brimley, le médecin, m'a dit qu'il était encore trop tôt, qu'il fallait attendre un peu.

Pourtant je sais que c'est Irving qui m'a ramené, c'est lui qui m'a sauvé. Ça, c'est le médecin qui me l'a dit. Je voudrais simplement le remercier et savoir, comprendre ce qui s'est passé après.

●

Les journées sont longues, interminables. Les infirmières me disent que je devrais me reposer, dormir. Mais je ne veux pas. Je ne peux pas...

Au début, je n'ai pas repensé à la grotte.

Mais ça a recommencé.

Je me suis dit qu'il ne s'agissait que d'un mauvais rêve.

Mais, maintenant, je ne suis plus sûr de rien.

C'était le 23 juin...

Il est 22 heures, les infirmières éteignent les lumières du dortoir. Il m'est d'abord impossible de m'endormir. Les cris de souffrance au loin, dans une autre aile de l'hôpital, les reniflements d'un voisin qui pleure, la respiration saccadée, fragile et vacillante d'un autre en train de mourir. Le vrombissement des pales des ventilateurs tranchant l'air lourd. Et cette chaleur poisseuse qui ne vous lâche jamais, qui colle aux vêtements, aux draps, à vos pansements.

Et puis, je finis par sombrer.

Et c'est là que ça recommence.

D'abord, c'est le noir.

Puis des flashs. La sensation de me réveiller dans la grotte, de m'approcher de la stèle, d'apposer les mains sur elle et d'être soulevé et projeté dans un des tunnels creusés dans la roche.

Je me retrouve en bordure d'un champ. Il fait nuit, mais le ciel est drapé d'une couleur orangée. Autour de moi, des champs marronnasses à perte de vue, et une maisonnette plantée au milieu. Une maison en bois traditionnelle avec un perron, une balancelle, comme des milliers d'autres. J'avance vers la maison.

En marchant, je distingue un peu mieux les champs alentour. Eux aussi ont une teinte orangée, rouille. Mais, en lieu et place du maïs, ont été plantées dans le sol des tiges de métal rouillées et déformées. Elles s'étendent à perte de vue.

J'entends un marmonnement provenant de la maison. J'avance. Je monte le perron. La porte moustiquaire claque contre le montant de la porte. Je la tire vers moi.

J'entre.

— Il y a quelqu'un ?

À gauche, une cuisine délabrée, à droite, un salon composé d'un vieux canapé et d'une télé à l'écran fendu. Et partout, ces mêmes traces de rouille.

J'entends mieux les chuchotements. Ils proviennent de la chambre.

Je pousse la porte entrouverte.

Là, je distingue une silhouette dans un coin sombre de la pièce. De dos, elle fait face à un miroir. Elle porte un costume havane fatigué. La personne semble réajuster sa cravate.

J'avance.

— Excusez-moi…

L'individu se retourne.

C'est un jeune homme d'une vingtaine d'années. Il a les cheveux roux, quelques taches de rousseur, un léger bec-de-lièvre. Mais ce que je vois surtout, c'est le bandeau en tulle blanc qu'il a sur l'œil et la tache rougeâtre qui le teinte.

— Qui êtes-vous ?

— Je m'appelle James.

— Qu'est-ce que vous faites là ?

— Je… Je ne sais pas…

— C'est Betsy qui vous envoie, hein ?

— Non.

— Parce qu'elle arrive. Je sais. Avec Pa'et Mman'. Ils viennent me chercher.

Alors qu'il parle, je vois la tache de sang se répandre sur son œil et commencer à couler sur sa joue.

— Je veux partir d'ici. Elle me fait peur, cette maison. Et puis il y a de la rouille partout, j'en ai même sur moi. Je gratte, mais ça ne part pas.

Il tire la manche de sa veste et me montre son bras. En effet, par endroits, sa peau est comme recouverte de plaques de métal rouillé.

— J'ai beau gratter. Elle reste accrochée…

Il remet sa manche en place. Et s'approche de moi. Dans ses yeux, je peux lire son angoisse.

— Ça fait longtemps que je les attends, ils vont venir, hein ?

— Je ne sais pas.

Le jeune homme me fait face. Il cligne des yeux de manière frénétique et continue à chuchoter dans sa barbe en hochant légèrement la tête.

— Tu t'appelles comment ?

— Théodore. Théodore Cowburn. Mais on m'appelle Cow. C'est ce que disait l'unité, que j'étais un bouseux. Cow, comme la vache…

— Tu es militaire ?

— Oui, 7ᵉ d'infanterie…

On ne parle plus. Théodore sort quelque chose de sa poche qu'il touche doucement. Je ne parviens pas à voir ce que c'est dans la pénombre.

— James, ils vont venir ? Je voudrais lui dire à Betsy, lui dire qu'elle avait raison.

— Comment ça ?

— J'n'aurais jamais dû partir au Viêtnam…

— Mais…

— J'ai bien entendu le médecin. Je l'ai entendu l'autre jour… Il a dit que j'allais mourir.

À ce moment, je me sens aspiré en arrière. J'ai juste le temps d'apercevoir Théodore avancer une main vers moi. Ensuite, le monde plonge dans le noir.

J'entends ma respiration lourde.

Je rouvre les yeux.

Je suis dans l'hôpital. Allongé sur mon lit. Tout va bien.

Ce n'était qu'un cauchemar. Pourtant, quelque chose me tracasse et m'empêche de retrouver le sommeil.

Durant tout le reste de la nuit, je ne réussis pas à m'ôter une idée de la tête. Tout cela est trop réel.

Le lendemain matin, j'attends de voir les premières infirmières reprendre leur service. Je glisse péniblement dans mon fauteuil roulant. J'erre dans les couloirs à la recherche de Lucy, la nurse qui m'a pris en charge depuis mon réveil. Je la trouve finalement dans le mess en train de boire un café et discuter avec des médecins. Je l'appelle. Elle se retourne, me fait un sourire, s'excuse auprès de ses interlocuteurs et s'avance vers moi.

— Bonjour, James, que vous arrive-t-il ? Vous avez l'air dans tous vos états !

— Oui, j'ai mal dormi. Dites-moi, vous pourriez me rendre un service ?

— Oui, bien sûr.

— Voilà, j'ai cru reconnaître un ami à moi. Je crois l'avoir vu transporté sur une civière dans l'hôpital, mais je n'ai pas pu le rattraper avec ce foutu fauteuil roulant. Vous pourriez vérifier pour moi s'il est là ? Il s'appelle Cowburn… Théodore Cowburn, du 7e d'infanterie.

— Je m'en occupe dès que j'ai un moment aujourd'hui. Vous voulez que je lui transmette un message si je le trouve ?

— Non, dites-moi simplement.

— Bon. C'est entendu.

●

Je retourne dans mon lit. La journée passe lentement, comme les autres. Je lis quelques revues, remplies d'articles élogieux sur l'avancée de nos troupes au Viêtnam, sur la victoire proche, toute proche. Des « reportages » signés de gratte-papier dans leurs bureaux de Washington, qui se contentent de gentiment retranscrire les rapports de l'armée. Ici, c'est autre chose. Quand je vais me fumer des cigarettes sur le balcon, je vois en bas, dans la cour de l'hôpital, au rez-de-chaussée de l'aile gauche, des dizaines de cercueils en métal posés sur la pelouse. Heure après heure, ils sont empilés dans des camions bâchés qui les emportent à l'aéroport pour les ramener au pays. Et c'est comme ça toute la journée. Le mouvement incessant des camions. Les cercueils qui se déversent de l'hôpital, sans fin. La mort est ici une industrie florissante.

Il est 19 heures. Je suis allongé sur mon lit, à écrire une lettre à mes parents, quand Lucy apparaît dans le dortoir et s'approche de moi, le regard apitoyé.

— James ?

— Oui ? Vous avez retrouvé Théodore ?

— Justement.

— Oui ?

— Je suis désolé, mais Théodore Cowburn est décédé cette nuit. Il était dans le coma depuis quelques jours. Il avait reçu un éclat d'obus dans l'œil. La blessure s'est infectée. On n'a rien pu faire. Je suis désolée.

— Il était vraiment là ?

— Oui… Bon, je suis encore désolée. Je dois vous laisser. Je dois aller m'occuper d'un patient à l'aile 2B.

— Oui, d'accord.

— Ça va aller ?

— Ça ira…

Elle me laisse seul. Ce gamin était là. Théodore. Ce n'était pas qu'un rêve.

Non, ce n'est pas possible. Réfléchis, James. Tu as dû simplement passer dans son dortoir et lire, sans t'en rendre compte, la plaque de son lit. Avec son nom, son matricule. Ou peut-être même sur un des fichiers que pose tout le temps Lucy sur ta table de chevet quand elle vient te donner tes soins. C'est ça. Tout simplement. J'ai lu son nom quelque part.

Le soleil se couche. 22 heures, les lumières s'éteignent.

Ce soir, je m'endors plus facilement. Je suis convaincu que ce que j'ai vécu n'était qu'un mauvais rêve. Il ne peut pas en être autrement.

Je m'endors.

Et ça recommence.

Les mêmes flashs. La grotte. La stèle. Les tunnels.

Je suis dans une salle plongée dans le noir. Au milieu, sous un halo de lumière, comme un spot irradiant, un piano. Un homme est voûté sur le clavier et joue une petite mélodie douce et mélancolique. Je ne devrais pas être là. Je sais qu'il faudrait que je me réveille, mais je n'y parviens pas. Je m'approche.

Je ne vois que le profil de l'homme. Il a des cheveux noirs, frisés. Une barbe de quelques jours, 35 ans environ. Il joue les yeux fermés, en dodelinant de la tête.

Il ouvre les yeux, tourne à peine le visage, la partie droite toujours plongée dans l'obscurité.

Il me regarde, ne semble pas surpris.

— On m'a dit que je ne pourrai plus jamais jouer du piano. On m'a dit ça, mais les médecins se sont trompés, regardez ! Je joue !

— Oui, c'est beau.

— Cette odeur… Vous la sentez ?

— Non…

— Cette odeur de brûlé. Vous ne sentez pas ? Ça pue. Il continue de jouer.

— Au début, je n'ai pas entendu les cris.

— Les cris ?

— Je n'ai pas compris qu'ils avaient fait ça. Je n'aurais jamais laissé faire. Et puis, j'ai vu, j'ai vu dans la cabane, les enfants. J'ai voulu y aller, mais le feu… Il était partout. La petite fille, je l'avais dans les bras, je vous jure.

— Oui…

— On m'a dit que je ne jouerai plus du piano, mais écoutez, c'est beau, non ?

— Vous vous appelez comment ?

— David Miller. Je m'appelle David. Vous sentez cette odeur ? Je ne la supporte plus.

David se tourne vers moi, un sourire triste aux lèvres. De l'ombre, je vois lentement émerger la moitié droite de son visage. C'est horrible. Je peine à ne pas détourner le regard. Sa face est complètement brûlée, la chair est calcinée, déchirée, des lambeaux de peau pendent le long de la joue, ses dents sont à nu… Je fais tout pour réprimer mon dégoût.

Il continue de me fixer avec son sourire à la fois fragile et effrayant.

— Je l'ai cachée, vous savez ?

— Quoi ?

— Je l'ai cachée. Parce qu'on m'a dit… Mon voisin m'a dit que, quand on crève, les gars du funérarium piquaient tout ce qu'ils trouvaient. Alors je l'ai cachée.

— Quoi ?

— La montre de grand-père. J'ai attendu la nuit et j'ai réussi à me soulever pour la placer sous une latte de bois cassée, derrière mon lit, le long de la fenêtre. Vous la lui donnerez ?

— À qui ?

— À mon petit frère Frank. La montre est pour lui. Il faut qu'il l'ait.

— Tu lui donneras toi-même. À ton retour, David.

— Non.

— Pourquoi ?

— Parce que, moi, je vais mourir ici. Cette nuit.

Comme la nuit dernière, je me sens aspiré en arrière.

Je rouvre les yeux en hurlant.

Je suis en sueur.

Je suis revenu dans l'hôpital.

Il fait nuit noire.

Il faut trouver une infirmière, vite, une infirmière.

Il n'est peut-être pas encore trop tard.

4

25 juin 1970
Saigon, hôpital militaire
Température extérieure : 22 °C

Je vais le plus vite possible.

Mon fauteuil roulant slalome entre les lits des dortoirs. Les lumières sont éteintes, je cherche une infirmière. Quelqu'un. Vite. Je suis tellement anxieux que mes mains moites glissent le long des roues. Les muscles de mes avant-bras me tirent. Mon cœur bat la chamade.

Mon fauteuil manque de se renverser en butant sur un carreau défoncé au sol. Je reprends l'équilibre péniblement.

J'aperçois enfin, au fond d'un long couloir, une infirmière portant un plateau en métal. Je me rue sur elle en criant.

— Mademoiselle, aidez-moi, aidez-moi !

Surprise, elle sursaute et laisse tomber son plateau.

J'arrive à son niveau.

— Que vous arrive-t-il ?

— Écoutez-moi, il faut faire vite. Un blessé est peut-être en train de mourir !

— Comment ça, vous avez vu quelqu'un à l'agonie, où ça ?

— Non, ce n'est pas ça, écoutez-moi, il faut trouver le patient dénommé David Miller.

— Montrez-moi où il est, je vous suis.

— Je ne sais pas où il est…

— Alors comment savez-vous qu'il est en danger ?

— Je le sais, c'est tout, il faut faire vite. Trouvez-le et faites descendre le Dr Brimley…

L'infirmière me fixe quelques secondes, circonspecte. Puis, finalement, hoche la tête.

— Très bien. Suivez-moi.

Je la suis jusqu'à une salle de garde. Elle se saisit d'un registre, le feuillette. Laisse glisser son doigt le long de colonnes noircies de noms, autant de blessés, autant de mourants. Elle s'arrête finalement sur une ligne.

— David Miller, vous m'avez dit ?

— Oui, c'est ça, je crois.

— Très bien, il est dans l'aile D. Ce n'est pas très loin. J'appelle le Dr Brimley pour qu'il nous y rejoigne.

— Oui. Faites vite…

Elle décroche un combiné de téléphone et compose un numéro. Une attente. Elle me demande mon nom. Je le lui donne. Je suis en sueur. Et s'il était trop tard ? Ou si je me trompais complètement ? On va me prendre pour un illuminé si ce Miller n'a rien et dort paisiblement. Mais, au fond de moi, une terreur sourde, une sombre certitude me glace et me rassure à la fois. Je ne me trompe pas.

— Docteur Brimley. Excusez-moi… Kate du Bloc C. Désolée de vous déranger à cette heure tardive, je suis avec un de vos patients, James Hawkins. Il semble persuadé qu'un blessé est dans un état critique. Oui… Très bien. Son nom ? David Miller. Bloc D. Dortoir 4, lit 452. Nous vous y retrouvons. Tout de suite. Oui. Merci.

Kate raccroche le téléphone.

— Je vais vous pousser jusqu'au bloc. Ça sera plus rapide.

Quelques minutes plus tard. Nous arrivons dans le Bloc D. Dortoir 4. Les lits défilent. Kate, à l'aide une petite lampe torche, regarde les matricules inscrits sur les plaques de chaque lit. Dehors, une nuit sans lune a plongé le dortoir dans une pénombre quasi totale. Alors que le rayon de la lampe de Kate passe sur les visages des blessés, j'aperçois, dans un éclair de lumière, le visage de David Miller, ses cheveux frisés, son visage sec et émacié. Il est allongé trois lits plus loin. Je pointe du doigt la direction.

— C'est lui, là-bas !

— Vous en êtes sûr ?

— Oui.

Kate s'avance vers le jeune homme.

Au même moment, le Dr Brimley arrive au pas de course et nous rejoint au chevet de Miller.

— Poussez-vous, Kate.

Le docteur s'approche, pose sa main sur le front du blessé quelques secondes, puis appose ensuite deux doigts le long de son cou, certainement pour s'assurer que sa carotide palpite avec régularité. L'air sombre, il saisit le poignet de Miller. Et reste ainsi une interminable minute, à attendre une palpitation, quelque chose, un soubresaut.

Mais rien.

— C'est trop tard. Je suis désolé. Il est parti. Je ne peux rien faire.

Il est mort... mais bordel de merde, qu'est-ce qui m'arrive... Comment c'est possible ? J'ai peur, je suis terrifié. Mes mains se mettent à trembler.

— Mais vous êtes sûr ?

— Oui, on l'a perdu. Il est décédé depuis au moins une heure. Vous le connaissiez ?

— Euh... Non... Absolument pas.

— Alors comment avez-vous su ?

— Je ne suis pas sûr moi-même. Vous pouvez me laisser seul avec lui quelques instants ? J'essaierai de vous expliquer ensuite.

— Vous êtes sûr que ça va aller ? Vous n'avez pas l'air dans votre assiette, James...

— Oui, laissez-moi juste une minute.

— Très bien, Kate, suivez-moi.

Brimley et l'infirmière s'éloignent.

J'attends qu'ils se soient écartés de quelques mètres. Je fais rouler mon fauteuil vers l'avant du lit de Miller. J'avance mon bras au-dessus de la tête de lit. Ma main glisse le long de la fenêtre derrière le couchage. Du bout des doigts, je sens une planche branlante. J'essaie de la tirer. Mon visage n'est qu'à quelques centimètres de celui, éteint et froid, de Miller. De sa bouche entrouverte se répand un léger filet de bave aqueux. J'essaie de détourner le regard. La planche cède finalement. Je l'arrache. La laisse tomber par terre. Un bruit sourd. Je vérifie que le docteur et l'infirmière n'ont rien remarqué. Je regarde dans leur direction. Kate fait de grands signes, Brimley a l'air perplexe. J'enfonce ma main dans le trou laissé par la planche. Je ne tâte d'abord que de la poussière épaisse et, finalement, mes doigts heurtent quelque chose de froid. Du métal. J'attrape l'objet et le ramène vers moi. J'ai entre les mains une vieille montre des années quarante. Je la retourne. Au dos est inscrit : « Salomon Miller, 14 février 1947 ». La montre du grand-père de Miller.

Il n'y a plus de doute. Ce qui s'est passé cette nuit, ce que j'ai vu… Quelque part dans mon sommeil, au plus profond de mes cauchemars, j'ai vraiment rencontré Miller.

Il faut que ça cesse. Je ne pourrai pas en encaisser plus. Si ça recommence, je vais devenir fou. Il faut que ça cesse.

Quelques minutes plus tard, dans le bureau du Dr Brimley.

— Bien, nous voilà seuls. Comme vous le souhaitiez. J'attends des explications, James.

— Vous n'allez pas me croire, j'ai du mal à comprendre moi-même.

— Essayez toujours. Je suis dans cet hôpital depuis trois ans. J'ai entendu de drôles d'histoires, vous savez.

— Ouais. Avant tout, je veux que vous me disiez s'il s'est passé quelque chose de particulier durant la bataille où j'ai été blessé. Est-ce qu'on vous a fait part de quelque chose d'étrange, d'anormal ?

Alors que je parle, je sens le visage de Brimley se fermer.

— Non, absolument rien d'anormal. Vous avez été blessé en pleine tempe durant un assaut. Un de vos camarades vous a ramené jusqu'à un hélicoptère. C'est tout ce que je sais.

Il me répond, sans me regarder dans les yeux. Puis, après une attente, me demande :

— Mais vous, James, de quoi vous souvenez-vous ?

Je devrais peut-être tout lui raconter. Lui parler de la grotte, de la stèle. Mais à cet instant, j'ai peur... Il ne comprendrait pas, c'est impossible.

— Je ne me souviens de rien. C'est flou...

— Bien, revenons sur ce qui vient de se passer ce soir.

Dois-je alors lui expliquer mes rêves ? Ce qu'il s'y passe ? Je n'ai pas d'autre choix, au moins pourra-t-il m'aider...

— Depuis que je suis sorti du coma. Je fais des rêves, docteur.

— C'est normal. Vous avez vécu un sacré traumatisme et êtes resté plusieurs semaines dans le coma. Reprendre ses marques dans la réalité peut parfois prendre du temps.

— Non, vous ne comprenez pas. Je fais des rêves étranges.

— Je vous le répète, vu ce que vous avez vécu, c'est tout à fait normal... Je ne vois pas le rapport avec le décès de...

Dois-je aller plus loin ? Et s'il était déjà au courant ? Et si c'était une sorte d'expérience ? Des médicaments que les médecins testeraient sur nous ? J'ai entendu parler d'histoires comme celles-là... Mais ai-je seulement un autre choix que de lui parler ? Si je ne dis rien, ça va continuer... Je ne pourrais pas tenir comme ça plus longtemps. Il faut que je lui raconte.

— James, vous m'écoutez ? Je vous demandais quel était le rapport de tout cela avec le décès de David Miller ?

Je me lance...

— Je fais des rêves où je vois, je rencontre des soldats, que je ne connais pas, que je n'ai jamais vus. Des

40

soldats qui sont dans cet hôpital. Ça fait deux fois… À chaque fois, je les rencontre avant qu'ils ne meurent.

— Voyons, James… Vous savez très bien que c'est impossible.

— Alors, expliquez-moi comment j'ai pu savoir que David Miller allait mourir cette nuit. Et qu'hier, j'ai vécu la même chose avec un dénommé Théodore Cowburn ?

— Je ne sais pas. Vous les avez certainement croisés et trouvés affaiblis.

— Docteur, je ne suis jamais venu dans ce bloc.

— Écoutez, ce n'est pas…

— Dans mon rêve, David me disait qu'il avait caché sa montre dans une planche derrière son lit, de peur qu'on la lui vole, une fois mort. Regardez ce que j'ai trouvé…

Je sors la montre et la lui tends.

Il l'observe longuement, dubitatif.

— Vous auriez très bien pu la prendre sur lui. Ça ne veut rien dire…

— Oui, j'ai pu faire tout ça. Inventer cette histoire… bien sûr. Mais ce n'est pas le cas.

— Il arrive fréquemment qu'après une expérience comme celle que vous venez de traverser on souffre de paramnésie. C'est normal que vous ayez ces sensations de réminiscences, ces impressions de déjà-vu… C'est un symptôme assez classique. C'est un problème neuronal. Pendant une fraction de seconde, votre cerveau s'arrête de fonctionner et repart… J'ai…

— Arrêtez ! Vous essayez de vous convaincre… ce n'est pas ça. Je vais vous dire ce qui se passe. J'ai l'impression d'entrer dans leur tête, d'intégrer leur rêve.

— Bien. J'ai du mal à vous croire, mais je pourrais essayer de contacter une connaissance, un professeur. Il pourrait peut-être…

Peut-être quoi ? M'analyser ? M'ouvrir le crâne ? Soudain, je prends conscience que tout cela pourrait rapidement me dépasser. Il faut que ça cesse.

— Non, je ne veux pas en savoir plus. Je ne veux pas qu'on m'étudie… Qu'on me questionne. Je veux juste que ça s'arrête.

— Vous en êtes certain ?

— Oui. Trouvez-moi des médicaments. Donnez-moi quelque chose, des somnifères, je ne sais pas. Je ne pourrai pas en encaisser plus. Avec tous ces mourants partout, j'ai l'impression que ça va recommencer dès que je fermerai les yeux. J'ai peur, docteur. Il faut que vous me donniez quelque chose. Que vous croyiez ou non à ce qu'il m'arrive. Donnez-moi quelque chose ou je vais devenir fou. Quelque chose pour que je ne me souvienne plus de mes rêves.

— Écoutez, je vais vous prescrire des somnifères et des anxiolytiques. Et vous êtes sûr de ne pas vouloir que je me renseigne ? Je pourrais passer quelques coups de fil. Voir s'il y a eu des précédents.

— Non, je ne veux rien savoir. Je veux juste mettre un terme à tout ça.

— Très bien…

Alors que je m'apprête à faire pivoter mon fauteuil roulant, Brimley me dit d'attendre quelques secondes. Il fouille dans les piles de dossiers sur son bureau, puis finalement m'en tend un. Je le saisis.

— James, je voulais vous l'annoncer demain. Mais je crois que ça vous fera du bien d'entendre ça. Voilà votre ordre de démobilisation. Vous rentrez au

42

bercail dans une semaine. Vous serez bientôt chez vous, James.

Je rentre chez moi... Je vais bientôt quitter cet enfer. J'ai du mal à retenir mon émotion. Des larmes viennent perler au coin de mes yeux.

— Merci.

— J'ai une autre bonne nouvelle. Vous aviez demandé à recevoir une visite, celle du lieutenant Nathan Irving. Il est actuellement à Saigon. Nous l'avons retrouvé, il viendra vous voir demain.

— Il va bien ?

— Je crois, oui.

— Merci, docteur.

— Maintenant, retournez dans votre lit, essayez de trouver le sommeil. Kate va vous donner des somnifères. Tenez, je vous rends cette montre, faites-en ce que vous voulez.

— D'accord. Merci.

Je saisis la montre, salue le docteur, quitte son bureau. Kate m'accompagne jusqu'à ma couchette, me donne deux somnifères, un grand verre d'eau. J'avale. M'allonge. En quelques minutes, je dors d'un sommeil profond et sans rêve.

Enfin...

Le lendemain matin, vers 10 heures, j'émerge difficilement, la bouche pâteuse. Ma première pensée, avant même de me souvenir que je rentre chez moi, est de songer à Irving que je vais revoir avant mon départ... Pouvoir enfin savoir comment il va et comment les autres gars de l'unité se portent.

Je me prépare le plus vite possible, passe à la douche avec l'aide d'une infirmière, me rase, enfile une chemisette kaki. Je m'installe ensuite bien droit, deux coussins dans le dos, dans mon lit et attends.

Les heures défilent. Midi, 13 heures, 14 heures... Pendant tout ce temps, je bouquine, fume des cigarettes, discute de banalités avec mes voisins de chambrée. Je ne dis à personne que je vais rentrer au bercail, je sais combien c'est douloureux d'apprendre cela alors que l'on est obligé de rester dans ce bourbier.

Mais surtout, durant toutes ces heures passées à attendre Irving, j'évite de repenser à ce qui se cache au fond de ma tête, à ce que j'ai vu, ce que j'ai vécu ces dernières nuits. Comme disait le docteur, c'est un traumatisme, tout simplement, rien de plus. Il faut que ça passe.

●

Enfin, à 18 heures, j'entends des bruits de pas dans le couloir menant au dortoir, des bruits de pas lourds. Une silhouette se profile, je reconnais immédiatement la démarche d'Irving, ce corps massif, presque deux mètres, comme voûté en avant, les épaules rentrées, comme s'il était constamment prêt à livrer un match de boxe. Je le vois s'approcher. Il me remarque, me fait un signe de main et lâche un sourire un peu forcé. Je note qu'il boite légèrement de la jambe gauche. Boitait-il avant ? Peut-être, je ne sais plus trop. Il s'approche de mon lit. Me tend sa main robuste. Je lui souris. Je regarde son visage. C'est étonnant, je n'ai passé que peu de jours en sa compagnie, mais ce qui s'est passé dans les tranchées m'a fait me rapprocher de cet homme. Je me sens en confiance en sa présence, comme protégé. Et pourtant nous sommes deux inconnus l'un pour l'autre. Je ne sais pas pourquoi, mais son apparence, sa silhouette d'ours fatigué, son visage rugueux, son nez cassé, ses yeux toujours un peu plissés, tout ce qui se dégage de cet homme, cette lassitude, le fardeau qu'il porte sur ses épaules, les horreurs auxquelles il a pu survivre… tout cela me laisse une drôle d'impression. Je n'ai jamais jugé les gens sur un premier coup d'œil. Mais, dans le cas d'Irving, en le voyant, on ne peut douter une seconde, c'est un homme brisé, usé, mais un homme bien.

J'attrape sa main et la serre, longtemps.

Il saisit un tabouret, l'approche du lit et s'assoit dessus lourdement. Il détourne le regard, comme s'il n'osait pas me fixer. Son attitude me semble un peu étrange, moins spontanée qu'elle n'avait pu l'être dans mes souvenirs.

— Alors James, tu t'en sors bien, je vois ?

— Ça va, lieutenant.

— Pas de lieutenant ici, appelle-moi Irving ou Nate, comme tu préfères.

— Ça va, Nate. Et vous ?

— On fait aller. Ma permission se termine dans une semaine, après je retourne dans la fange.

— Désolé…

— Non, ça va. J'en peux plus de traîner mes guêtres dans cette ville. On ne peut que mal finir à trop rester par ici. Ça pue, il y a comme une odeur… Je vais te dire un truc, cette putain de guerre, je le sens, on ne peut pas la gagner.

— Vous pensez vraiment ?

Il balaie l'air de sa main, pour me faire comprendre de laisser tomber, et s'appuie encore plus lourdement sur ses coudes, sa tête semble lourde comme une enclume. Je sens son haleine imbibée d'alcool. Il est saoul.

— On s'en fout de ce que je pense. Dis-moi comment ça va, toi ? Ta blessure ? T'as eu une sacrée veine, hein ?

— On peut le dire, ouais.

— Et puis, ça te va finalement plutôt bien ces bandages sur la tronche. On dirait Boris Karloff dans *La Momie*.

— Ouais, je vais me lancer à Hollywood.

On rit tous les deux, un peu mal à l'aise. Je sens comme une gêne chez lui, derrière ses sourires, quelque chose d'étrange. Un ange passe. Il reprend finalement la parole.

— J'ai appris que tu étais démobilisé ?

— Ouais, je rentre la semaine prochaine.

— T'as de la chance. C'est bien. Mais c'est normal, avec ce que t'as pris dans la caboche.

— Ouais…

À nouveau, le silence. Puis finalement, je me lance.

— Lieutenant ? Enfin, Nate. Je voudrais vous poser une question… Que s'est-il passé là-bas, à Svay Rieng, dans les tranchées ?

— Comment ça, James ? Rien…

— Non, mais après que j'ai été touché, qu'est-ce qui s'est passé ? J'ai l'impression, comme un vague souvenir, d'avoir entendu des cris hystériques.

Son regard se baisse, se perd quelques secondes comme s'il plongeait au fond de lui-même, au fond des ombres, puis finalement il relève les yeux vers moi et feint une mine rassurante.

— Non, il ne s'est… il ne s'est rien passé de particulier. On a finalement réussi à reprendre la tranchée.

46

On a eu pas mal de pertes. J'ai laissé la plupart des hommes sur place pour garder la position et, avec quelques autres, nous avons porté les blessés vers le point d'extraction où nous attendaient les hélicoptères. Je t'ai porté sur mon dos. Ça, par contre, je m'en souviens. Tu pèses ton poids, gamin !

— Hé, hé… Merci pour tout Nate. Vraiment.

— Pourquoi tu me demandes ça, tu te souviens de quelque chose ?

— Non, j'ai juste l'impression qu'il s'est passé quelque chose du côté des Viets.

— Les Viets… Non, à part nous tirer dessus, ils n'ont su faire qu'une chose : c'est mourir.

— D'accord.

— Bon, je vais y aller, il se fait tard. Prends soin de toi, James, et passe le bonjour à l'oncle Sam de ma part.

— Vous pensez qu'on se reverra ?

— Qui sait ? En tout cas, j'espère que ça ne sera pas dans ce putain d'enfer. Allez, j'y vais.

Il se lève, me serre la main et me tape sur l'épaule.

— Profite de ta vie, James… et oublie tout ce que tu as vu. Oublie…

— Ouais. Faites gaffe Nate.

Il me lance un dernier sourire et s'éloigne de son pas lourd et fatigué.

Alors que je le regarde quitter le dortoir, je ne peux m'empêcher de me dire qu'il me ment. Un truc cloche dans son attitude, il s'est passé quelque chose dans ces putains de tranchées, je ne sais pas pourquoi, mais j'en suis convaincu.

Il s'est passé quelque chose d'horrible.

5

10 juillet 1971
Cedar City, Utah, États-Unis
Température extérieure : 26 °C

Cela fait maintenant un an que je suis revenu du Viêtnam.

Retour au point de départ. Je suis retourné dans ma ville natale, là où j'ai passé mon enfance, mon adolescence, et probablement le restant de mes jours : Cedar City, dans l'Utah. Une ville entourée de montagnes et de canyons, encerclée de forêts de cèdres sombres, comme pour me rappeler que jamais je ne m'échapperai de cet endroit. C'est justement à cause de cet encaissement, de cette sensation d'étouffement, que, depuis que je suis gamin, j'ai toujours eu envie d'un ailleurs, envie de voyager, de traverser le monde. Enfant, je passais mon temps à la bibliothèque à dévorer les grands romans d'aventures de Jack London, les péripéties de pirates de Robert Louis Stevenson, les histoires merveilleuses de Jules Verne. Moi aussi, je voulais devenir explorateur, combattre des tigres à mains nues, libérer de belles princesses indiennes d'un maharajah terrifiant... Et puis j'ai grandi. Jamais vraiment doué pour les études, j'ai fini là où j'avais passé le plus clair de mon temps, dans la bibliothèque municipale de la ville, comme documentaliste. Ma vie était bien réglée. J'avais un métier tranquille, quelques collègues avec qui j'allais boire des verres, une petite amie, Dorothy, qui travaillait au drugstore du coin. Tous les vendredis soir, j'allais dîner chez mes parents... une vie bien réglée.

Une vie, qui, au fond de moi, me dégoûtait. Alors que, qui sait, c'était peut-être ça le bonheur ? Mais pas pour moi.

Quand, le soir venu, je me retrouvais dans ma salle de bains, fixant le miroir, face à moi-même, en voyant ce visage maigrelet, ces oreilles décollées, cette mèche brune qui dégoulinait sur mon front, je ne pouvais m'empêcher de me dire que ce visage qui me faisait face n'était pas le mien, comme si je faisais face à un étranger. Je me rêvais autrement, ailleurs. Comme intimement persuadé que quelque chose d'autre m'attendait, que ma vie n'était pas là. L'enfant que j'avais été continuait à me susurrer à l'oreille que l'aventure était là, qu'il suffisait de tendre la main, d'avoir le courage de se lancer.

Alors, lorsqu'en 1969 une délégation de l'armée de Terre est venue enrôler des volontaires pour le Viêtnam, je n'ai pas hésité longtemps. C'était ma chance de fuir ce trou à rats de Cedar City, je n'en aurais pas eu d'autres. Je ne savais pas ce qui m'attendait, l'horreur absolue de ce que j'allais vivre. Je voulais défendre mon pays, certes, mais avant tout me sentir vivant.

Et, au final, tout ce que j'ai croisé là-bas, c'est la mort. Je n'ai rien gagné, sinon une cicatrice qui entaille le haut de mon front, un fragment de balle à jamais logé dans mon crâne, un bout de métal ancré dans ma tête qui me donne en permanence de terribles migraines.

Mais j'ai rapporté autre chose du Viêtnam, aussi.

Mes rêves m'ont suivi.

Je pensais que tout cela s'arrêterait de retour chez moi. Les premières semaines, j'ai vécu chez mes parents, en attendant de me remettre à travailler, je me laissais aller, en profitant de ma pension de blessé de guerre.

Dès mon retour, j'arrêtais mon traitement de somnifères et d'anxiolytiques, je ne supportais plus de toujours me sentir groggy, comme sortant d'un match de boxe.

Je voulais en finir. À peine arrivé, j'écrivais une courte lettre à la famille Miller dont je m'étais procuré l'adresse avant de quitter Saigon. Je glissais la montre de David à l'intérieur, accompagnée d'un court mot : « J'étais un ami de David. Avant de mourir, il m'a demandé que Frank, son frère, récupère sa montre. La voilà. Mes sincères condoléances. » Je ne signais pas, ne laissais pas d'adresse. Finalement, je le réalisais après coup, si je faisais ça, si je renvoyais la montre de David Miller, c'était peut-être finalement plus pour tirer un trait sur toute cette histoire, en finir, plutôt que de tenir ma promesse.

Je pensais alors vraiment que ça allait cesser.

Et pourtant, rapidement, les rêves ont repris, encore plus forts et plus fréquents qu'à Saigon.

Désormais, je ne voyais plus des soldats du Viêtnam, non, il s'agissait de voisins, de connaissances ou de

51

complets inconnus. Je me rappelle leur nom : Kenneth Wilcott, James Alberquin, Lilian Seth, Kelly Wildmore, et tant d'autres. À chaque fois, j'avais l'impression d'entrer dans leur tête à tous, d'être témoin et acteur des spectacles les plus intimes et les plus dérangeants qui soient. Chaque nuit, je me retrouvais spectateur forcé de scènes de vie quotidienne, de cauchemars terrifiants, de fantasmes érotiques. Une vieille dame faisant du vélo, hilare, un couple en plein ébat, un enfant fuyant une créature invisible, un homme s'arrachant les ongles… Rapidement, je ne cherchais plus à comprendre, à savoir si ces gens existaient vraiment, ce qu'ils faisaient, s'ils se souvenaient de moi à leur réveil.

Chaque soir, avant de me coucher, la même peur, la même anxiété. Allaient-ils revenir ?

J'allais voir un médecin, prétextais des cauchemars, le traumatisme de la guerre et obtenais ce que j'étais venu chercher : des somnifères.

Je dormais d'un sommeil sans rêve, lourd, et tout sauf reposant.

Je voyais mes cernes se creuser, mon visage s'émacier au fil des jours. Je ressemblais de plus en plus à un cadavre ambulant.

Mais tout cela n'était pas suffisant.

Après un mois, je reprenais mon travail de documentaliste. Mais, au bout de quelques jours, durant les longs moments où je n'avais rien à faire, il suffisait que mon esprit se déconnecte juste quelques secondes, que je lâche prise, pour que les visions reviennent. À demi-conscient, je voyais défiler des flashs, toujours différents : une fois, un homme nu en train de hurler, tenant ses testicules entre ses mains, une autre, un enfant ouvrant les bras et révélant deux magnifiques ailes, ou encore une femme s'efforçant d'effacer une trace indélébile sur le carrelage de sa cuisine.

Et parmi ces flashs toujours différents, souvent incompréhensibles, une seule image revenait constamment. C'est trouble, je m'avance vers un homme accroupi au sol, en train de s'affairer sur quelque chose. Il émet des bruits bestiaux, comme un porc qui couine. Soudain, sans un bruit, il se retourne, c'est un Vietnamien, le visage recouvert de sang, il se met à hurler d'un cri inhumain. C'est là que je reviens à moi.

Je n'ai tenu qu'une semaine. La seule solution que j'ai trouvée pour ne pas avoir ces « visions », c'est de faire le métier le plus mécanique possible, qui ne me laisse jamais une seconde de répit, ne me laisse pas le temps de penser, le temps de déconnecter. Avec mon bagage de héros de guerre, les portes s'ouvraient facilement à moi. Dans la rue, on me saluait, on venait me féliciter, me dire combien je faisais la fierté de mon beau pays. Alors, quand j'ai demandé un poste à l'usine de découpe de bois de Cedar City, son patron, lui-même ancien militaire en 1942-1945, n'a pas hésité longtemps avant de m'accorder le job.

Certes, je gagne bien moins ma vie qu'avant, le travail est harassant, je rentre chez moi en crachant de la suie, mes mains sont entaillées de coupures faites par les échardes et copeaux, mais au moins je ne rêve plus. J'arrive le matin à 8 heures, je mets ma combinaison, abaisse le masque de protection sur mes yeux, enfile mes gants et commence à pousser de longs troncs vers la scie gigantesque qui les découpe en lamelles. Je termine à 18 heures. Rentre dans l'appartement que je loue, ne vois le plus souvent personne, tire les stores. J'allume la télévision, la radio, je reste éveillé le plus longtemps possible en fumant cigarette sur cigarette. Finalement, vers 3, 4 heures du matin, j'avale mes cachets et dors une paire d'heures avant de retourner travailler.

J'aurai pu me satisfaire de cette vie, peut-être aurais-je oublié cette malédiction que je traînais. Jour après jour, je me posais moins de questions, avais arrêté de rechercher des livres, d'autres cas comme le mien. Je ne cherchais plus à comprendre.

Car il n'y avait rien à comprendre. Je commençais à me dire que je pourrais continuer comme ça. Que c'était vivable.

Jusqu'à aujourd'hui.

Jusqu'à ce qu'il tape à la porte de mon appartement.

Nous sommes samedi. Il est 9 heures du matin. Je prends mon petit-déjeuner. Je suis réveillé depuis 5 heures du matin, à attendre allongé dans mon lit, les yeux grands ouverts, que le jour se lève, que la nuit passe enfin. Car je sais que je ne peux plus dormir, que mes somnifères ont fait leur effet, que j'en ai déjà pris trois cette nuit et que, si je sombre à nouveau, je risque de rêver, vraiment.

Après avoir attendu quatre heures dans la moiteur de ma chambre, je me décide finalement à me lever, sans enthousiasme, pour un week-end qui va être encore interminable. Chaque samedi, j'en viens à attendre le retour du lundi matin, où le temps redeviendra mécanique et où je ne courrai plus le risque de m'endormir, de voir ces foutus flashs. Les gens passent leur semaine à attendre le sacro-saint week-end. Moi, c'est l'inverse, je n'ai qu'une attente : le fuir. Il me fait peur, m'inquiète, car j'ai beau meubler mon ennui, passer des heures et des heures devant la télévision, aller faire de longues promenades en forêt, il y a toujours un moment où je me relâche et où ça recommence.

9 heures du matin donc, je me sers un troisième café, m'assois à la petite table blanche en Formica de ma cuisine, je relis le journal pour la deuxième fois, en jetant des regards fréquents vers la grosse horloge accrochée au-dessus de la cuisinière. Les minutes s'égrènent au ralenti. Comme le temps passe lentement…

On tape à ma porte.

Je n'attends personne. Ce soir, certes, je dois aller dîner chez mes parents, mais à cette heure, un samedi matin, qui ça peut bien être ? Encore un représentant qui va vouloir me vendre ses pacotilles, une bible marquetée en cuir véritable, un aspirateur révolutionnaire. Au moins, ça m'occupera quelques minutes.

Je me lève, ferme ma robe de chambre ; par réflexe, place ma mèche de cheveux sur ma cicatrice disgracieuse. Je m'avance vers la porte d'entrée. À travers le verre dépoli, derrière la moustiquaire, se dessine une silhouette trapue et imposante. Intrigué, j'ouvre la porte, pousse la moustiquaire.

Et là, je n'en crois pas mes yeux.

Devant moi, Nate Irving dans un uniforme rutilant. Son béret bien posé sur le côté de son crâne, des décorations recouvrant le côté gauche de sa veste. Je note d'ailleurs que, sur ses épaulettes, son grade a changé, de lieutenant, il est passé à capitaine. Belle promotion.

Après un instant de surprise, je lâche un grand sourire.

Il me sourit à son tour et me tend sa main. Je la serre, amicalement.

— Salut, James. Ça va ?

Je l'observe longuement, un peu abasourdi. J'ai du mal à dissimuler ma surprise. C'est bien la dernière personne que je m'attendais à revoir.

— Écoutez, on fait aller. Et vous, ça va ?

— Ça va. Je ne te dérange pas au moins ? Il est un peu tôt, je sais.

— Non, pas de problème. Entrez donc, je vais vous servir un café.

— Ouais, avec plaisir.

Je m'écarte de l'encadrement de la porte et le laisse entrer.

Je lui indique le chemin de la cuisine. Je réalise alors seulement le désordre qui règne dans mon appartement. Des tas de vêtements empilés de-ci de-là. Des cendriers remplis à ras bord. Quelques cadavres de bouteilles gisent au pied du lit. Je m'empresse de tirer les portes battantes de la chambre. Je l'invite à s'installer dans le petit coin salon. Je repousse les papiers et journaux sur le canapé, gêné. S'il est mal à l'aise, il n'en montre rien. Il s'assied dans le canapé, pose à ses côtés une mallette en cuir noir. Je reste quelques secondes à le fixer, incrédule. On se regarde comme ça pendant une longue minute, sans se parler, en réalisant chacun que se retrouver face à face, ça ramène tout un tas de choses à la surface. Des choses qu'on aurait préféré oublier, une bonne fois pour toutes.

Je hoche la tête comme pour me retirer ces images du crâne. Je me rends dans la cuisine, saisis la cafetière chaude, attrape deux tasses, un cendrier, et retourne dans le salon. Je pose tout sur la table basse. Au passage, je retire une pile de feuilles recouvertes de gribouillis. Il y a quelques jours, après un flash où je me retrouvais dans la « grotte », j'ai essayé de la dessiner, en vain. Je pose les feuilles en vrac sous la table basse. Finalement, je sers un café à Irving, tire une chaise et m'assieds en face de lui. Sors mon paquet de cigarettes de la poche de ma robe de chambre, m'en allume une, un peu fébrile.

Un ange passe.

Il prend enfin la parole.

— Alors, James, quoi de neuf ? Je vois que tu t'en sors plutôt bien. Tu as un bel appartement.

— Merci.

— Tu as trouvé un travail ou tu vis de ta pension ?

— Non, je bosse à la scierie à l'entrée de la ville, à la découpe.

— Je te croyais documentaliste, tu as changé de métier ?

— Ouais, je ne sais pas, je ne me voyais plus continuer ça. Envie d'autre chose.

— Très bien. Tu as une copine ? J'imagine qu'un héros militaire, beau garçon comme toi, ça doit être courtisé, non ?

— Écoutez, pas trop, et puis je ne sors pas beaucoup.

— Ah bon…

— Et vous, vous avez été démobilisé quand ?

— Le mois dernier. Après ton départ, il y a un an, j'ai fait encore quelques missions. Dans le Nord Viêtnam, surtout. C'est de pire en pire, là-bas… Et puis, il y a trois mois, on m'a proposé de revenir aux États-Unis.

— J'ai vu que vous avez été promu ?

— Ouais. Appelle-moi capitaine dorénavant ! Mais toi aussi tu as eu droit à ta petite médaille après Svay Rieng, non ?

— Ouais, héros de guerre… Tu parles, j'ai couru quelques mètres et pris une balle en pleine caboche.

— Ouais, mais t'as failli crever pour ton pays, tu méritais bien une récompense.

— Excusez-moi, Nate, ça a beau me faire bien plaisir de vous voir ici, mais qu'est-ce que vous faites là ?

Il place ses deux mains sur ses genoux, se cambre légèrement, comme s'il s'était longuement préparé à cet instant.

— Écoute, je ne vais pas y aller par quatre chemins, je suis pas très bon en baratin, moi. Voilà, je suis venu te chercher, James.

— Me chercher ?

— Oui. Si j'ai été démobilisé, c'est parce qu'on m'a fait une proposition. Ce dont je vais te parler est ultra-confidentiel, il faudra que ça reste entre nous. Il y a trois mois, donc, j'ai été convoqué à Saigon, dans l'hôpital que tu connais bien. Là-bas, j'ai été reçu par le Dr Brimley qui s'occupait de toi, je crois, et un autre homme qui ne s'est pas présenté. Un homme assez âgé, de 70 ans environ. Pendant deux bonnes heures, ils m'ont posé tout un tas de questions sur Svay Rieng. Puis ils m'ont parlé de toi.

— De moi ?

— Oui, le vieil homme surtout. Je pense que c'est lui qui est à l'origine du projet.

— Un projet, quel projet ? Mais de quoi parlez-vous, Nate ?

— Bon, je ne vais pas tourner autour du pot pendant des heures… Je suis là, parce que j'ai une mission, celle de venir te chercher et t'emmener en Alaska, dans une base militaire. Je suis venu te chercher pour participer à un projet, ils l'ont appelé « Limbes ».

— « Limbes », mais qu'est-ce que c'est que ces conneries, Nate ?

— Franchement, je n'en ai aucune idée… Je ne sais pas du tout ce qui nous attend là-haut. Je pense qu'il s'agit d'un projet scientifique et militaire, mais je n'en sais pas plus. Vraiment.

— Et si je refuse ?

— Alors, ils te diront la même chose qu'ils m'ont dite quand je leur ai posé cette question. Suppression de la pension militaire.

— Ma pension, je m'en fous. Je n'irai pas dans votre bled en Alaska. Désolé Nate.

— James, tu n'as pas le choix.

— Comment ça ?

— Ce n'est pas tout.

Il se saisit de sa mallette, en sort une pochette orangée. Il l'ouvre et en extrait une grande enveloppe en papier kraft.

— Ils m'ont dit de te donner ça. Cette enveloppe.

— Quoi ?

— Elle est cachetée, je ne l'ai pas ouverte, je ne sais absolument pas de quoi il en retourne.

Je devrais l'envoyer balader, déchirer cette foutue enveloppe. Lui dire que ça ne m'intéresse pas… Mais la curiosité l'emporte. Je m'en saisis, la décachette. J'en extrais une courte lettre.

« Galena, Alaska, le 17 juin 1971
Bonjour James,
Je me présente, je suis le Pr Friedrich Kleiner.
Je mène actuellement des recherches en Alaska en collaboration avec l'armée américaine. Il s'agit d'un projet secret nommé « Limbes ». Vous l'imaginez, je ne peux vous en parler en quelques mots, au travers

59

de cette missive, mais sachez que je serais heureux de tout vous expliquer dès votre arrivée à nos côtés.

En effet, nous avons besoin de vous. Votre aide nous serait très précieuse pour l'avancée de nos travaux. Je vous invite donc à me rejoindre à la station K27 dans le nord de l'Alaska. M. Irving, que vous connaissez bien, je crois, vous accompagnera durant ce voyage et pendant la durée de votre séjour. C'est important pour nous que vous ayez à vos côtés quelqu'un en qui vous avez confiance.

J'imagine que vous devez trouver cette requête un peu folle, voire inquiétante, et que vous envisagez actuellement de la rejeter. Je n'ai pas grand-chose à vous dire pour vous convaincre. Simplement peut-être qu'il s'agit de servir votre pays, d'aider vos compatriotes, mais encore plus de vous aider vous-même.

En effet, James, je sais ce qui vous arrive, ce que vous voyez dans vos rêves. L'enfer que vous vivez nuit après nuit.

Nous tenterons de vous aider, de vous expliquer.

Le Dr Brimley, que vous avez rencontré à Saigon, fait aussi partie de notre équipe.

Pour information, je vous garantis qu'aucun mal ne vous sera fait.

Je vous attends donc, impatiemment.

À très bientôt.

Cordialement.

Pr Friedrich Kleiner »

Je replie la lettre nerveusement.

— C'est une blague ? Vous vous foutez de moi. Vous voulez que je quitte tout, ma vie, pour partir au beau milieu de l'Alaska servir de cobaye. Vous croyez que je vais gober ces salades…

— Je ne sais pas de quoi il te parle dans cette lettre, explique-moi.

— Non… ça ne sert à rien. Je ne vous accompagne pas. C'est hors de question.

— Je te l'ai dit, tu n'as pas le choix.

— Si, j'ai le choix, le choix de leur dire d'aller se faire foutre. Ils ont ruiné ma vie avec le Viêtnam, j'essaie de me reconstruire et ils croient que je vais les laisser recommencer ?

— Si tu refuses de m'accompagner, ils reviendront te chercher et t'emmèneront de force. C'est ce qu'ils m'ont dit. Je ne sais pas pourquoi, mais ils ont besoin de toi là-bas. Et ils sont prêts à tout pour que tu les rejoignes. Tu devrais jeter un œil à ça.

Il me tend une autre lettre estampillée d'un tampon du ministère des Armées.

Il s'agit d'une attestation à comparaître devant le Tribunal des armées de Washington pour désertion…

— Désertion, c'est quoi ces conneries, je n'ai jamais déserté, moi ?

— Ils peuvent le faire croire, monter des dossiers, trouver de faux témoins…

— Des faux témoins comme vous, Nate ?

— Non, pas moi. Si tu ne me crois pas, je veux juste te dire que j'ai réagi comme toi quand on m'a demandé de rejoindre ce fichu projet. Et si j'ai accepté, c'est pour plusieurs raisons. D'abord, parce que je ne t'aurais jamais laissé partir seul dans ce merdier. Ensuite, parce qu'ils ont le même dossier sur moi. James, tu sais de combien de temps on peut écoper en taule pour désertion ? Tu sais ce que prévoit le Code de la justice ?

— Non.

— Vingt-cinq ans au mieux. Et au pire, la peine de mort…

— Mais, ils n'ont rien sur nous, un avocat pourra facilement le prouver.

— Parce que tu as déjà vu l'armée américaine perdre un procès, toi ?

— Non.

— Sincèrement, James, nous n'avons pas le choix. Si on participe à cette mission, quelques mois tout au plus, on sera revenu en janvier, avec de belles indemnités en prime.

— Je vous ai dit que je n'irai pas.

— Si tu ne le fais pas pour toi, alors fais-le pour moi. Même s'ils ne se servent pas de cette histoire de désertion, si je ne te ramène pas, ils me renverront au Viêtnam. Je ne peux pas y retourner. Je ne peux plus. J'en ai assez vu, assez fait. Mais, en même temps, je ne sais rien faire d'autre. J'ai 42 ans, James, et j'ai fait la guerre toute ma putain de vie. Mais je ne peux plus continuer comme ça, j'en ai marre de compter les morts. J'ai envie de me reposer, m'acheter une petite baraque, rester peinard. Si on accepte cette mission, les indemnités plus la pension nous garantiront de passer les vingt prochaines années sans nous soucier de rien. Et c'est tout ce que je demande. Un peu de calme. Pour moi, c'est une occasion que je ne peux pas refuser, tu comprends ?

— Oui, je comprends, Nate. Mais qu'est-ce qu'ils vont me faire là-bas ?

— Je ne sais pas. Mais ils m'ont garanti qu'aucun mal ne te sera fait. Et ne t'inquiète pas, je serai là pour toi.

— Vous le jurez ?

— Je te le jure, James.

— On doit partir quand ?

— Cet après-midi. Un train nous emmènera jusqu'à St-George. Là, un avion militaire nous attendra pour nous emmener jusqu'à Anchorage en Alaska. Ensuite, nous prendrons un hélicoptère jusqu'à la base. Il nous faudra une vingtaine d'heures pour arriver là-haut.

— J'ai le temps de prévenir ma famille ?

— Non, et surtout tu n'en as pas le droit. Je te le répète, cette mission est secrète. Personne ne doit être au courant. Ils m'ont dit qu'ils enverraient des missives à nos proches expliquant que nous avons été sélectionnés pour former des troupes au combat à Quantico.

— Bien. Je peux préparer mes affaires au moins ?

— Prends le strict nécessaire. Des vêtements chauds te seront fournis sur place. Et pense à prendre ton pistolet de fonction et à le planquer dans ta valise.

— Pourquoi ?

— Parce que, pas plus que toi, je ne sais pas ce qui nous attend là-haut…

6

15 juillet 1971
Station K27, 200 km au nord de Galena, Alaska
Température extérieure : 15 °C

Me voilà arrivé. Ça fait trois jours qu'on est là. Et qu'on attend. La station K27, au beau milieu de nulle part. Il n'existe pas sur cette Terre d'endroit plus isolé, plus éloigné de toute vie humaine.

Au bout du monde, c'est là que nous sommes.

Des collines recouvertes d'une mousse jaunâtre, des lacs et des cours d'eau déversant une eau boueuse, des forêts de conifères secs et déplumés et, partout, suintant du sol comme d'une plaie béante, des marécages nauséabonds.

Mais qu'est-ce qu'on fout là ?

La ville la plus proche, Galena, est à deux cents kilomètres à vol d'oiseau. Il faut plus de deux heures pour la rejoindre en hélicoptère, six heures en camion en empruntant des sentiers boueux et tortueux.

Galena est une ville peuplée d'à peine trois cents âmes, Inuits, trappeurs et bateliers, pour la plupart, qui profitent de son emplacement privilégié en bordure de la rivière

Yukon. Mais si cette ville existe et si elle survit, c'est surtout pour sa base militaire de l'U.S. Air Force construite durant la Seconde Guerre mondiale. Au départ, il s'agissait d'un avant-poste pour envoyer des avions soutenir la Russie. Aujourd'hui, c'est une base de réserve en cas d'attaque russe, justement. Les années passent et les alliés deviennent des ennemis… La journée là-bas, c'est un ballet incessant de gros-porteurs, des cargos de type C123, et de jets comme les F102. Quand ils sont en exercice, leurs traînées blanches zèbrent le ciel.

La base de Galena est assez imposante : une large piste d'atterrissage, un énorme hangar, une dizaine de petits immeubles sur deux étages offrant des appartements de fonction spacieux et confortables. Ils ont même une caserne de pompiers. Rien à dire, ils sont bien équipés là-bas.

Ça change d'ici.

Avec Irving, nous y avons passé deux jours, avant que l'on vienne nous chercher en hélicoptère. Au départ, je croyais que c'était là que nous allions rester. Comme je me trompais !

Alors que nous étions à Galena, il nous était formellement interdit de communiquer à quiconque l'endroit où nous nous rendions ou le but de notre mission. En même temps, ce n'était pas bien compliqué, nous ne savions nous-mêmes pas vraiment ce que nous allions faire à la station K27. Sur sa demande insistante, j'ai fait lire à Irving, dans l'avion-cargo qui nous emmenait vers Anchorage, la lettre écrite à mon attention par Kleiner. Il avait quand même le droit de savoir. Il m'a demandé ce que voulait dire Kleiner, par ces mots : « je sais ce que vous vivez dans vos rêves ». Je lui ai menti, ai prétexté moi-même ne pas comprendre, ne pas savoir de quoi il parlait. Alors qu'en réalité ce sont peut-être les seuls mots de cette lettre dont je me souvienne, comme gravés dans ma tête. Cette phrase, je me la suis repassée sans cesse, comme si elle avait un sens caché, comme si, entre ses lettres, se cachait le fin mot de tout ça. Une explication. C'est cette phrase qui m'a fait accepter de venir. Après avoir lu cette lettre, j'avais beau consciemment continuer à rejeter ma venue ici, au fond de moi, je savais déjà que je n'avais plus le choix. Il me fallait des réponses. Je n'aurais pu continuer à vivre en me disant que, quelque part, peut-être, un homme aurait pu m'aider, m'expliquer.

Mais voilà trois jours que nous sommes arrivés, et ici, au milieu de la taïga d'Alaska, pour l'instant, il n'y a rien, aucune réponse. Rien qu'un terrible ennui.

Hier soir, vers 20 heures, le Dr Brimley est venu me saluer. Nous avons discuté quelques minutes. Il m'a garanti que Kleiner viendrait me voir le lendemain, qu'il devait d'abord finir quelque chose. Brimley avait l'air très excité par les travaux qu'il entreprenait avec l'équipe de Kleiner. S'il ne pouvait encore rien m'en révéler, il ne cessait de répéter que c'était « formidable, révolutionnaire, que ça dépasse de loin ce à quoi il aurait pu s'attendre ». Sentant mon agacement pointer, Brimley m'assura une nouvelle fois que Kleiner comptait énormément sur moi, que selon lui « enfin, l'équipe allait être au complet ».

Une équipe, quelle équipe ? C'était quoi ces conneries, on ne m'avait jamais parlé de ça. Brimley a eu beau essayer de me calmer, rien n'y faisait, je n'en pouvais plus de tourner en rond entre les six baraquements du camp.

Il m'avait quitté en s'excusant encore de cette attente pour retourner dans le bunker.

Le bunker, la porte d'entrée vers les souterrains de la station K27.

En effet, j'appris assez vite des quelques hommes présents dans le camp que les six baraquements n'étaient en réalité que la surface visible de l'iceberg. La vraie station K27 est en réalité en dessous de nous. Sous nos pieds, à plus de dix mètres de profondeur, court un énorme réseau de couloirs, de coursives et de salles qui s'étend sur des centaines de mètres. D'après ce qu'on m'en a dit, ses murs font plus d'un mètre d'épaisseur, coulés dans du béton armé. K27 est en réalité un énorme abri antiatomique, bâti dans les entrailles de cette région voilà quinze ans, pour devenir une base radar surveillant les communications russes. Si le radar n'est de toute évidence plus aujourd'hui en état de fonctionner, il se dresse toujours, du haut de ses dix mètres, sur le toit du bunker, son antenne concave recouverte en partie de mousse, sa teinture blanche écaillée, ses rouages grippés.

Alors si ce foutu radar ne sert plus à rien, qu'est-ce qu'ils fichent là-dessous ?

Personne ne le sait vraiment.

Les hommes avec qui je suis en contact n'ont jamais mis les pieds « en dessous », comme ils appellent la station ici. Tout n'est que rumeurs, racontars.

Les seuls en droit d'entrer et sortir de la station souterraine sont des scientifiques. Mais ils ne dorment pas dans les baraquements, non. Eux restent, jour et nuit, confinés « en dessous ». On les voit rarement à l'extérieur.

J'en ai vu deux, ce matin.

Ils venaient chercher une livraison de matériel apporté en hélicoptère. Alors qu'ils chargeaient de grosses caisses en bois sur un chariot, je me suis approché d'eux, leur ai proposé une cigarette et essayé d'entamer la conversation. Mais rien à faire, la seule chose qu'ils ont trouvé à me dire fut : « Nous sommes occupés, excusez-nous. » Je les ai suivis discrètement jusqu'à l'entrée de la station, le bunker. Un dôme en béton haut de cinq mètres. Sauf qu'ici, pas une seule meurtrière, aucune fenêtre. Le bunker n'a qu'une seule ouverture, la seule entrée et la seule sortie connue de la station, une énorme porte blindée métallique, peinte en jaune. Sur l'une de ses plaques, l'inscription « K27 » en lettres noires et menaçantes. Planqué derrière un arbre, j'ai vu les scientifiques s'approcher d'un homme à l'entrée, un vigile, vêtu d'un uniforme gris que je ne connais pas. En bandoulière, il portait un fusil, à sa ceinture, un pistolet. Que font des hommes ainsi armés ici ? Les scientifiques ont présenté leurs badges, puis le garde a sorti une grosse clé en métal, l'a insérée dans une serrure impressionnante, puis s'est approché d'une large manivelle. De ses deux mains, il l'a tournée lentement. Enfin, dans un lourd grincement, le sas blindé, épais de plus de soixante-dix centimètres s'est lentement ouvert. J'ai vu les deux scientifiques pousser le chariot vers les abîmes sombres, le sas se refermer sur eux, puis plus rien. En se retournant, le garde a dû me remarquer. Il m'a fixé avec une telle insistance, un air si menaçant, que j'ai fini par rebrousser chemin, sans demander mon reste.

Depuis, j'attends à l'extérieur du baraquement numéro 2, là où ma « chambre » a été aménagée, quatre paravents qui viennent m'isoler un peu du reste des hommes. Face à moi, les trois autres cantonnements, des constructions militaires en briques recouvertes de tôle en forme de demi-cercle. On dirait d'énormes tuyaux enfoncés à moitié sous terre et percés, sur leurs côtés, de petites fenêtres. Le même type de baraquement que ceux dans lesquels on créchait au Viêtnam. Mais *a priori*, ils seraient mieux isolés du froid. Il vaut mieux espérer. Ici, les types de la station les appellent les cigares, car l'été venu, il y fait une chaleur à crever. Le baraquement 1 sert de relais radio, les numéros 2 et 3 de mess et de cantine. Dans le 4 et le 5 sont entreposés les vivres. Le numéro 6, trois fois plus grand et plus haut que les autres, sert de hangar pour les six motoneiges, le camion chasse-neige ainsi que l'hélicoptère. À côté du baraquement numéro 6, repose une énorme citerne, afin de conserver des réserves de fuel durant le long hiver.

Les baraquements se font face par rangée de trois.

Tout rouille ici. Les baraquements, qui n'ont pas l'air si vieux, à peine deux ans, sont déjà grignotés par la corrosion. Le métal gris se teinte ainsi de plaques marronnasses. Le bois lui-même, qui a permis de bâtir des auvents, des bancs et des tables rudimentaires, prend une teinte verdâtre et est recouvert par endroits d'une mousse épaisse.

Car, je l'ai découvert, ici, en Alaska, l'été est parfois pire que l'hiver glacial. Avec le dégel, la terre suppure de l'eau pendant des mois. En se déplaçant avec nos lourdes chaussures militaires, on a ainsi toujours l'impression de marcher sur un sol meuble ; chacun de nos pas laisse une petite flaque dessinant le contour de nos semelles.

Avec l'humidité, les moustiques sont légion. Certes, des moustiquaires ont été placées aux entrées des baraquements et, la nuit, on vaporise à tout-va pour faire fuir ces saletés. Mais rien n'y fait, on passe le plus clair de ses longues journées à s'envoyer des petites claques sur le cou, les bras, les jambes ; c'est devenu un automatisme, on n'y fait même plus attention.

Je jette ma cigarette au sol, qui rebondit sur la pellicule de mousse recouvrant la terre et s'éteint tout de suite, dévorée par l'humidité.

J'entends un bruit de moteur. C'est certainement le vieux Jack, le pilote de l'hélicoptère et du chasse-neige de la station, en Alaska depuis quarante ans, qui s'apprête à aller chercher des vivres à Galena avec le camion, qui sera transformé en chasse-neige dès le début de l'hiver. Comme il me l'a expliqué avant-hier, il profite du fait que la météo soit encore clémente et la piste praticable, pour faire un maximum de provisions, car dès le mois de septembre, la température va se mettre à chuter, on perdra quasiment tout contact avec le monde extérieur. Jack ne fera alors le trajet qu'en hélico et par beau temps. C'est parce que je sais que bientôt on ne pourra plus mettre un pied dehors sans geler sur place que malgré ces foutus moustiques, malgré cette odeur dégueulasse de marais que refoule la terre, je passe le plus clair de mon temps à l'extérieur à errer de baraquement en baraquement.

Nate, lui, préfère rester à l'intérieur. Il lit, joue aux cartes avec les autres militaires de la station : Kenneth, un jeune appelé se la jouant dandy, qui se demande encore ce qu'il fout là, qui persiste à dire qu'il serait mieux au Viêtnam, alors qu'on sait, car on l'a appris des autres hommes, que son père, sénateur en Floride, l'a envoyé ici pour lui éviter de se prendre une mauvaise balle au Viêtnam. Ayant appris que Nate et moi étions des anciens du Nam, Kenneth ne nous lâche pas et nous bombarde de questions. Nate, sympa, joue le jeu, moi, en revanche, j'évite. Il n'y a pas grand-chose à raconter après tout. Parmi les soldats en fonction, il y a également Montgomery, surnommé Mongo, un grand escogriffe de plus de deux mètres, un gentil gars, pas bien futé. Lui, il semble bien là. Il ne se pose pas de questions, part pêcher ou chasser dès qu'il en a l'occasion, profite de la vie comme elle vient... Et il y a enfin Cole Delauney. C'est un peu le chef de meute. Un type maigre et voûté, au visage creusé, aux cernes profonds. Un ancien du Viêtnam aussi. Une grande gueule, qui parle beaucoup, s'invente des histoires. Ça fait bien marrer Nate qui s'amuse de la mythomanie du type. Moi, non. Delauney me met mal à l'aise. D'autant plus que j'ai l'impression qu'il fait tout pour m'isoler du groupe. En effet, ici, je ne suis plus un militaire en fonction comme eux, chargé d'assurer la sécurité de la base. Je n'ai pas à faire de rondes, à rester planqué toute la nuit, juché sur l'un des miradors entourant la station, à devoir rester assis dans le noir, devenant fou à cause du vrombissement des centaines de moustiques. Je n'ai pas non plus à partir pour de longues heures de reconnaissance, en pleine forêt, pour vérifier que personne ne nous espionne.

Non, moi, j'ai juste à attendre que ce foutu Pr Kleiner vienne me chercher. Nate, non plus, n'a pas à faire les rondes, mais c'est un homme sociable, drôle et agréable, un militaire endurci, qui impose naturellement le respect, là où je sais que je ne suis pas très liant, souvent sec.

Mais ça ne me dérange pas d'être un peu seul. Ça m'évite de trop cogiter en écoutant les histoires qu'ils se racontent à longueur de journée, les ragots qu'ils colportent sur ce qui se passe « en dessous » comme les cris que parfois ils disent entendre sortir des voies d'aération aux quatre coins de la base. Chacun y va de sa petite anecdote. Mongo aurait même remarqué que, depuis quelques jours, les animaux, en particulier les oiseaux, se font de plus en plus rares dans le périmètre, « plus de grives, plus de becs-croisés, plus un busard, plus rien à un kilomètre à la ronde, c'est quand même pas net cette histoire ». Je n'écoute pas ces balivernes, il ne vaut mieux pas d'ailleurs.

Car je sais que, bientôt, c'est moi qui serai là-dedans, au cœur des entrailles du K27.

Il est environ 18 h 30 quand Brimley vient me chercher. Ça y est, Kleiner est disposé à me recevoir. Je me lève, enfile ma veste militaire par-dessus mon tee-shirt, sous le regard interrogatif de Nate. Il me demande si je veux qu'il m'accompagne, je lui réponds que ça ne devrait pas être nécessaire.

Mes mains tremblent un peu alors que je referme les boutons de ma veste, mon anxiété grimpe, je sens un filet de sueur couler le long de ma colonne vertébrale.

Ça y est, nous y sommes.

Je traverse le camp aux côtés du médecin. Nous arrivons devant l'entrée du bunker. Brimley s'approche d'un garde différent de celui posté devant l'entrée ce matin. L'homme fait un signe de tête, s'approche de l'imposante porte en métal, en tourne la lourde manivelle. Le sas s'ouvre, quelques néons grésillants s'allument à l'intérieur. Alors que la lumière se stabilise, je discerne un large escalier en béton qui descend dans les profondeurs. Une rampe en métal rouillé a été disposée sur le côté afin de faire descendre les chariots. Brimley me donne une tape sur l'épaule, me sourit et m'invite à le suivre.

Nous descendons une vingtaine de marches et nous retrouvons face à un portail métallique, fermé d'une lourde porte à barreaux. Sur le côté, je remarque un petit emplacement creusé dans le béton. Une porte, ainsi qu'une longue meurtrière. Un homme nous fixe au travers de l'ouverture. Je suis mal à l'aise. Finalement, il sort de sa cabine, me regarde longuement, puis s'approche de Brimley. D'une carrure imposante, il a des cheveux noirs plaqués en arrière, des yeux marron enfoncés, une peau burinée.

— Docteur, je vais vous laisser entrer. Par contre, cet homme…

— Oui, sergent Nauls, c'est l'homme dont vous a parlé le Pr Kleiner, il a parfaitement le droit d'entrer dans la station.

L'homme me lance un regard noir, puis attrape une large clé accrochée à sa ceinture et ouvre le portail métallique. Il nous laisse passer. Je note au passage son uniforme gris clair, ses épaulettes et sa ceinture noire.

Je demande à Brimley :

— Qui sont ces hommes ? Je ne reconnais pas cet uniforme.

— En effet, il ne s'agit pas d'un corps d'armée classique. En réalité, ces hommes ne sont pas des militaires, ils travaillent pour la CIA.

— Comment ça la CIA ? Vous voulez dire que cette station est aux mains des services secrets ? Mais le domaine d'action de la CIA, c'est l'étranger, non ?

— Chaque chose en son temps, James.

— Et je croyais que ce projet était un projet de l'armée ?

— C'est un projet conjoint à l'armée et aux services secrets. Tout le monde en réalité s'intéresse beaucoup aux recherches du Pr Kleiner. L'armée assure notre protection à l'extérieur de la base, ici, à l'intérieur, c'est le travail des services secrets. Ces hommes relèvent d'une milice spéciale dépêchée exclusivement sur les projets comment dire… confidentiels. Ils sont formés à toutes sortes de situations. Mais vous verrez, leur uniforme a beau en imposer un peu, ils restent très sympathiques.

— Mouais.

Nous avançons dans un long couloir, bas de plafond, qui descend lentement de plus en plus profondément.

— On va encore devoir passer combien de points de contrôle, Brimley ?

— Je comprends que tout cela puisse vous sembler bien protocolaire, mais il faut à tout prix éviter les fuites d'informations. Ce que nous faisons ici ne doit être su de personne.

— C'est pour ça que les scientifiques et les agents de la CIA ne quittent jamais la station ?

— Oui, tout à fait, durant le temps de la mission, nous évitons tant que possible les contacts avec l'extérieur. Ces agents de la CIA sont justement entraînés pour vivre enfermés des mois entiers, il s'agit souvent d'anciens officiers ayant exercé dans des sous-marins. Ils ont l'habitude du cloisonnement et savent y réagir. De notre côté, nous, scientifiques, avons tous reçu une formation, un encadrement psychologique pour nous préparer à vivre dans ces conditions.

— Comme des prisonniers…

— Non, pas exactement.

— Et moi, il va falloir que je reste enfermé aussi ?

— Ce n'est pas à moi d'en décider, mais au Pr Kleiner. Vous en parlerez ensemble, je pense.

Nous accédons à une allée bien plus vaste, d'au moins trois mètres de largeur sur autant de hauteur, de chaque côté des sas épais, de grosses portes en fonte au milieu desquelles sont placées des manivelles d'ouverture. Ces sas sont assez semblables à ceux que l'on trouve dans les sous-marins, je comprends mieux l'analogie. Au sol, je remarque qu'ont été peintes des lignes de couleur, six différentes, elles vont toutes dans la même direction.

— Qu'est-ce que c'est ?

— Ce sont nos panneaux de signalisation à nous. On ne dirait pas, mais il est facile de se perdre dans le centre. La station K27 fait plus de 5 000 m². Il y a ici un nombre incalculable de couloirs, coursives, salles… Pour vous dire, je suis là depuis trois mois et je me perds encore. Ces lignes peintes au sol nous aident à nous guider. Vous voyez cette ligne bleue, il vous faudra ainsi la suivre pour accéder à la sortie.

— Et les autres lignes ?

— Je vous expliquerai plus tard, James…

Le large couloir nous entraîne finalement dans une imposante salle voûtée. Le plafond courbe se dresse à plus de quinze mètres de hauteur, et la salle doit faire vingt-cinq mètres de circonférence. En son centre, une autre salle d'une forme arrondie, comme le noyau au cœur d'un fruit. Le plafond de la salle centrale est aussi en forme de dôme. Je note que ce dernier est recouvert de plaques d'acier brillant, qui d'ici ressemblent à de l'aluminium. Autour de cette salle centrale, je distingue deux autres couloirs en plus de celui que nous venons de quitter, l'un part sur la gauche, l'autre sur la droite. Nous contournons le bâtiment par la droite. J'entends des bruits de conversation. Deux hommes d'une quarantaine d'années, un Européen et un Asiatique, sont en train de discuter, des graphiques à la main, devant une porte située sur le côté de la salle au dôme. Ils nous saluent à notre passage.

Brimley me présente aux deux scientifiques.

— James, je vous présente le Dr Bennett et le Dr Hao. Ce sont deux neurologues très réputés, spécialisés dans les pathologies du sommeil. Messieurs, je vous présente James Hawkins, il va nous aider dans les recherches. C'est l'un de nos « Éveillés ».

Les deux hommes me serrent la main, chaleureusement, en me gratifiant d'un « bienvenue ».

Un « Éveillé » ? Mais qu'est-ce qu'il peut bien vouloir dire ?

Alors que nous continuons notre route, le long de ce couloir en courbe, je comprends qu'en réalité nous longeons ce qui doit être une énorme salle circulaire.

Je demande à Brimley.

— Cette salle que nous longeons, ce dôme, qu'est-ce que c'est ?

— Il s'agit de la salle d'expérimentations principale. En réalité, c'est l'ancienne salle de contrôle de la station radar, nous l'avons réaménagée. Ce que vous voyez, c'est juste sa partie émergée, elle est en fait creusée dans le sol. C'est d'ailleurs là-dedans que vous passerez le plus clair de votre temps, James. Vous verrez, l'endroit est assez impressionnant.

— Mais où sommes-nous exactement, là ?

Brimley s'arrête pour m'expliquer.

— Comme vous le voyez, nous tournons autour du Labo 1, « La Porte », c'est comme cela que nous appelons cette salle. On pourrait dire qu'il s'agit du rond-point de la station. De ce rond-point partent quatre autres corridors. Celui que nous avons pris qui nous emmène vers la sortie, un autre, ici, juste à votre droite qui nous mène vers les autres laboratoires et salles de recherches, un troisième, en face de nous, où se trouvent les dortoirs, salles de repos, cafétéria, et mess, cuisines, réserves à provisions et chambres froides.

— Et la coursive de gauche, celle avec les lignes jaunes et rouges au sol ?

— Rien ne vous échappe James ! Il s'agit de la zone technique. Elle renferme la salle des machines, la salle des générateurs électriques, la soufflerie pour la ventilation de la station, la salle de recyclage d'eau et différentes salles de stockage.

— Et pourquoi deux lignes de couleur ?

— Le jaune, c'est pour indiquer l'aile technique.

— Et le rouge ?

— C'est pour accéder aux sous-sols de la station. Mais il n'y a rien là-bas, on y a simplement entreposé les anciennes machines de la station radar. On pourrait dire qu'il s'agit d'un débarras.

Nous empruntons le couloir de droite qui nous emmène vers les laboratoires.

Ici, les sas en fonte laissent place à des portes en bois marquées de numéros. Nous croisons quelques scientifiques en blouse blanche. À chaque fois, Brimley me présente comme un « Éveillé ». Je croise d'autres neurologues, des psychologues, radiologues, un pharmacologue et même un acupuncteur.

Je demande à Brimley.

— Mais vous êtes combien là-dedans ?

— Nous sommes au total douze scientifiques qui travaillent dans divers champs d'action : psychologues, neurologues, radiologues, anesthésistes, tous au service du Pr Kleiner. Vous comprendrez rapidement que nos domaines de spécialités, aussi éloignés soient-ils, se rejoignent et sont complémentaires dans ces recherches. En plus de ces scientifiques, six agents de la CIA assurent notre sécurité.

— Je ne vois que des hommes, il n'y a aucune femme ici ?

— Non. C'est un choix délibéré. En effet, comme je vous l'ai dit, la plupart d'entre nous ne peuvent pas sortir de la station et vont donc vivre plusieurs mois dans cet espace totalement confiné. Malgré notre préparation psychologique, l'enfermement, l'isolement, la claustrophobie peuvent entraîner une véritable tension. Selon le Pr Kleiner, à l'origine du projet, la présence de femmes aurait pu être un facteur déclencheur de tensions pour les hommes présents… Comme dans un sous-marin finalement. Vous savez peut-être que c'est le seul corps d'armée où les femmes sont formellement interdites.

— Ouais. C'est un peu comme un monastère, votre station… Je croyais qu'on était à l'ère de la révolution sexuelle…

— Il faut faire avec… Très bien, nous voilà arrivés.

Brimley s'approche d'une porte estampillée B2. Il frappe, attend quelques secondes.

Une voix cassée, un peu abîmée, répond d'un « entrez » fragile.

Brimley ouvre la porte, m'invite à entrer.

Je pénètre dans la salle et peine à cacher ma surprise. Je n'ai plus du tout l'impression d'être dans une station de métal et de béton. Je me retrouve dans un bureau victorien, rempli d'un imposant capharnaüm. Sur tout un pan de mur, une impressionnante bibliothèque en bois marquetée avec raffinement dessinant des colonnes, autour desquelles s'entortillent des fleurs.

La bibliothèque est envahie de centaines d'ouvrages, dont certains semblent très anciens. Au pied de la bibliothèque et un peu partout dans la salle, des piles d'autres livres, plus récents, s'amoncellent. Je note qu'une partie de la bibliothèque, sous verre, abrite un ouvrage à la couverture vieillie, dont les pages qui dépassent ressemblent à des parchemins. Il est posé comme un bijou, sur un écrin de velours rouge. Sur un autre mur, une impressionnante tapisserie représentant une scène assez étrange : au milieu d'une forêt, qui semble tropicale, un homme d'Église tout de blanc vêtu dresse une croix au-dessus de sa tête, ses yeux sont clos, comme pour se cacher du spectacle qui lui fait face. À ses pieds gît un amoncellement de corps d'indigènes, nus, la peau sombre, leurs corps recouverts de plaies béantes. Le sol est rouge sang. Si la scène est d'une violence terrible, je ne peux que reconnaître la finesse de l'accomplissement, le raffinement qui s'en dégage. Cette pièce de tapisserie doit avoir plusieurs siècles. Au sol, un imposant tapis persan. Étrangement, sur un autre mur sont accrochées plusieurs toiles, peintures et dessins, de styles et époques complètement différents. Un tableau classique, au cadre doré imposant, représente une femme alanguie sur un lit drapé, la tête renversée en arrière. Accroupi à ses côtés, sortant des ombres, un être étrange à mi-chemin de l'enfant et du diablotin, sourit en tirant la langue. Derrière elle, comme surgissant entre les rideaux du lit à baldaquin se dresse une tête de cheval blanchâtre et fantomatique, aux yeux blancs, révulsés. Un autre tableau, plus moderne, est accroché à côté. Plus dérangeant aussi. Des corps et visages déformés, aux traits grossiers et effrayants, aux yeux béants, le teint marron, sont attroupés autour de ce qui ressemble à un autel sauf que, en lieu et place des mégalithes, des os géants sont plantés dans le sol. Enfin, un troisième tableau bien plus primitif, de l'art indien peut-être, semble représenter une immense grotte bleutée percée de centaines de trous. J'ai une sueur froide, cette peinture ressemble à s'y méprendre à la grotte de mes rêves. Je reste les yeux fixés sur la peinture, quand, soudain, une petite voix provenant de ma gauche me tire de mes pensées.

— Bonjour, James.

Je me tourne et remarque enfin un homme derrière un large bureau Empire, recouvert de dossiers, dessins et carnets en tout genre. Derrière cet immense bureau, l'homme disparaît quasiment dans le fatras qui l'entoure. Il semble être assez petit, impression renforcée par sa posture, voûté sur lui-même. Ses cheveux sont blancs, son crâne dégarni laisse apparaître des taches de vieillesse brunes. Il a un visage sec et émacié, des joues creusées, un nez fin et long, des rides profondes striant son visage. L'homme en face de moi doit au moins être âgé de 75 ans. Mais dans son regard bleu clair, dans son sourire, ses mouvements rapides, on sent une vivacité incroyable. Je m'approche du bureau. Il me tend sa main fragile et osseuse. Je la lui serre doucement, comme si je risquais de la briser en miettes.

— Bienvenue James. Je suis le Pr Friedrich Kleiner. Je suis très heureux que vous soyez là. Asseyez-vous.

Il parle un anglais avec un accent très marqué. Un accent européen, peut-être allemand.

Il me désigne un fauteuil. Je m'assieds.

— Nous avons tellement de choses à nous raconter mon cher James, tellement de choses.

7

15 juillet 1971
Station K27, 200 km au nord de Galena, Alaska
Température extérieure : 15 °C

— Avez-vous fait bonne route, James ?

— Euh… Oui… C'était long.

— Je sais bien, c'est un peu le bout du monde ici. Certes, j'avais demandé de l'isolement pour nos expériences, mais je ne pensais pas que l'on se retrouverait, comment dire… ici. Mais vous verrez, on s'habitue à cet endroit.

— Oui…

— Ne perdons pas de temps. Ça fait des jours, j'imagine, que vous attendez cet entretien. Que je vous explique enfin. Avant toute chose, excusez-moi d'avoir mis aussi longtemps à vous rencontrer. Pour être honnête, j'ai été, comment vous dire, assez faible ces derniers jours. Mais ça va mieux désormais.

— D'accord.

— Vous rêvez toujours, n'est-ce pas ?

— Comment ça ?

— Ce qui vous est arrivé au Viêtnam il y a un an et demi. Ça ne s'est jamais vraiment arrêté ?

— Non…

— J'imagine que vous suivez un traitement médical pour vous empêcher d'avoir ces visions. Et, à en juger par ces cernes profonds sur votre visage, vous ne devez plus beaucoup dormir.

— Justement. Vous m'avez promis de l'aide, et c'est la seule raison de ma présence ici. Je veux que ça s'arrête, que vous me soigniez. Je veux pouvoir dormir à nouveau.

— Je vous ai promis de l'aide, certes. Mais je ne vais pas arrêter ces rêves. Je ne le peux pas. Personne ne le peut.

— Alors je crois que je n'ai plus rien à faire ici.

Je m'apprête à me lever quand Kleiner reprend la parole.

— Vous croyez que vous êtes seul ? Vous croyez être le premier homme à qui cela arrive ? Ces rêves, ces visions ?

— Je ne sais pas.

— Car ce serait une erreur.

— Comment ça ?

— Eh bien vous n'êtes pas seul, d'autres comme vous ont ouvert cette porte, ont su entrer dans le Monde des Rêves.

— Le Monde des Rêves, vous racontez n'importe quoi…

— Voyons, James, asseyez-vous, vous n'avez pas fait tout ce trajet pour repartir sans savoir, laissez-moi au moins finir, après je vous laisserai libre de nous quitter si vous le souhaitez. Pour que vous compreniez, il faut que je vous explique tout en détail, depuis

84

le début, tout du moins vous expliquer ce que nous savons à ce jour. Et ça risque d'être assez long…

— Nous sommes au moins d'accord sur une chose, au point où j'en suis…

Kleiner s'adosse à son fauteuil, ferme les yeux quelques secondes en se massant les tempes, comme s'il cherchait à savoir par où commencer, puis finalement se lance.

— Très bien, le Monde des Rêves est une appellation barbare et un peu infantile, je vous l'accorde, pour décrire quelque chose qui dépasse notre entendement. Cela fait maintenant plus de trente ans que je travaille sur le rêve, James. Je pourrais vous parler de mes recherches, de ce que j'ai trouvé, pendant des jours, mais je vais essayer de faire court… Il faut que vous compreniez d'abord que le monde du rêve a toujours été à nos côtés, depuis la nuit des temps, et pourtant, nous le connaissons à peine. D'abord, les hommes ont cru que les songes étaient d'origine divine. Dans la Grèce antique, en –3000 avant Jésus-Christ, à Sumer ou dans l'Égypte ancienne, le rêve était perçu comme un message des dieux. Les fidèles malades se rendaient dans des temples ou des grottes telle Amphiaraos, s'endormaient sur des peaux d'animaux et attendaient d'être visités par un dieu qui soignerait leurs blessures. On appelait cela l'incubation. On retrouve des pratiques similaires dans certains temples japonais comme celui d'Hasedura. Dans la religion catholique, Dieu apparaît à ses disciples en songe.

Kleiner se saisit d'un carnet, cherche quelques instants sa page, puis :

— Ainsi, dans l'Ancien Testament, dans le premier livre de Samuel, Saul dit : « Et Dieu m'a abandonné et ne me répond plus, ni par les prophètes ni par les songes. » Enfin, dans l'Islam, l'Istikhàra est une prière à réciter avant d'aller dormir pour obtenir en songe une réponse à un problème donné.

— Ces croyances n'ont rien à voir avec ce qu'il m'arrive.

— C'est ce que vous croyez… Pourtant, tout est lié. Laissez-moi continuer. Ensuite, les hommes ont essayé de théoriser le rêve, de le comprendre. Savez-vous que l'être humain passe un tiers de sa vie à dormir ? Et dans son sommeil, environ une heure et demie par nuit à rêver. Soit quatre ans dans toute une vie. Mais que fait l'homme lorsqu'il rêve ? Personne ne le sait vraiment. Et qu'est-ce que le rêve ? Personne ne s'accorde. On reste flou, vague. On le décrit ainsi : « des images produites pendant le sommeil et résultant de l'activité psychique ». Ça veut dire quelque chose pour vous ?

— Non, pas vraiment.

— Car c'est exactement ça. Le rêve échappe à toute systématisation, à un enfermement dans une case de compréhension. On a beau essayer de classer le rêve, de le compartimenter, de le comprendre, on n'y parvient pas. Et pourtant, on l'étudie depuis une éternité. Déjà trois siècles avant Jésus-Christ, Aristote écrivait un traité intitulé *Des rêves*…

Kleiner attrape un autre carnet, cherche une page qu'il trouve rapidement. Emballé par son propre discours, il fait des mouvements rapides, frénétiques.

— Au cours de ce siècle, les psychanalystes se sont divisés. L'école freudienne veut que le rêve soit une réalisation des désirs qui fermentent dans notre inconscient. Une sorte de soupape de sécurité. Mais pour Jung, les rêves sont plus importants, ces derniers contribuent pleinement à créer l'équilibre psychique en reliant conscient et inconscient. Mais je vais vous dire...

— Oui ?

— Je ne m'intéresse que très peu à tout cela. Car, pour moi, aussi brillants soient ces hommes, ils font fausse route. La vraie question est ailleurs. Le rêve dont ils parlent n'est que surface. Il ne s'agit ici que de la première couche des rêves. Mais personne n'a été voir ce qu'il y avait derrière.

— Je ne comprends pas.

— Vous devriez, pourtant. Car vous avez vu. Votre accident. La balle que vous avez reçue dans la tête a déclenché quelque chose. Ou réveillé quelque chose plus exactement. Vous croyez que l'origine de vos maux provient de cette blessure alors que ce n'est peut-être qu'un déclencheur. Que cela a tout le temps été en vous, mais que jusqu'alors vous n'en aviez pas conscience. Les rêves que font la plupart des gens, aussi importants soient-ils pour la constitution et l'équilibre de la psyché, ne sont que des jeux enfantins et approximatifs. La plupart des humains, lorsqu'ils rêvent, sont comme des nourrissons : leur vision du monde est trouble, primitive, constituée de sensations. Vous, vous avez grandi. Votre perception a changé. Vous voyez désormais ce qu'il y a au-delà. Vous êtes devenu un Éveillé.

— Un Éveillé ? Comment ça ?

— En réalité, ce n'est pas vous qui avez un problème, ce sont les autres, le reste de l'humanité qui n'est pas aussi éveillée que vous. Mais je vous le répète, vous n'êtes pas seul. Depuis les premiers âges de l'homme, les Éveillés existent. Qu'ils le veuillent ou non, qu'ils le croient ou non, certains parmi nous ont en eux une clé. Une clé pour ouvrir les portes d'un autre monde. Ces Éveillés ont parfois été perçus comme des demi-dieux, des émissaires du divin. Dans la Grèce antique, les pythies étaient des prêtresses que l'on venait consulter pour obtenir des oracles des dieux, qui parlaient à travers elles. Ces femmes, qui n'apparaissaient jamais aux yeux du monde, entraient en transe pour délivrer leur message. Plus tard, les Éveillés ont été pris pour des démons par les mêmes qui les avaient vénérés. Durant l'Inquisition, selon le *Malleus Malefi-carum*, ouvrage de référence pour les Inquisiteurs, les individus souffrant d'hallucinations ou de rêves prémonitoires devaient être considérés comme faisant acte de sorcellerie. Ces hérétiques étaient traqués, emprisonnés, torturés, jugés, puis brûlés vifs. Aujourd'hui, ceux qui ouvrent les portes sont souvent perçus comme des aliénés, des fous et parqués dans des asiles psychiatriques. Ça aurait certainement été votre cas si le Dr Brimley ne s'était efforcé de faire des recherches. Des recherches qui l'ont d'ailleurs mené jusqu'à moi.

— Excusez-moi, mais je crois que vous êtes en plein délire. Ce qui m'arrive, c'est juste un traumatisme, rien de plus. Il n'y a rien de prouvé. C'est ce putain de Viêtnam qui m'a foutu en l'air. Je ne suis pas un Éveillé, ou quoi que ce soit, je ne suis personne.

— Alors, si tout cela est faux, pourquoi avez-vous semblé si surpris en voyant la peinture primitive représentant cette grotte aux teintes bleutées là-bas, contre le mur ?

— Pour rien, je ne sais pas...

— Je vais vous dire pourquoi, simplement parce que vous êtes déjà allé là-bas. Vous connaissez cet endroit. Et nous aussi. Nous l'appelons la Nef. Cet endroit que vous croyez avoir découvert existe en réalité depuis des milliers d'années, peut-être même plus. Vous voyez cette représentation date de 1850, c'est une peinture aborigène.

— Aborigène ? Les indigènes natifs d'Australie ?

— Oui, car ce qui est étonnant, c'est que si l'on veut comprendre le Monde des Rêves, l'appréhender pour ce qu'il est vraiment, c'est vers les sociétés animistes et primitives qu'il faut se tourner. On retrouve une véritable culture du rêve chez les Sénoï de Malaisie, chez les Inuits du Canada… mais c'est chez les aborigènes que la présence du rêve est la plus marquante. Savez-vous ce qu'est Tjukurrpa ?

— Non, je n'en ai aucune idée.

— Tjukurrpa, qui pourrait se traduire par « Le temps du rêve », est au cœur de la culture aborigène. Il s'agirait d'un temps ancestral, le temps d'avant les hommes, d'avant tous les êtres. Le temps du rêve est le temps à l'origine de tout. Les aborigènes croient qu'avant même l'existence de la Terre il existait un temps immatériel et spirituel. Mais selon la tradition, ce temps n'a pas disparu, il continue à coexister en parallèle au nôtre. Et les hommes peuvent le visiter pour communiquer avec les esprits, déchiffrer les présages, soigner les maladies. Pour eux, le rêve est une porte d'accès à Tjukurrpa. Dans les tribus aborigènes, le rêve est au cœur de la vie, au cœur de chaque décision. Chaque matin, les rêves sont racontés, partagés et interprétés par le clan qui y décèle des messages, des indications à suivre. Mais

Caleb, notre ami aborigène, vous en parlera bien mieux que moi.

— Comment ça, un aborigène est ici ?

— Oui, Caleb est un homme sorcier très respecté chez les aborigènes. Il vient de l'ethnie Warlpiri, il a accepté de nous aider. Il travaille déjà depuis longtemps avec nous. Il voyagera avec vous. Je vous le présenterai tout à l'heure, mais je vous préviens, je ne suis pas sûr qu'il soit d'un abord très sociable. Caleb est un homme assez difficile d'accès. Mais je suis sûr qu'avec ce que vous partagez, vous vous rapprocherez très vite.

— Comment ça, il voyagera à mes côtés ? Qu'est-ce que vous faites ici, dans ce bunker ?

— Nous explorons, James. Je vais vous montrer, vous comprendrez mieux.

Kleiner se dresse lentement, en s'appuyant de ses bras fragiles et maigres sur les accoudoirs de son fauteuil. Le dos voûté, il fait le tour de son bureau et m'invite à le suivre. Nous quittons son bureau et nous retrouvons dans le couloir. Je marche à ses côtés, j'essaie de suivre son rythme lent, à petits pas.

— En réalité, cette mission m'a donné enfin l'occasion d'expérimenter ce que j'étudie depuis des années. On pourrait dire qu'il s'agit d'un laboratoire du rêve. Grâce à certains dispositifs, nous mettons à l'épreuve les facultés des Éveillés.

— Pourquoi, nous sommes nombreux, les Éveillés ?

— En plus de vous, il y a donc Caleb ainsi qu'une autre personne, enfin deux. Vous comprendrez mieux tout à l'heure.

Nous arrivons dans le dôme central, le Pr salue quelques scientifiques, puis pousse une porte en métal qui nous donne accès à la pièce centrale qui m'intriguait

90

tant. La porte ouvre sur une pièce très profonde, un peu comme un silo. Après un palier, un escalier en métal descend de l'ouverture longeant un mur arrondi sur une trentaine de marches. En face de nous, un autre escalier borde le mur dans l'autre sens. La salle doit faire vingt mètres de hauteur, sur trente de circonférence. Dans le centre de la partie droite, en dessous de nous, je remarque quatre couchettes vides placées en étoile. Le long de chaque couchette, pendent de nombreux capteurs, sur les côtés, des machines, je crois reconnaître des électrocardiogrammes. Plusieurs caméras sont braquées au-dessus de chaque couchette, comme pour filmer le moindre des mouvements des personnes qui s'y allongent. Je note également que quatre bracelets de rétention reposent sur les côtés des lits. Les personnes qui s'allongent là se voient donc attachées aux pieds et aux mains. Toute la partie gauche de la salle est réservée, je pense, aux scientifiques. Plusieurs bureaux individuels sont installés le long des parois. Auprès de ces derniers, je remarque un gros ordinateur IBM 1130. Une longue table sur laquelle ont été disposés divers appareils fait face aux quatre couchettes, les murs sont recouverts de graphes, deux grands tableaux en ardoise sont apposés au fond de la salle, sur lesquels ont été dessinés à la craie des schémas complexes, comme s'ils représentaient des itinéraires, des chemins. Je remarque qu'encore une fois le plafond en forme de dôme est recouvert d'une sorte de fine couche de métal, semblable à de l'aluminium. Nous descendons les marches en métal. Kleiner reprend la parole.

— Nous n'en sommes qu'aux balbutiements, mais déjà nous faisons d'énormes progrès, jour après jour. Et je suis sûr que vous allez nous aider.

— Mais que faites-vous ici, exactement ? Qu'allez-vous faire de moi ?

— Eh bien, nous faisons des expériences. Nous essayons de comprendre et de contrôler les voyages des Éveillés. D'abord que vous puissiez choisir votre hôte, que cela ne se fasse pas dans le chaos le plus total comme c'est souvent le cas. Comme ça a dû être le cas pour vous. Quand vous voyagez, vous voyez des flashs, vous entrez dans les rêves d'un autre, mais vous ne connaissez jamais cette personne, n'est-ce pas ?

— Non, la plupart du temps, non.

— C'est donc notre première étape, dans un deuxième temps, nous essaierons de faire en sorte que, lorsque vous pénétrez dans le rêve d'un autre, vous puissiez prendre le contrôle.

— Prendre le contrôle ?

— Oui, orienter le déroulé du rêve de votre hôte, ce qu'il voit, ce qu'il ressent…

— J'ai du mal à vous suivre.

— Vous comprendrez mieux quand nous passerons à la pratique.

— C'est donc à cela que sert cette salle, à faire vos expériences ?

— Oui, tout à fait, nous plaçons les Éveillés ici, sur ces lits. Nous les relions à divers capteurs et électrodes. Je vais vous montrer.

Il s'approche d'une batterie de machines posées les unes à côté des autres. Chacune semble imprimer des graphes différents. Les rouleaux de graphes tombent en cascade et s'enroulent les uns dans les autres. J'ai beau essayer d'y lire quelque chose, je n'y comprends absolument rien.

— Regardez, vous voyez ces différentes machines, elles sont notre lien avec vous lorsque vous rêvez. En fait, nous ne perdons jamais le contact. Bien sûr, il y a ici un électrocardiogramme qui permet de calculer les battements de votre cœur et ainsi de noter toute accélération ou tout ralentissement anormal. Là, il s'agit d'un électroencéphalogramme. Nous plaçons ces électrodes sur votre cuir chevelu et pouvons ainsi mesurer votre activité cérébrale en permanence. Mais venez par là, cette machine est plus intéressante. Vous voyez là, c'est un EOG, un électro-oculogramme, nous plaçons une fine électrode sur vos paupières et elle retranscrit vos mouvements oculaires, nous permettant de savoir exactement à quel moment vous plongez dans le sommeil profond, à quel instant vous passez en phase de rêve lucide et quand, enfin, vous pénétrez dans la Nef. Ici, il s'agit d'une autre installation, un électromyogramme qui enregistre l'activité d'un muscle ou d'un nerf. Nous enfonçons une très fine aiguille dans la peau de votre main gauche, ensemble nous établissons une série de codes simples qui consistent en une succession courte ou rapide de contractions musculaires de votre main. Chaque code nous transmet une information et nous permet de garder le contact. Mais nous avons un autre moyen de rester en contact, bien plus efficace, je vais vous le présenter tout de suite. Suivez-moi.

Nous remontons l'escalier en métal. Arrivés en haut, nous prenons la direction d'une zone qui m'est encore inconnue : les quartiers. Nous suivons une ligne verte, qui mène à nouveau vers un long couloir. Nous passons devant des portes à double battant ouvertes. Je repère ainsi la cantine, où quelques scientifiques sont assis à des tables en métal à discuter et manger, un plateau en inox faisant office d'assiette. Aux murs, des affiches d'îles paradisiaques, de plages de rêve… Malgré moi, je me dis que cette cantine ressemble à s'y méprendre à celle d'une prison. Nous prenons un couloir qui tourne sur la droite. À droite et à gauche des portes en Formica blanc avec des noms inscrits dessus. Il doit s'agir des chambres. Kleiner s'arrête devant l'une d'elles, frappe légèrement, puis entre sans attendre.

La chambre est assez grande. Toute la partie gauche est dissimulée derrière un épais paravent. Dans la partie droite, un homme est allongé sur un lit encastré dans un mur. Il est en train de lire. À notre arrivée, il referme son livre, le pose délicatement sur son matelas, puis se redresse. L'homme est jeune. Il doit avoir 25 ans. Il est très maigre. Ses cheveux sont blonds, coupés en brosse. Ces traits sont fins. Ses yeux sont gris et laissent échapper une certaine mélancolie. Une certaine lassitude. Son corps lui-même semble las. De longs bras faméliques pendent le long de son torse. Ses épaules sont basses, comme effacées. Il nous lance un sourire forcé et s'avance vers nous.

— Ethan, je vous présente James. C'est lui qui va vous accompagner, vous et votre frère.

— Bonjour. Vous savez, Thomas est impatient de vous rencontrer.

— Bonjour…

Je lance un regard interrogateur en direction de Kleiner.

— Oui, il faut que je vous explique.

Kleiner s'avance vers la partie gauche de la chambre. Il déplace légèrement le paravent et laisse apparaître un lit d'hôpital sur lequel est allongé un homme aux traits quasi identiques à ceux d'Ethan. Mais physiquement, il semble plus vieux, usé. J'ai du mal à cacher ma surprise. L'homme allongé sur le lit a les yeux clos, de ses bras s'échappent plusieurs cathéters. Les tuyaux rejoignent des perfusions qui semblent l'alimenter. À côté du lit, un électrocardiogramme marque les battements du cœur de l'homme, sur son crâne, des dizaines d'électrodes.

— Je vous présente Thomas, James. C'est le frère jumeau d'Ethan. C'est avec Thomas en réalité que vous allez voyager.

— Comment ça ?

Ethan prend la parole.

— Laissez-moi lui expliquer, docteur. Voilà, mon frère est tombé dans le coma il y a cinq ans, suite à un terrible accident de voiture. Nous avons toujours été très proches tous les deux. Vous savez, nous sommes de vrais jumeaux… Petits, il était impossible de nous séparer. On voulait tout le temps être ensemble, l'un à côté de l'autre. Nous avons toujours eu les mêmes goûts, les mêmes envies. Ce n'était pas facile au collège avec les filles. Ce n'était pas facile tout court d'ailleurs. Les autres élèves nous appelaient Tweedle Dee et Tweedle Dum, en référence aux jumeaux machiavéliques d'*Alice au pays des merveilles*. Mais nous, on s'en moquait. Gamins, notre jeu préféré, c'était, avant de se coucher, d'essayer de prévoir de faire le même rêve. On se donnait des indications : un lieu, une action, puis on se disait qu'on se retrouverait dans nos rêves. La plupart du temps, ça ne marchait pas, mais parfois, au réveil, nos rêves partageaient d'étranges similitudes. Bref, les années ont passé, et

Thomas a rencontré une fille, Kate. Il était fou amoureux d'elle. Il m'a un peu oublié, m'a un peu laissé de côté. On est devenu moins proches. C'était très dur pour moi, mais je comprenais parfaitement ce que vivait Thomas. Il fallait que ça arrive. C'était normal. Ils ont emménagé ensemble, tout allait bien. Moi aussi, je commençais à voir une fille, à accepter qu'on puisse vivre ainsi éloignés mon frère et moi. Puis Thomas a eu cet accident. Il revenait d'une soirée avec Kate, il avait probablement un peu bu, il a perdu le contrôle de sa voiture et, après trois tonneaux, a échoué dans un ravin. Kate est morte sur le coup. Thomas, lui, a sombré dans un coma profond. Les premières semaines, je l'ai veillé jour et nuit pensant qu'il pourrait revenir à chaque instant. Puis les médecins m'ont fait comprendre que ça pouvait s'éterniser, que ça risquait de durer. D'une fois par jour, j'ai commencé à espacer mes visites : une fois tous les deux jours, puis une fois par semaine. Et ainsi de suite. Après plusieurs mois, ma vie reprenait le dessus, je projetais de me marier. Pourtant, toutes les nuits, je rêvais de Thomas. Au départ, je croyais qu'il s'agissait de souvenirs d'enfance, mais nuit après nuit, Thomas se mettait à me parler, à être, comment dire, plus présent, pas une simple silhouette, mais vraiment là, vous voyez ce que je veux dire ?

— Oui…

— J'ai finalement compris que c'était bien mon frère qui venait me visiter durant mes rêves. Que c'était bien lui qui était là, à mes côtés. J'ai dû lui expliquer ce qui lui arrivait, il a eu du mal à comprendre. Lui me disait être bloqué dans une étrange grotte, seul. Il avait peur. J'ai voulu l'aider. J'ai essayé de comprendre, essayé de faire des recherches, pour l'aider. Et c'est comme ça que j'ai rencontré le Pr Kleiner.

Kleiner en profite pour prendre la parole et continuer le récit.

— Oui. Le cas de Thomas et Ethan est tout à fait exceptionnel. C'est la première fois, dans toute ma carrière, que je vois un cas d'« échange » si profond et si fréquent. Cela fait maintenant un an que nous travaillons ensemble. Ethan nous sert d'intermédiaire pour communiquer avec Thomas. Lorsqu'ils rêvent et que Thomas accède à la Nef, Ethan n'est pas à ses côtés, il ne peut pénétrer cet espace, lui reste dans un entre-deux, à moitié endormi, à moitié éveillé. Mais son frère peut communiquer avec lui. Ethan, bien qu'il dorme lui aussi, nous raconte ainsi, quasi en direct, ce que voit et ce que vit son frère. En d'autres termes, Ethan est le fil d'Ariane qui nous relie aux Éveillés. Vous rencontrerez Thomas très vite, je suis sûr que vous vous entendrez très bien avec lui. Bien, nous allons vous laisser tous les deux.

— D'accord, professeur, bonne soirée.

Nous quittons la chambre des deux frères.

— C'est incroyable, j'ai du mal à y croire.

— Oui et c'est normal, j'étais moi-même assez dubitatif la première fois que j'ai rencontré Ethan. Mais je vous le garantis, il existe un lien exceptionnel entre ces deux frères. Je pense que le fait qu'ils partagent la même empreinte génétique, quasiment la même identité, et qu'ils aient développé une telle proximité spirituelle et intellectuelle durant toute leur vie, tout cela a dû favoriser la création d'un tel lien, par-delà le coma, par-delà le rêve. Bon, je vais maintenant essayer de vous présenter votre autre compagnon, Caleb. Je vous préviens d'emblée il sera moins, comment dire, expansif.

Nous avançons encore dans le couloir, puis finalement arrivons auprès de la porte d'une autre chambre. Cette fois Kleiner tape fort, attend quelques instants, tape à nouveau, puis entre doucement dans la chambre.

Dans une pénombre quasi totale, un homme est avachi sur un fauteuil abîmé. Aux murs, je remarque des posters de playmates nues. De dos, l'homme regarde un programme de variétés sur une télé grésillante. Ses pieds nus sont posés sur une table basse, jonchée de cadavres de bières. Ce qui me marque aussi, ce sont ses cheveux frisés et touffus, d'un gris argent éclatant.

Kleiner se racle la gorge, puis interpelle l'homme.

— Caleb, je voudrais te présenter quelqu'un.

L'homme ne daigne même pas se retourner, il tourne à peine la tête vers nous, puis replonge dans son programme. Il sort une bière d'un pack en carton sous sa table, la décapsule et boit une gorgée.

— Caleb, je t'en prie, fais un effort.

L'homme finalement se soulève péniblement, éteint le téléviseur, replonge dans son fauteuil et le fait pivoter vers nous. Caleb doit avoir une soixantaine d'années. Malgré la pénombre, je discerne son visage rond, son nez large, aux narines imposantes. Ses cheveux frisés, ainsi qu'une épaisse barbe, où s'entremêlent des poils blancs et gris, encerclent un visage arrondi aux traits lourds. Des sourcils broussailleux font ressortir des yeux globuleux, d'un noir profond. Sous ses yeux, je note de profonds cernes noirs. Ses pommettes sont rondes et saillantes. Ses lèvres larges et adipeuses. Sa peau est sombre, d'une couleur de terre, proche de l'argile. L'homme est plutôt fort. Il est vêtu d'une chemise à rayures rouges ouverte sur son torse et son ventre. Sa bedaine dépasse de son jean vieilli. À sa ceinture, je note que des petites choses pendent, comme des amulettes. Il ne me regarde même pas, mais fixe Kleiner. L'homme parle d'un ton monocorde, d'une voix basse. Son accent anglais est très particulier, c'est comme s'il arrondissait les « r », qu'il les mangeait.

— Je sais qui il est, Friedrich, je sais bien. Et je t'ai prévenu…

— Ne recommence pas… Je te présente donc James. Il va t'accompagner.

L'homme finalement se tourne légèrement vers moi. Pendant quelques instants, il me fixe en silence. Je sens dans son regard, qu'il creuse en moi, qu'il s'enfonce. Puis finalement, après un long soupir, il me tend la main. Je la lui serre.

— Je suis Caleb.

— Moi, c'est James.

— Alors, comme ça, c'est toi qui m'accompagneras à Tjukurrpa ?

— Oui, je crois.

— Ton arrivée va changer beaucoup de choses. Tu apportes des réponses, mais tu apportes aussi le mal.

— Comment ?

Caleb se retourne et reprend position devant sa télé. Je voudrais l'interroger sur sa dernière phrase, mais Kleiner m'attrape par le bras et m'invite à sortir.

Nous sortons de la chambre de Caleb. Cette rencontre m'a mis mal à l'aise. J'ai eu comme la sensation que cet homme me transperçait, qu'il lisait en moi comme dans un livre ouvert, en sa présence je me sentais nu, sans défense. Kleiner, sentant mon malaise, pose sa main sur mon épaule et me la tapote gentiment.

— Ne vous en faites pas, James. N'écoutez pas Caleb. Il se crée un personnage, il s'enrobe de mystère pour mieux se protéger. Je suis sûr que vous vous entendrez très bien en fin de compte. Bon, je vais vous libérer. Je sais que ça fait beaucoup de choses à digérer pour vous en une journée. Beaucoup de questions aussi. Mais j'espère vous avoir apporté quelques réponses, les autres viendront dans la pratique. Je vais vous accompagner à votre chambre. Une chose est sûre, vous méritez de bien vous reposer.

— Ma chambre ? Mais je ne ressors pas ?

— Non, je suis désolé. Désormais, vous êtes impliqué dans le projet « Limbes », vous ne pouvez donc plus ressortir avant la fin de votre mission. Mais vous verrez, on s'habitue très vite.

— Mais j'ai mon ami Nathan qui attend…

— Il a été prévenu. Il comprend. Il vous attendra au-dessus. Ne vous en faites pas, nous lui transmettrons de vos nouvelles. Et je vous laisserai l'appeler de temps en temps.

— Mais mes affaires ?

— Nous les avons déjà apportées dans votre chambre, tout est prêt pour vous…

— De toute manière, j'imagine que je n'ai pas le choix.

— Malheureusement non, James. J'espère que vous comprenez les enjeux de ce que nous faisons ici, nous ne pouvons courir aucun risque.

— Pas vraiment, mais bon…

Tandis que Kleiner m'entraîne vers ma chambre, tout au fond de la zone des quartiers, j'ai l'impression, moi aussi, de m'enfoncer au plus profond des abîmes, j'ai la sensation d'étouffer, il faut que je me calme, ça va passer, tout va bien se dérouler, il n'y a pas de raison. Nous serons bien encadrés. Ces expériences peuvent m'aider à maîtriser mes rêves, et à comprendre surtout. Et je suis allé trop loin maintenant pour faire marche arrière, il faut que je me fasse une raison, que j'arrête de me dire que tout cela est complètement fou, irréaliste. Il faut que j'accepte l'évidence, car au fond de moi, au plus profond, je sais que tout ce que m'a dit aujourd'hui Kleiner, tout cela est vrai. Je n'ai pas d'autre choix que d'être là, aujourd'hui. Cela arrive et je vais y participer. Malgré tout, la phrase de Caleb ne cesse de me revenir en tête : « Tu apportes des réponses, mais tu apportes aussi le mal. »

Le mal…

8

Il est 14 heures, on frappe à la porte de ma chambre. Ça y est, nous y sommes. Je n'ai plus le choix désormais. Il est temps. Aujourd'hui, je vais participer à ma première expérience. Cet après-midi, je retourne dans cette grotte mystérieuse, cet endroit qu'ils appellent ici la Nef. Forcément, cette nuit, j'ai eu un mal fou à trouver le sommeil. À la fois impatient et apeuré par ce que j'allais vivre et découvrir le lendemain. Mais Kleiner m'a prévenu. Ça ne sera pas facile.

— Pour votre première expérience, nous allons essayer de vous faire revenir dans la Nef, la grotte que vous connaissez déjà. Cela ne devrait pas être difficile. Votre esprit connaît le chemin. Le seul problème, c'est vous. Serez-vous prêt à y retourner, laisserez-vous vos peurs de côté ?

Ce matin, j'ai fait quelques examens médicaux, pour vérifier mon état de santé général. J'ai également passé une heure avec le Dr Wilson, afin qu'il m'explique le fonctionnement de l'électromyogramme, cet appareil nous permettant de rester en contact avec l'« extérieur », le monde réel durant nos visites dans la Nef. Le système est finalement assez basique. L'équipe médicale me plante une fine aiguille dans le bras. L'électromyogramme calcule l'activité musculaire. Je dois juste me souvenir de plusieurs messages types qui me permettront de communiquer avec l'extérieur : trois contractions de la main s'apparentent à un danger et à l'urgence pour nous de revenir à la réalité. Quatre contractions courtes signifient que nous sommes parvenus à notre objectif de mission. Une contraction courte et une autre longue que nous aurons besoin de plus de temps. Et ainsi de suite. Après mon apprentissage de ce langage rudimentaire, j'ai pu retourner à ma chambre une heure environ. Les minutes se sont égrenées lentement, je tournais en rond, fumant cigarette sur cigarette.

Mais ça y est. Il faut y aller. J'écrase ma dernière cigarette. Enfile la blouse blanche que l'on m'a donnée. J'ouvre la porte. Le Dr Brimley me serre la main chaleureusement. Il semble bien plus excité que moi. Je marche à ses côtés vers le laboratoire principal : « La Porte ». Il me parle de choses et d'autres, des préparatifs, mais je n'entends rien. Perdu dans mes pensées, je sens la peur monter en moi. Nous arrivons dans le laboratoire. La vaste salle circulaire grouille de monde. On s'agite dans tous les sens. Des scientifiques mettent en place les électrocardiogrammes, d'autres préparent des seringues, d'autres encore suivent les indications du Pr Kleiner. Je descends les escaliers lentement. Brimley m'indique mon lit, puis s'éloigne. Deux scientifiques s'approchent de moi et m'aident à m'installer. Caleb arrive à son tour, s'assoit sur le rebord de son lit, sans un regard. Ethan, sympathique, vient quant à lui me saluer et, avant de s'allonger, me lance : « Et si vous trouvez que mon frère étale trop sa science, dites-le-lui ! » Je lâche un sourire forcé.

À côté d'Ethan, des scientifiques soulèvent le corps maigre de son frère Thomas pour le poser à son tour sur un lit. Pour cette première expérience, il règne dans la salle une atmosphère lourde, quasi solennelle. Sans un bruit, les médecins me posent les capteurs sur le front, le crâne et le thorax, m'enfoncent l'aiguille de l'électromyogramme dans le bras, tandis que d'autres m'accrochent les poignets. Je me sens de plus en plus anxieux, mon cœur bat la chamade. Je note, à ma droite sur le panneau de contrôle, le rythme de mon cœur sur l'électrocardiogramme s'affoler. Je me répète : « Mais qu'est-ce que tu fous là, James ? Fous le camp tant qu'il en est encore temps… » Notant certainement mon anxiété, Kleiner s'approche de moi, pose sa main sur mon épaule et me parle d'un ton rassurant.

— Vous m'avez l'air très nerveux, James. Détendez-vous, ce que nous allons faire est très rudimentaire aujourd'hui. Nous allons nous contenter de vous faire revenir consciemment dans la Nef. De vous faire partager un premier contact avec les autres Éveillés, Caleb et Thomas, au sein du rêve. Ils vous montreront ensuite nos premières découvertes ainsi que certaines règles qui régissent le Monde des Rêves. Ça ne sera pas long. Et vous n'avez pas à vous en faire, en cas de problème, nous sommes là. N'oubliez pas de communiquer avec nous via l'électromyogramme. À la moindre difficulté, contractez votre main à trois courtes reprises, nous vous réveillerons alors.

— Oui, oui, je sais.

Kleiner lève la main en direction d'un des scientifiques. L'homme s'approche, une seringue à la main. J'ai un mouvement de recul. Kleiner s'efforce de m'apaiser.

— Ne vous en faites pas, James. Je vous présente le Dr Bradford. C'est notre anesthésiste. Il va simplement vous administrer un léger somnifère qui facilitera votre endormissement. Et, je vous le répète, James, il n'y a rien à craindre.

L'anesthésiste attrape mon bras, en soulève la manche. Tapote doucement sur mon avant-bras, afin d'en faire saillir les veines, puis pique. Une minute passe. Puis lentement, insidieusement, je sens un voile se répandre sur mes yeux, ma tête devenir lourde. J'ai du mal à garder les yeux ouverts. Ils sont de plus en plus lourds. Mais j'ai peur. Je ne veux pas. Je veux rester éveillé. Pas encore. Je ne suis pas prêt. Mes paupières sont si lourdes. J'essaie de parler. Il faut que Kleiner m'entende. Je ne suis pas prêt ! J'essaie de parler, mais aucun son ne sort de ma bouche. Ma tête tombe en arrière comme un boulet de canon. Avant de fermer complètement les yeux, je vérifie péniblement que l'aiguille de l'électromyogramme qui me relie au monde extérieur est bien enfoncée dans mon bras. Malgré ma vue trouble, je vois le visage de Kleiner se pencher au-dessus de moi avec un sourire amical, j'entends sa voix : « Dormez maintenant, James, dormez » et je sens ses doigts passer sur mes yeux pour les fermer.

J'entends encore assez distinctement pendant quelques secondes les bruits de la salle d'expérimentation, les voix des scientifiques, le crépitement électronique des machines. Puis plus rien.

Le silence.

Et le noir absolu.

Après de longues minutes, j'entends comme un souffle d'air. Je cligne plusieurs fois des yeux. Au fond, droit devant moi, je distingue une lueur bleutée. Non, j'y suis. Je ne veux pas. Je ferme les yeux, me concentrant de toutes mes forces pour me réveiller, mais rien n'y fait. Je ne réussis pas à quitter cet endroit. Minute après minute, je prends conscience de mon environnement et de mon corps. Je sens la roche froide et humide contre mon dos, ma nuque et mon crâne. J'ouvre grand les yeux, essayant de m'habituer au noir. Je n'y vois quasiment rien, mais je discerne comme des silhouettes s'avançant vers moi. J'ai peur. Je me fonds dans l'ombre en rampant. Je ne réussis pas à me soulever, comme si tous mes membres étaient endoloris. Les silhouettes s'approchent.

J'entends une voix.

— Hawkins, tu es là ?

Je ne veux pas répondre, je ne sais pas pourquoi, mais je suis terrorisé.

Une des silhouettes s'approche encore. Malgré l'obscurité. Je reconnais sa forme voûtée et massive. Il s'agit de Caleb.

Une autre voix.

— Il est là...

La deuxième silhouette, plus frêle, s'avance vers moi et tend une main dans ma direction.

— Donne-moi ta main, James. N'aie pas peur.

J'avance péniblement la main.

L'homme la saisit et me tire vers lui.

Étrangement, j'ai l'impression de m'extraire des ombres, comme si elles m'avaient absorbé. Alors qu'il me tire à lui, je vois des fumerolles sombres s'échapper de mes bras et de mon torse, comme si les ténèbres m'abandonnaient.

Je me soulève avec difficulté.

Je distingue la silhouette. Il me semble reconnaître le frère d'Ethan, le jeune homme dans le coma, Thomas.

— Tu es Thomas, c'est ça ?

— Oui. Bienvenue James.

C'est étrange, c'est à la fois le même homme, mais aussi quelqu'un d'autre. L'individu qui me fait face semble plus jeune, moins maigre que le Thomas du monde réel. J'essaie de tenir debout, mais n'y parviens pas. Thomas me retient avant que je ne chute en avant.

— Je ne sens pas mes jambes.

— C'est normal, au début il faut toujours un peu de temps. C'est un peu comme une naissance. Il faut que tu trouves tes marques. Appuie-toi sur moi.

Je prends appui sur lui. Caleb nous rejoint. Malgré l'obscurité, je remarque également que Caleb lui-même n'a pas exactement la même apparence que dans le monde réel. Ses traits sont plus fins, plus nobles. Ses cernes profonds ont disparu. Je me retourne vers Thomas. La situation me semble si incroyable que je peine à trouver mes mots.

— J'ai du mal à croire que tu sois là à mes côtés Thomas. Alors qu'il y a quelques minutes encore, je te voyais dans le coma…

— Je comprends. Tu sais, moi, c'est un peu pareil. J'ai du mal à croire que je suis dans le coma, cloué dans un lit, complètement amorphe… alors que je sais que je peux marcher, parler, bref vivre ici. J'ai mis longtemps à accepter ça.

— Excuse-moi, je ne voulais pas te rappeler tout ça.

— Ne t'en fais pas. Il n'y a pas de problème.

Nous avançons tous les trois lentement vers la lumière bleutée. Je me souviens de cette longue galerie qui mène à la Nef. La première fois que je suis venu ici, seul, j'avais l'impression de m'être traîné pendant des heures, des jours, avant d'accéder à la Nef. Là, il ne nous faut pas plus de quelques minutes. Nous arrivons au bout de la galerie. Nous nous penchons pour passer sous un renfoncement et débarquons enfin dans la Nef. Comme la première fois, je reste bouche bée devant la majesté du spectacle qui se présente à mes yeux. La cathédrale minérale s'élève à une hauteur vertigineuse, percée de centaines, peut-être de milliers de trous, comme autant de galeries, de passages. Un peu partout, accrochées à la roche, ces étranges pierres luminescentes répandent une douce lumière bleutée. Étrangement, je remarque que la lumière que diffusent ces pierres me semble moins agressive que la première fois, plus douce et apaisante.

— C'est beau…

— Oui, c'est vrai, on ne s'en lasse pas.

— Qu'est-ce que c'est que ces roches lumineuses ?

— Tu veux des réponses ? Tu as choisi le mauvais endroit. Nous ne savons rien de ces pierres, de cette grotte. Nous savons juste où elle permet d'aller. Mais tu le sais aussi, n'est-ce pas ?

— Oui, je suis déjà venu ici.

Caleb prend la parole.

— Mon peuple appelle cette grotte le Puits aux Âmes. Mais peu de personnes sont venues ici. Il y a encore peu de temps, je pensais qu'il s'agissait d'une légende, d'un mythe. Et pourtant…

Nous avançons vers le centre de la cathédrale de roches. Nous nous approchons des stèles de pierre dressées comme des menhirs. Je me rappelle avoir remarqué des inscriptions sur ces dernières. Je les montre à mes deux camarades.

— Et ça, qu'est-ce que c'est ?

— Difficile à dire, me répond Caleb. J'ai essayé de mémoriser certains de ces motifs pour les montrer au Pr Kleiner.

— Et…

— Et lui-même ne semble pas vraiment comprendre.

— Comment ça ?

— Selon lui, ces symboles ressemblent à un amalgame de plusieurs motifs primitifs. En les analysant, il a ainsi retrouvé des ressemblances avec certains symboles sumériens.

— Sumériens ?

Thomas prend le relais. Trop heureux, semble-t-il, de pouvoir faire étalage de sa science.

— Oui, il s'agit d'une des plus anciennes formes d'écriture, qui proviendrait de Mésopotamie et daterait de 3 300 avant Jésus-Christ. Mais ce n'est pas tout, d'autres symboles, au contraire, partagent *a priori*, d'après le Pr Kleiner, des similitudes avec les hiéroglyphes égyptiens, d'autres encore sont proches des écritures olmèques d'Amérique centrale.

— Ça veut dire quoi ?

— C'est impossible à dire… Car selon Kleiner, et c'est ça le plus troublant, les symboles qui se trouvent sur ses stèles ne seraient pas des reproductions des écritures dont je t'ai parlé, mais plutôt leur forme primaire.

— Comment ça ?

Caleb se baisse et passe sa main sur une stèle, songeur.

— Thomas veut dire que ce qu'il y a sur ces stèles a certainement été écrit bien longtemps avant que le premier homme sur Terre ne sache écrire.

Thomas reprend la parole.

— Oui, Kleiner va même jusqu'à croire que ce que nous avons sous nos yeux serait peut-être même l'ancêtre de toutes les formes d'écriture. Il pense qu'il pourrait s'agir de l'écriture originelle. La première écriture jamais créée, que différentes cultures ensuite se seraient réappropriée.

— Incroyable.

— Mais ce n'est pas tout. Suis-nous.

Je suis Thomas et Caleb sur le côté gauche de la grotte. Lors de ma première visite, je ne m'étais pas aventuré jusque-là. Cette partie de la grotte est plongée dans une obscurité quasi totale. Thomas s'approche d'une formation rocheuse composée de quelques cristaux lumineux, il en saisit un, tire de toutes ses forces et parvient à l'arracher. À ma grande surprise plutôt que de s'éteindre, la lumière bleutée devient, entre ses mains, plus vivace. Je m'approche de lui et regarde le cristal. On dirait que l'intérieur de la roche est liquide et que de petites particules s'y déplacent lentement.

— Nous avons découvert cela assez récemment. Plutôt utile pour explorer la grotte.

Il dresse le cristal devant lui, et la lumière bleutée nous ouvre un passage vers les ténèbres.

La partie gauche de la grotte descend lentement.

Je vois un amoncellement de choses au fond.

Nous nous approchons encore. Thomas abaisse le cristal lumineux. Dans la lumière bleue, je distingue, au sol, de nombreuses stèles, semblables à celles du centre de la grotte. Sauf qu'ici, elles sont toutes brisées, fracassées. Je m'approche. Étonnamment, par-dessus les symboles primitifs, d'autres incrustations ont été gravées, très sommairement. On dirait du latin. Si la plupart des inscriptions sont illisibles, je parviens à en lire certaines : « *Gratis pro Deo* »… « *Ad majorem Dei gloriam* ».

— Qu'est-ce que ça veut dire ?

Caleb s'abaisse au sol et, tout en étudiant les écritures, me répond.

— Nous ne savons pas exactement. On dirait que des personnes ont voulu détruire les stèles et en effacer les symboles. Même Kleiner ne comprend pas ce qui s'est passé ici. Nous avons beau avoir étudié en détail les inscriptions, elles ne nous laissent finalement que très peu d'informations, d'indices sur leur origine.

— C'est du latin, non ?

— Oui. Tout à fait.

— Et qu'est-ce que ça veut dire ?

Thomas prend la parole.

— Ce sont des expressions religieuses et bibliques : « *Gratis pro Deo* » veut dire « Pour l'amour de Dieu » et « *Ad majorem Dei gloriam* », « À la plus grande gloire de Dieu ».

— Et ce symbole, là ?

Je lui montre quelques lettres gravées en majuscules.

— Il est écrit ici MDXXI. C'est une année : 1521.

— Il y a une autre expression encore, là, elle est répétée plusieurs fois. Tu sais ce que ça signifie ? « *Manus… Manus Dei* ».

— Oui, ça veut dire « La Main de Dieu ». Mais nous ne comprenons pas le sens de ces phrases ni leur réelle signification. Et le plus étrange, c'est pourquoi seules quelques-unes des stèles ont été détruites.

Caleb attrape un éclat de stèle au sol, le fait rebondir dans sa main, puis le jette au loin. On entend la pierre ricocher, puis son écho se répandre dans la Nef.

— Il n'y a qu'une seule chose à comprendre…

— Quoi donc ?

— Que nous ne sommes pas les premiers à venir dans cette grotte… D'autres ont visité ces lieux avant nous, il y a longtemps, très longtemps.

— Mais comment ont-ils fait pour graver ces pierres ?

Thomas se saisit d'une des pierres luminescentes et l'approche de la paroi de la grotte. Il frappe plusieurs fois contre la roche afin qu'une striure apparaisse.

— Tu t'en rendras compte par toi-même, James, mais la Nef semble obéir aux mêmes lois que notre réalité. On pourrait ainsi croire que nous sommes dans une grotte comme les autres. Cette roche, c'est bien de la pierre, l'air que tu respires, c'est bien de l'oxygène. La différence, finalement, c'est nous.

— Comment ça ?

— Tu n'as rien remarqué ?

— Non, quoi ?

— C'est dur à expliquer. Tu sais bien que ton corps, ton vrai corps est resté dans le laboratoire, allongé sur son lit, entouré de scientifiques, ici, ta forme, c'est autre chose. Aide-moi, Caleb.

— Bon. En réalité, le corps dans lequel tu crois être n'existe pas vraiment, il s'agit d'une image que tu t'es créée. Tu as beau ressentir ta chair, tes muscles, tout n'est finalement que spirituel et donc transformable.

— Comment ça ?

— Eh bien, regarde.

Je me tourne vers Thomas. Il me lance un sourire coquin, puis son visage devient flou, trouble, comme s'il s'effaçait devant mes yeux. Puis il se recompose lentement. Des cheveux gris lui poussent, ses pommettes se creusent, il semble plus petit, son dos se voûte. Moins d'une minute plus tard, j'ai devant moi le Pr Kleiner.

— C'est… c'est impossible. Comment ?

Le visage de Kleiner disparaît pour redonner place à celui de Thomas.

— N'aie pas peur, c'est toujours moi. Avec un peu d'entraînement, tu pourras faire la même chose et prendre la forme que tu souhaites.

— C'est impossible.

Caleb, visiblement énervé, s'avance vers moi…

— Impossible ? C'est impossible, eh bien regarde !

Soudain, comme pris dans un tourbillon, le corps de Caleb se transforme sous mes yeux, j'ai l'impression qu'il tourne sur lui-même, à une vitesse de plus en plus rapide. Mais à chaque nouveau tour, c'est un nouveau visage que je vois, un nouveau corps : une jeune femme blonde de 20 ans, un vieil homme noir aux rides profondes, un homme musclé d'une trentaine d'années… Tandis qu'il continue de tourbillonner, que son visage n'a de cesse de se transformer, il s'avance vers moi, un sourire mauvais aux lèvres. Sa bouche s'ouvre, mais ce n'est pas sa voix qui en sort, mais un amalgame de voix différentes, où chaque mot semble prononcé par une personne différente.

— Ça te semble toujours AUSSI impossible ?

Sa main s'avance vers moi, et tandis qu'elle approche ses doigts se transforment à leur tour, une main de vieillard aux doigts crochus et aux ongles longs laisse place à une main aux doigts épais et puissants. Je ne parviens pas à bouger, pétrifié de peur.

La main de Caleb se pose sur ma poitrine et me pousse en arrière. Je tombe à la renverse.

Thomas passe son bras devant Caleb pour l'empêcher d'aller plus en avant.

Je suis stupéfait…

— Mais comment faites-vous ? Ce n'est pas possible…

Caleb repousse Thomas et s'écarte de quelques pas.

— Mais il ne sait rien dire d'autre ? C'est impossible par-ci, c'est impossible par-là… Je ne suis pas sûr que Kleiner ait fait le bon choix. Tu n'as rien d'un Éveillé. Kleiner s'est trompé. Nous perdons notre temps. Je te l'ai déjà dit Thomas, cet homme porte en lui les ténèbres.

— Non, attends, Caleb, il faut lui laisser du temps. Regarde, James, on va essayer un exercice facile.

Thomas m'aide à me redresser. Puis soulève sa main droite.

— Regarde. Concentre-toi sur ta main. Et imagine que tes doigts rallongent.

Sous mes yeux, les doigts de Thomas s'allongent lentement, s'étirent de manière surréaliste, puis reviennent à leur taille normale.

— À ton tour.

— Je ne crois pas que je pourrai réussir.

— Essaie.

Je soulève ma main. Me concentre et ferme les yeux. J'essaie de penser que mes doigts s'allongent, s'étirent, je sens comme une chaleur envahir ma main. J'ouvre les yeux. Je vois en effet mes doigts s'allonger lentement. Je ferme les yeux pour que ça s'arrête. Mais étrangement, ils continuent de s'étendre. Ma main me tire, comme si mes os eux-mêmes s'étiraient. La douleur est insupportable. Je tiens ma main et, pris de panique, vois les doigts de ma main droite ployer et tomber en arrière, comme s'ils étaient en train de fondre, comme de la vulgaire guimauve. Je ne réussis plus à les contrôler. Ils continuent à grandir en dégoulinant le long de mon bras.

— Mais qu'est-ce qui m'arrive ? Merde, j'ai mal. Fais quelque chose, Thomas !

— Calme-toi. Ferme les yeux.

Je m'exécute. Souffle un grand coup. Respire. J'entends la voix de Thomas, apaisante.

— Calme-toi. Dis-toi simplement que tes doigts ont retrouvé leur forme. Dis-toi que tout est redevenu normal.

Je sens la douleur se calmer. Je rouvre finalement les yeux. Mes doigts sont redevenus normaux. Mais une douleur lancinante continue à me vriller la main.

— C'est bizarre, ça me fait encore mal.

— C'est normal, les modifications corporelles, si elles ne sont pas contrôlées, peuvent avoir un certain impact sur ton vrai corps. Il faut donc faire très attention. Tu le verras, tout est lié. Mais tu t'en sors très bien pour une première. Pas vrai, Caleb ?

Caleb est accroupi sur une stèle. En guise de réponse, il émet un grognement.

— Bon allez, ça suffit pour aujourd'hui. On va rentrer. Ethan, tu m'entends, on rentre. Ramenez-nous. À très vite, James.

Je me sens aspiré en arrière, puis plongé dans le noir à nouveau.

J'entends des voix autour de moi, je rouvre les yeux. Je suis allongé sur le lit dans la salle d'expérimentation. Au-dessus de moi, Kleiner me sourit.

— Alors, ce premier voyage ?

— Surprenant...

— J'imagine. Vous avez fait la rencontre de Thomas ?

— Oui. Il m'a été d'une grande aide. Et ce n'est pas le cas de tout le monde.

Je lance un regard à Caleb qui, à peine détaché, s'allume une cigarette en me défiant du regard.

— Oui, je vois ce que vous voulez dire. Mais je vous l'ai déjà dit, Caleb fait son bourru, mais, tôt ou tard, il vous adoptera. Bon, vous avez vu la Nef alors, racontez-moi.

— Oui, Thomas m'a montré les stèles, les inscriptions.

— Oui, tout cela est très étrange et je continue à m'interroger sur l'origine des inscriptions latines. Peut-être nous aiderez-vous à trouver des réponses...

Je sens qu'on me détache les bras, qu'on me retire les différentes électrodes.

— En tout cas, ça a l'air de s'être bien déroulé ?

— Ce n'est pas le mot que j'emploierais.

— Oui, je sais, votre électrocardiogramme s'est un peu affolé à un moment, mais rien d'inquiétant.

— Pour moi, ça l'était un peu plus.

— Vous êtes quand même un peu rassuré ?

— Oui, en quelque sorte.

— Vous voyez bien qu'il n'y a rien à craindre.

Étrangement, j'ai toujours mal à la main. Je la regarde. Mes doigts sont rouges, comme irrités.

— Ah, je vois que Thomas vous a fait essayer la modification corporelle.

— Oui, et j'en ai ramené un souvenir.

— Il faut que vous compreniez bien l'une des règles essentielles de ces voyages. Toutes les blessures, les chocs que vous pourrez recevoir là-bas auront une répercussion directe sur votre corps, ici. À vous donc de rester vigilant.

— Nous sommes partis combien de temps ?

— Quatre heures…

— Comment ? Quatre heures ? Mais j'ai l'impression d'avoir à peine passé quinze minutes dans la Nef.

— C'est aussi une autre des règles qu'il vous faudra retenir. Le temps est une notion très relative dans le Monde des Rêves.

Je vois les scientifiques détacher Thomas et le replacer sur son lit. Je demande à Kleiner :

— Et lui, il reste dans la Nef, pendant tout ce temps ?

— Non, Thomas rentre chez lui.

— Chez lui ?

— Oui, dans sa tête, dans ses rêves… Bon, je pense que vous en avez assez fait pour aujourd'hui. Vous méritez un bon après-midi de repos. Demain matin, nous commençons les véritables tests.

— C'est-à-dire ?

— Demain matin, vous allez essayer d'entrer dans les rêves de quelqu'un d'autre, James.

9

20 août 1971
Station K27, 200 km au nord de Galena, Alaska
Température extérieure : 12 °C

Il est 23 heures, je m'endors ce soir encore sans prendre de traitement, de somnifères. Désormais, je l'ai accepté, je peux dormir, je peux rêver. Je n'ai plus peur. Allongé sur mon lit, je m'allume une dernière cigarette. Je tire une bouffée, ferme les yeux et repense aux dernières semaines qui viennent de s'écouler.

Cela fait déjà plus d'un mois. Un mois que je suis enfermé dans ce bunker souterrain. C'est fou… Je devrais enrager, me sentir prisonnier, terrorisé par tout ce que je viens de vivre, et pourtant, non, je n'ai qu'une seule envie, c'est d'y retourner, de replonger dans les Limbes, dans Tjukurrpa. Chaque jour, nous allons un peu plus loin, nous découvrons de nouvelles choses. Notre progression semble sans fin. Kleiner dit que j'ai une faculté d'assimilation remarquable. C'est vrai, j'ai l'impression d'être une éponge, qu'expérience après expérience, je maîtrise de mieux en mieux mon « pouvoir ». Ça me grise et ça m'effraie un peu à la fois. Cette puissance que je détiens entre mes mains, je commence à peine à en prendre la pleine mesure, que déjà dans les possibilités infinies qu'elle laisse présager, dans ce que je pourrais en faire, la liberté qu'elle m'offre, tout ça m'excite terriblement. Peut-être que Kleiner avait raison. Peut-être que ce qui m'arrive n'est pas une malédiction, mais bel et bien une chance.

Jusqu'alors, je n'étais qu'une coquille vide, insignifiante. Une ombre parmi la foule. J'avais toujours rêvé d'avoir un destin, mais je n'en ai jamais eu le courage. Embourbé dans ma vie médiocre à Cedar City, je croyais que c'était au Viêtnam que je deviendrais quelqu'un. En réalité, c'est ici, dans les entrailles de l'Alaska, que je suis en train de devenir moi-même. Désormais, j'ai l'impression d'exister. Ici, je compte. Je ne suis plus celui dont on ne se rappelle jamais le prénom, celui qu'on ignore en soirée. Ici, tout le monde me traite avec respect. Il semblerait même que certains scientifiques soient mal à l'aise à mes côtés, comme apeurés. Et j'aime ce sentiment, d'exister, d'avoir une place et un rôle à jouer. Jusqu'alors, je n'avais été qu'un troufion inutile au cœur du Viêtnam, qu'un quidam noyé dans la médiocrité de Cedar City. Un être insignifiant. Ici, je suis important. Je suis à l'épicentre du projet. Et pour rien au monde, je ne ferais marche arrière. Malgré tout. Malgré la peur sourde qui me tiraille quand je repense aux paroles de Caleb : « Vous croyez qu'on peut aller et venir impunément en Tjukurrpa, vous vous trompez, on nous laisse ce droit, mais pour combien de temps ? Ce monde n'est pas le nôtre, ne l'oubliez jamais. » Caleb qui, d'ailleurs, je le sens, reste toujours sur ses gardes avec moi. Il se méfie, me craint et je ne sais pas pourquoi.

Quand je repense au mois qui vient de s'écouler, tout me semble avoir été si rapide, comme si toutes les expériences s'étaient enchaînées à une vitesse folle, comme si nous avions été pris dans un tourbillon frénétique de découvertes.

Si le premier voyage dans la Nef reste sans aucun doute celui qui m'aura le plus marqué, les suivants furent également tout aussi surprenants.

Ainsi, dès le lendemain de cette première « sortie », nous avons commencé les véritables expériences. Le but de la première était de parvenir à visiter les rêves d'une personne ciblée. J'ai dû, durant toute la matinée, me concentrer sur la photo d'un scientifique présent quelque part dans la station, mais caché. J'ai eu du mal à prendre tout ça au sérieux. J'ai regardé la photo quelques minutes, puis l'ai reposée, pensant au fond de moi que tout cela était ridicule. Au bout d'une heure, Kleiner est entré dans ma chambre et a tout fait pour me convaincre de recommencer à enregistrer la photo.

— Cela vous semble peut-être étrange, voire inutile. Mais il faut que vous enregistriez ce visage, dans tous ses détails, ses infimes subtilités, il faut que vous connaissiez ce visage par cœur. Que vous puissiez fermer les yeux et en dessiner mentalement tous les contours, toutes les caractéristiques. Dites-vous que plus qu'un visage, c'est en réalité une carte qui vous mènera jusqu'à l'homme que vous recherchez.

J'ai joué le jeu et, toute la matinée, me suis concentré sur la photo. À force de fixer le portrait posé sur la table devant moi, le temps s'effaçait, je m'endormais moi-même à moitié. Et, à chaque fois que je fermais les yeux, le visage semblait s'imprimer en négatif sur mes paupières. Peut-être que Kleiner avait raison après tout.

En début d'après-midi, nous avons tenté cette deuxième expédition. À nouveau, on m'a attaché à un lit, apposé des dizaines d'électrodes sur le corps et le crâne, administré un somnifère. À nouveau, je me suis endormi quasi instantanément. Comme la première fois, Thomas et Caleb m'attendaient dans la galerie de la Nef. Mais, cette fois, j'eus moins de mal à me déplacer, mes jambes étaient moins engourdies. Nous nous sommes approchés du centre de la Nef, à l'endroit même où les stèles se font face, encadrant le chemin vers l'autel, placé au cœur de la cathédrale minérale.

J'approche de la stèle en pierre. Thomas est à quelques pas derrière moi. Je me retourne, je vois Caleb en bas des marches, les mains dans les poches, le dos appuyé contre une colonne. Il ne semble pas nous accorder la moindre importance. Thomas pose sa main sur mon épaule, rassurant.

— N'aie aucune crainte. Nous sommes là en cas de problème. Avance ta main lentement vers la stèle. Quand tu entreras en contact avec la roche, tu vas d'abord sentir comme une démangeaison, puis comme un fluide froid se répandre en toi...

— Je sais, je me souviens.

— Tu as déjà utilisé la Stèle ?

— Oui, malgré moi, lors de mon premier « voyage » ici.

— Bien, ça devrait être plus facile, alors...

— Non, je ne crois pas.

— Ne t'inquiète pas et ne pense qu'à une seule chose : le visage de ce scientifique. Garde juste son visage en tête. Juste ça. Vide-toi de tout le reste. À partir du moment où tu toucheras la roche, il faut que tu te concentres sur ta cible, la personne dont tu dois visiter les rêves. Ne pense pas à ce qui se passe autour, n'y prête aucune attention.

— Pourquoi ?

— Tu risquerais d'avoir des perturbations.

— Qu'est-ce que c'est ?

— Si tu ne gardes pas toujours le contrôle, parfois, il y aura comme des interférences, provenant des rêves d'autres personnes, ou de certains de tes rêves passés. N'y prends pas garde, avec un peu de maîtrise, elles devraient disparaître.

— Tu ne m'accompagnes pas ?

— Non, nous ne pouvons voyager à plusieurs simultanément. Et de plus, ton hôte aurait du mal à supporter plusieurs invités dans ses rêves. Allez, vas-y maintenant. Ça va bien se passer.

J'entends une voix derrière nous.

— Ou pas…

Caleb a monté les marches et se dresse désormais à quelques mètres de nous. Il me fixe d'un œil noir, sans ciller.

Je me tourne vers Thomas. Sentant mon malaise, il me lâche un sourire coquin, puis soudain son visage s'efface. Ses traits deviennent confus, comme emportés dans un tourbillon, ils laissent place au visage d'une jolie rousse aux yeux verts, les cheveux relevés dans un chignon distingué. Dans un grand geste de bras théâtral, il m'invite à m'approcher de la stèle.

— Après vous, monsieur, et bienvenue à bord du Rêve Express !

— Décidément, je crois que je ne m'y ferai jamais…

La rousse m'envoie un baiser. Puis Thomas reprend finalement son visage, un large sourire aux lèvres.

— Allez, il est temps, James.

J'approche ma main de la stèle. Je laisse courir mes doigts sur l'une de ses innombrables spirales. Je ferme les yeux et m'efforce de visionner le visage du scientifique, de m'en rappeler les traits jusque dans le moindre détail.

Son nez arqué.

Cette tache de naissance brunâtre sur son cou.

Je sens un frémissement dans mes doigts et une désagréable sensation de froid m'envahir. La vague glacée se répand de ma main à mon bras. C'est comme si mon corps se transformait en pierre. Je ne peux plus bouger. La douleur, glaciale, se répand le long de mon bras, comme serpentant entre mes veines, transformant mon sang bouillonnant en glaçon.

Je ne dois pas ouvrir les yeux. Je dois me concentrer. Dans la Nef, je crois entendre la voix de Caleb : « Il n'y arrivera pas. » Je dois me concentrer.

J'essaie de me souvenir du visage du scientifique. Il faut que je me rappelle.

Sa cicatrice, le long de son sourcil droit.

Ses yeux vert foncé, avec comme un défaut dans l'iris, une tache noire lui donnant un regard étrange, comme celui d'un reptile.

Cette mèche de cheveux blonds plaquée sur le dessus de son crâne pour masquer un début de calvitie.

La douleur se répand à mon épaule, à mon cou. J'ai l'impression d'étouffer. Il faut que je tienne. Mais que j'ai mal…

Se souvenir, James, se souvenir…

« Son visage, c'est le chemin. »

Rappelle-toi, bordel. Rappelle-toi !

Je ne peux plus respirer. Je sens mon corps se soulever. Comme la première fois. J'étouffe.

Ses lèvres pincées…

Malgré moi, tandis que j'ai l'impression de m'élever dans les airs de la Nef, d'autres images, comme des flashs m'assaillent.

Une bouche hurlant à la mort.

Des dents jaunâtres et noires.

Un visage recouvert de sang.

Des yeux exorbités exprimant une terreur absolue.

Des mains plongeant dans un corps pour en extraire les tripes et les soulever vers le ciel.

Non… Non…

Son visage, il faut que je me concentre sur son visage.

Je m'élève encore.

Soudain, je me sens projeté à une vitesse folle. J'ouvre les yeux. Je suis en train de traverser un tunnel, à peine plus large que mes épaules. Je m'y déplace à une vitesse hallucinante. Le tunnel, qui ressemble d'ailleurs plutôt à un terrier, oblique à gauche, à droite, et mon corps suit, comme si lui-même était devenu caoutchouteux. La paroi du tunnel est en partie recouverte de centaines, de milliers de petites roches bleutées.

Je referme les yeux.

Le visage du scientifique me revient une dernière fois en mémoire, clair et précis, comme si je tenais devant mes yeux sa photographie.

Puis j'ai l'impression que tout s'arrête brutalement. Je chute sur un sol dur.

J'ouvre les yeux. D'abord, c'est le noir. Puis la lumière se fait lentement.

J'entends une voix.

« Vous voilà enfin. »

Je tourne la tête. Devant moi, apparaît alors une magnifique demeure, comme surgissant des ombres, comme si la brume noire de l'obscurité était soudainement soufflée. J'ai même l'impression de voir des volutes disparaître alors que la maison et ses environs se dessinent devant moi. La propriété, toute de lambris blanc, s'étend majestueusement à flanc de colline. Le noir se dissipe lentement et je commence à discerner le reste de mon environnement comme si, de-ci de-là, des spots de lumière s'allumaient graduellement.

Sous mes pieds, une pelouse d'un vert éclatant, fraîchement tondue. Je tourne la tête alors que la lumière se fait. La colline est bordée d'une forêt de hauts conifères. Les couleurs se font plus nettes, moins grises. Je remarque les nuances de teintes du feuillage des arbres. Certains sont roux, d'autres plus orangés, d'autres encore affichent vaillamment quelques feuillages encore verts. C'est l'automne.

Je me tourne vers l'origine de la voix.

Face à moi s'étend un immense lac calme et apaisé. Un grand ponton en bois s'avance sur l'étendue d'eau. Au bout du ponton, un banc fait face au lac. Un homme, de dos, y est assis. Le ciel se révèle à son tour. C'est le coucher de soleil. Les derniers rayons de lumière viennent lécher la surface du lac, avant de disparaître derrière les montagnes que je discerne maintenant, tout au fond. Je m'avance sur le ponton.

À présent, j'entends le bruit de mes pas, le son de mes semelles venant faire craquer le vieux bois du ponton. L'homme se retourne. Je souffle de soulagement en découvrant son visage.

Je reconnais immédiatement les traits du scientifique de la photo. Il me sourit et, d'un geste de la main, m'invite à m'asseoir.

— C'est beau, n'est-ce pas ?

— Oui, c'est magnifique. Où sommes-nous ?

— Eh bien, dans ma tête, je crois, me dit-il avec un sourire.

— Oui, mais…

— Ah, je vois ce que vous voulez dire. C'est un souvenir. La maison de vacances de mes parents au Canada, au bord du lac William's. J'y venais gamin… Je ne sais pas pourquoi, mais je rêve très souvent de cet endroit depuis quelque temps. J'imagine que c'est un peu un refuge que mon esprit a dû trouver pour m'échapper de la station et surtout de ce bunker. Mais je m'égare. Je me présente. Je suis le Dr Emerson. Je vous ai déjà croisé dans la station, mais on ne s'est encore jamais parlé.

— Je ne crois pas, non.

— On ne se connaît même pas, et vous voilà désormais dans ma tête, au cœur de mes rêves, c'est étrange, non ?

— Oui, c'est étrange.

— On m'a dit que c'était votre baptême du feu aujourd'hui.

— Oui, en quelque sorte.

— Donc, je dois vous féliciter. Vous êtes arrivé à me localiser, à vous introduire dans mon rêve, c'est un sans-faute.

— On dirait bien.

Je détourne le regard et ferme les yeux, m'efforçant d'effacer de ma mémoire les images terrifiantes qui m'ont assailli quelques secondes auparavant.

— Quelque chose ne va pas ?

— Non... J'ai eu comme des flashs avant de me retrouver ici.

— Qu'avez-vous vu ?

— Des choses que je ne préférerais pas décrire.

— Sûrement des interférences. Des souvenirs qui viennent parasiter votre traversée.

— Mais ce ne sont pas mes souvenirs, je n'ai jamais vécu ces scènes.

— En êtes-vous certain ?

— J'en suis absolument sûr.

— Étrange.

— Ça sera la même chose à chaque nouvelle traversée ?

— Non, je ne pense pas. Comme on apprend à marcher, vous apprendrez à contrôler vos traversées, faire de ces moments un automatisme, quelque chose de mécanique.

— Vous en parlez, comme si vous l'aviez vécu ?

— Non, malheureusement, je ne peux pas faire ce que vous faites. Je n'ai pas ce pouvoir. Je ne suis pas un voyageur. Moi, je suis chargé de récolter les « témoignages » des voyageurs après leurs exercices. Après un an, je commence à connaître un peu et comprendre comment tout cela fonctionne.

— D'accord et quelle sera la prochaine étape ?

— La prochaine étape ? Eh bien, c'est au Pr Kleiner de décider, mais je pense qu'il souhaitera que vous appreniez d'abord à influencer mes rêves pour ensuite prendre le contrôle.

— Prendre le contrôle ?

— Le Pr Kleiner vous expliquera mieux que moi. Vous savez, après tout, je ne suis que l'hôte, ici. Un simple cobaye. Moi, je ne récolte que les maux de tête et les nausées.

— Comment ça ? Vous avez des séquelles après les rêves ?

— Bien sûr… Dites-vous que nous sommes quand même deux dans ma tête en ce moment. Le cerveau humain est une machine remarquable qui peut gérer beaucoup de choses, jusqu'à une certaine limite.

— Mais si c'est douloureux, pourquoi continuez-vous ?

— Parce que c'est fascinant ce que nous faisons ici ! Nous sommes des pionniers, des aventuriers d'un genre nouveau. Le rêve, c'est la dernière frontière. L'homme a conquis la mer, la terre, l'espace… et maintenant, enfin, il conquiert son propre esprit. Il lui aura fallu des milliers d'années pour comprendre que les plus grands mystères ne se cachaient pas dans les profondeurs des océans ou aux confins de l'univers, mais bien au cœur de son être. Et en étant là, j'ai l'impression d'être aux premières loges. Nous sommes comme les premiers colons d'une terre vierge, à la fois effrayés par l'inconnu et irrémédiablement attirés par ce qui nous y attend. Je n'échangerais ma place pour rien au monde. Et vous non plus, j'en suis sûr. Bientôt, lorsque vous saurez, que vous comprendrez l'incroyable pouvoir qui est le vôtre, vous penserez la même chose que moi. La peur laissera place à l'envie d'aller voir plus loin, toujours plus loin.

Et il avait raison…

Mon premier voyage fut un vrai succès. Après mon réveil, je fus débriefé par Kleiner qui me posa une série de questions sur ce que j'avais vu en entrant dans les rêves d'Emerson. Je le sentais anxieux et impatient à la fois. Il me demanda d'être le plus précis possible sur les détails : le paysage, la maison, le lac, le ponton. Il me quitta et me laissa seul quelques minutes dans un bureau. Il revint enfin, un large sourire aux lèvres.

— Félicitations James ! Je viens de discuter avec Emerson. Votre description correspond parfaitement à sa maison de vacances au bord du lac William's. Vous y êtes arrivé, bravo !

Après cette première traversée, les semaines ont défilé à une vitesse incroyable. J'étais comme entraîné dans un tourbillon de découvertes et de progrès incessants. Chaque jour voyait son lot de nouveaux exercices, de nouveaux tests. Et, à chaque fois, nous avancions un peu plus, découvrions de nouvelles choses. Je comprenais désormais ce que devait vivre un enfant surdoué, ce mélange d'appétit de connaissances insatiable et de frustration que le monde n'aille pas aussi vite que lui. Car j'apprenais vite, c'était le moins que l'on puisse dire.

Nos visites dans la Nef se répartissaient en deux catégories. Les premières étaient les missions dites « archéologiques ». Caleb, Thomas et moi étions ainsi chargés d'explorer la Nef, zone par zone, afin de nous efforcer d'en dresser une topographie la plus précise possible. Mais hormis le cimetière de stèles brisées, l'autel et la Stèle, les inscriptions en latin et celles dans une langue inconnue, nous avions du mal à faire de nouvelle découverte marquante. Certes, nous avions pu, grâce à nos indications précises, reconstituer une reproduction de la Nef à échelle réduite dans une des salles du laboratoire. Kleiner y avait marqué les emplacements clés et les zones à explorer en priorité. Certes, nous avions découvert quelques nouvelles inscriptions, toujours les mêmes mots : « *Manus Dei* » en latin, le long des parois rocheuses de la Nef. Mais nous revenions le plus souvent sans grande révélation. Les missions « archéologiques » représentaient ainsi la partie la plus laborieuse des expériences pour Caleb, Thomas et moi. S'il sentait notre lassitude et notre démotivation grandir jour après jour, Kleiner s'obstinait à nous faire étudier, explorer les moindres recoins de la Nef, sans relâche : « Il faut être précis messieurs, pas de place à l'approximation ici. Visitez chaque recoin sombre, enfoncez-vous dans chaque renfoncement, scrutez chaque crevasse. Je veux que cette grotte n'ait plus aucun secret pour vous. Et, surtout, recherchez les inscriptions latines. » S'il ne nous en disait pas plus, je soupçonnais Kleiner de nous cacher quelque chose. Son acharnement à nous faire continuer ces vaines recherches au détriment des expériences concrètes était étrange. Et la place qu'il accordait aux phases « archéologiques » me semblait si disproportionnée qu'elle devait avoir un motif, une justification. En réalité, c'est comme s'il cherchait quelque chose, tout en se refusant à nous dire quoi. Comme il savait se montrer convaincant et comme, après tout, nous n'avions pas vraiment le choix, nous nous exécutions, non sans traîner des pieds.

Caleb me faisait d'ailleurs sourire dans son attitude de ronchon irascible. Il passait son temps à râler, à se plaindre et à répéter : « Si Kleiner n'allongeait pas autant de dollars pour moi, je lui claquerais la porte à la gueule ! » Je sentais pourtant une gêne au fond de lui, un malaise profond qu'il nous expliquait à sa manière, énigmatique : « On ne peut pas venir ainsi en Tjukurrpa, fouiller, creuser et se croire chez soi. Ce lieu ne nous appartient pas, il ne faut pas l'oublier. »

Pourtant, nous partagions tous trois, Thomas, Caleb comme moi, la même impatience, la même excitation dès qu'il s'agissait de passer à la deuxième phase de nos expérimentations. Les scientifiques les appelaient les « transferts chimériques ». Entre nous, nous préférions parler de « traversées ». C'est vrai, comme me l'avait dit le Dr Emerson, qu'à chaque nouveau transfert, chaque nouvelle traversée, cela me semblait plus facile, plus aisé et, si les flashs horribles étaient toujours présents, ils se faisaient plus diffus, moins prégnants.

Désormais, après deux semaines de pratique et d'exercice, il ne me fallait pas plus de quelques secondes pour me retrouver dans la tête du Dr Emerson, au cœur de ses rêves. Comme il me l'avait laissé entendre lors de notre première rencontre, mes visites le fatiguaient énormément, il aurait été impensable que Caleb et Thomas utilisent le même hôte pour leur transfert. Ainsi, chacun avait son « hôte » attitré. Moi, c'était le Dr Emerson, Thomas, le Dr Mayer, Caleb, le Dr Glenane. Ce qui m'avait frappé, lors de ma première traversée, continuait de me surprendre à chaque nouvelle visite. Si Emerson semblait pleinement conscient dans ses rêves, en plein contrôle de ses facultés intellectuelles, il ne gardait que quelques souvenirs, diffus, quelques images floues de nos rencontres dans les rêves. Comme si, en quittant sa tête, j'effaçais tout derrière moi. Ainsi, si je le croisais dans les couloirs de la station, il me lançait un sourire gêné et n'entamait jamais la discussion. D'ailleurs, après trois semaines de transferts intensifs, il passait le plus clair de son temps à se reposer entre chaque test en restant allongé. Mes visites durant son sommeil semblaient le vider de toute énergie. Je m'en voulais de lui faire ainsi souffrir le martyre, me sentant bien malgré moi un peu responsable.

Ethan se voulait rassurant.

— Ne t'en fais pas, James, de toute manière, lorsque ton hôte ne pourra plus supporter tes visites, il sera remplacé par un autre.

— Ah bon ?

— Ouais, ça fait un an qu'on a commencé les expériences et Thomas et moi en sommes déjà à notre quatrième hôte.

— Et que font les scientifiques quand ils ne tiennent plus le coup ?

— Je crois que Kleiner les renvoie chez eux avec une bonne prime à la clé.

— Bien…

Et de toute manière, pour être honnête, j'avais beau un peu culpabiliser, je crois qu'au fond de moi je m'en moquais d'Emerson. Trop impatient d'avancer, de mieux maîtriser mon pouvoir, je ne me souciais guère de l'état de santé d'Emerson. Il n'était pour moi qu'un véhicule, qu'un moyen d'atteindre mon but, la pleine maîtrise de mes capacités.

Ma première visite n'était qu'un premier contact. Au cours des transferts suivants, il ne me suffisait plus de discuter avec Emerson, il fallait à chaque nouvelle tentative aller plus loin. Apprendre à maîtriser ses rêves, à les façonner et les transformer selon mon bon vouloir. Au départ, il s'agissait simplement de changer la teinte d'une latte du ponton. Je devais me concentrer, visualiser en moi le décor, me focaliser sur cette seule latte, l'extraire de son contexte et l'imaginer d'une autre couleur. Durant mes premiers essais, je ne parvenais qu'à donner une vague teinte passée, délavée au bois. Mais, jour après jour, avec le soutien de Kleiner et les conseils avisés de Thomas, je progressais. Finalement, après une semaine d'efforts intenses, je fermais les yeux, me concentrais, les rouvrais et enfin découvrais que la latte de bois n'avait plus cette teinte beige fatiguée, qu'elle était blanche, resplendissante.

Mais ce n'était qu'un fragile début. Chaque jour, Kleiner m'en demandait un peu plus. Repeindre mentalement en blanc une partie du ponton, puis le ponton entier. Faire pousser la pelouse fraîchement tondue afin de la transformer en une jungle d'herbes folles. Réussir ensuite à faire jaillir du sol un peuplier immense. Faire apparaître un, deux, puis cent convives, hommes et femmes en train de s'adonner à un bal printanier. Si d'abord il ne s'agissait que de silhouettes indistinctes, d'ombres brumeuses, essai après essai, les traits des visages se dessinaient, le contour des corps s'affinait. Mieux, chaque costume était différent des autres, chaque robe montrait des étoffes plus fines et mieux travaillées que la précédente. Pour être honnête, j'avais moi-même du mal à savoir d'où venaient toutes ces images, à comprendre comment je réussissais à les convoquer, à les faire apparaître ainsi. J'étais stupéfait de pouvoir faire vivre et exister de tels mirages, des chimères d'une telle précision, d'une telle vérité.

Quoi qu'il en soit, chaque jour, je parvenais à un peu plus influencer les rêves d'Emerson, à les façonner selon mon bon vouloir. Certes, en contrepartie, je notais, en croisant Emerson dans la station, combien il semblait chaque jour un peu plus cerné, l'œil de plus en plus vide. Mais il fallait se faire une raison, tout a un prix. Moi, j'en voulais plus.

Pour la première fois de ma vie, je me sentais puissant, je valais quelque chose, ma simple volonté avait un impact radical sur le monde.

L'étape suivante de mon apprentissage fut indiscutablement la plus marquante et la plus troublante. Les scientifiques appelaient cette étape « la prise de contrôle ». Après trois semaines à façonner les rêves d'Emerson, Kleiner m'invita à le rejoindre dans son bureau.

— James, je tenais d'abord à vous féliciter. Vos résultats sont assez incroyables. Pour être tout à fait honnête, vous dépassez de loin toutes les espérances que nous autres scientifiques, et moi y compris, placions en vous. En quelques semaines, vous êtes parvenu à faire ce que Thomas et Caleb ont peiné à maîtriser en six mois. Je dois avouer que vous avez une faculté d'assimilation assez remarquable. Mais nous arrivons aujourd'hui à l'étape la plus difficile : la prise de contrôle. Vous avez réalisé combien vous aviez la possibilité d'intervenir sur les rêves du Dr Emerson, les modifier et les faire évoluer à votre guise. Mais dites-vous qu'il ne s'agit que d'une infinie parcelle de ce qu'est réellement votre pouvoir. Il ne s'agit que d'enfantillages, de vos premiers bégaiements. Désormais, nous passons aux choses sérieuses. Avez-vous déjà entendu parler de transe extatique, James ?

— Non, je ne crois pas.

— De nombreuses cultures de par le monde relèvent d'un certain mysticisme et pratiquent ce que l'on appelle la transe. Lors de cérémonies dédiées, des individus tentent d'entrer en communion avec une entité spirituelle, il peut s'agir d'un dieu spécifique, des Grands Anciens, d'esprits défunts, ou de n'importe quel type de déité. Ce qui est marquant, c'est combien le déroulement de ces transes est souvent le même : un individu se laisse aller à une danse ou un chant et, sous l'effet de substances diverses, alcool, psychotropes, champignons hallucinogènes, peyotl, racines, ou par son simple détachement, il perd le contrôle de son corps. Il entre en transe, dans un état second.

— Un peu comme dans les cérémonies vaudoues ?

— Oui. Absolument. Mais on retrouve aussi ce type de transe en Algérie, au sein des confréries Isâwiyya et Darqâwiyya, certains musulmans s'adonnent encore au mysticisme extatique. À partir de la récitation de prières spécifiques, les dhikr, les convives modifient graduellement leur respiration. Le rythme des psalmodies devient de plus en plus rapide et s'accompagne de balancements du corps. Rapidement, se manifestent les prémices de la transe : on entend des râles, des pleurs, des cris, et on peut même assister à des évanouissements. Mais pour obtenir la baraka, la grâce divine, certains vont beaucoup plus loin. Ils se lèvent et se rendent dans l'espace cérémoniel consacré : l'halqa. Là, ils vont s'adonner à des rites particulièrement spectaculaires : un homme va se transpercer les joues avec une longue aiguille sans se blesser ; un autre va mâcher du verre broyé ; d'autres encore se passent sur le corps des branches d'alfa enflammées sans se brûler. Mais le plus impressionnant reste le rite du serpent. Des membres de la famille du chef vont ainsi dévorer des serpents venimeux vivants. Le plus stupéfiant, c'est qu'ici aucun de ces sévices n'entraînera de séquelles apparentes sur le corps. Plus surprenant, c'est que, le plus souvent, les extatiques n'ont plus aucun souvenir des événements après la fin de la cérémonie. Mais ces transes n'existent pas qu'en Algérie, on trouve des cérémonies très similaires aux quatre coins du monde : le Kecak en Indonésie, le Vaudou au Bénin… Aux yeux de tous, les possédés semblent habités par une force surnaturelle, par une entité extérieure. Mais selon certains anthropologues, il s'agirait d'autre chose. Les possédés ne seraient pas en réalité contrôlés par une puissance inconnue, mais bien par un autre humain. L'usage des psychotropes, la fatigue provoquée par la danse frénétique, l'environnement sonore sont autant d'éléments qui placent le possédé dans un état second, une semi-conscience, un rêve éveillé en quelque sorte. S'il attire l'attention sur lui, si tous les regards sont rivés sur sa transe, quelqu'un d'autre à ses côtés ou placé parmi l'assemblée tire en réalité les ficelles.

— Comment ça ?

— Vous avez entendu parler des hommes-médecine, chamans ou marabouts. Il s'agit des maîtres de ces cérémonies de transe. Ce sont le plus souvent des individus qui, dans un groupe, représentent un lien avec les esprits, une passerelle, un guide entre le monde réel et le monde magique. Certains spécialistes, et j'en fais partie, pensent que, lors des transes, c'est en réalité le chaman et non un esprit qui prend le contrôle sur le possédé. C'est lui qui lui ordonne ses actions, qui le force ainsi à se mutiler, à se violenter. L'autre n'a finalement qu'une conscience diffuse de ce qui se passe.

— Il n'est plus aux commandes.

— C'est tout à fait ça. Il n'est plus aux commandes. Il n'est qu'une marionnette aux mains du chaman. Pour parvenir à prendre le contrôle, ce dernier se place lui-même dans un état second, à la frontière du sommeil. S'il n'en a pas pleinement conscience, il entre en réalité dans le Monde des Rêves.

— Vous voulez dire que c'est vraiment possible ? Je peux contrôler quelqu'un à distance ?

— Vous ne pouvez pas James, vous allez le faire…

•

L'après-midi suivant, je me retrouve sur le lit, bardé de capteurs, une nouvelle fois prêt à entrer dans les rêves d'Emerson.

Kleiner s'approche de moi.

— Très bien, nous allons commencer. Vous allez vous efforcer de prendre le contrôle. Pour ce faire, il faut que vous compreniez que le corps d'Emerson que vous voyez dans son rêve est tout aussi malléable que le reste. Il n'existe pas. Il n'est en réalité qu'une porte d'entrée.

— Une porte d'entrée ?

— Oui, une porte pour prendre le contrôle sur sa personne. Il faut que vous entriez en lui.

— Mais c'est impossible !

— Pourtant, Thomas et Caleb y sont parvenus ! Et je vous l'assure, vous y arriverez aussi. Oubliez qu'il s'agit de chair, d'os et de muscles, dites-vous plutôt que son corps est un écran de fumée qu'il faut traverser.

— Et Emerson, il n'y a aucun risque pour lui ?

— Ne vous en faites pas, le Dr Emerson a été formé et entraîné pour ces exercices. Il connaît les risques encourus. Il sait le rôle qu'il a à jouer et il l'accepte.

— Bien.

Kleiner me sourit, me tape sur l'épaule, puis s'éloigne. L'anesthésiste m'injecte le somnifère.

Quelques minutes plus tard, j'accède au rêve d'Emerson.

Il est à sa place habituelle, assis sur son banc, au bout du ponton, face au lac.

Je m'avance, m'assieds à ses côtés. Sans même me regarder, les yeux perdus sur la surface étincelante du lac, il me lance :

— Alors, c'est le grand jour, hein ?

— Oui...

— C'est aujourd'hui que vous prenez le contrôle.

— Oui. Mais vous ne devez pas vous inquiéter. Le Pr Kleiner m'a promis que vous ne courriez aucun risque.

— Si vous le dites... et, au pire, si ça dégénère, ça me vaudra un ticket de retour au bercail.

— Vous en avez assez ?

— Non, je... C'est juste que je me sens si fatigué, usé. Je ne sais pas si je pourrai encaisser encore longtemps.

— Ça va bien se passer.

— Oui... certainement... Bon. Kleiner m'a dit qu'il fallait que je me lève et que je me place face à vous.

Emerson me fait face. Je me concentre, ferme les yeux. Je me répète inlassablement les mêmes mots : « Il n'existe pas. Il n'est qu'une illusion, qu'une façade. Tu as le contrôle. »

Au bout de quelques instants, je rouvre les yeux. Emerson est toujours là, mais il m'apparaît désormais comme vu au travers d'un filtre. Il semble flou, il n'est plus qu'une silhouette vaporeuse. J'avance ma main, lentement vers son abdomen. Alors que je pensais sentir une résistance de son corps, ma main s'enfonce en lui, au cœur de ses entrailles. J'ai l'impression de plonger ma main dans un nuage de fumée compacte. Je sens bien une légère résistance, comme un voile. Alors que j'enfonce mon bras plus profondément dans ses entrailles, des sortes de volutes de fumée s'élèvent de son ventre. Je place une autre main dans son corps, puis mon bras. Je ne suis plus qu'à quelques centimètres de lui. À ce moment, Emerson n'est plus qu'une silhouette évanescente grisâtre, qu'un nuage de fumée dont la forme rappelle grossièrement celle d'un homme.

Allez, il faut se lancer.

Plus qu'un pas et ça y est. Je prends une grande inspiration, avance mon pied, ma jambe droite et me laisse envelopper par les volutes émanant du corps d'Emerson.

Ma vue se trouble. Je cligne des yeux. J'ai l'impression d'être plongé dans un brouillard épais. Je cligne des yeux à nouveau. Ma vision se fait plus nette. Je distingue ce qui m'environne. Je ne suis plus au bord du lac du rêve d'Emerson. Non, je suis allongé sur un lit, dans une chambre à la décoration sommaire. Je tourne péniblement les yeux, j'ai l'impression qu'à la place de mes globes oculaires j'ai deux billes de marbre, lourdes et froides. C'est pénible et difficile de simplement regarder vers la droite. Je vois finalement, dans le flou environnant, Kleiner et quelques scientifiques qui me dévisagent avec intérêt tout en prenant des notes.

C'est à ce moment, je crois, que je comprends que j'ai réussi. Je suis dans le corps d'Emerson. Je vois à travers ses yeux. Kleiner me parle, mais je ne comprends pas ce qu'il dit. Les sons me parviennent, lointains, distordus, comme si j'avais la tête plongée sous l'eau. Kleiner semble demander quelque chose à l'un de ses assistants. L'homme hoche la tête, fouille dans sa poche, puis tend au professeur un objet fin et rectangulaire. Kleiner approche l'objet de mon visage, enfin de celui d'Emerson. C'est un miroir. Je vois le visage d'Emerson, mais ce qui était censé me rassurer me terrorise soudain.

Je regarde ce visage qui me fait face, ce visage étranger qui pourtant abrite ma personne. Comme si je portais un masque de chair. Je me plonge dans le reflet de cet autre qui m'héberge. J'ai du mal à croire que je suis là en ce moment, dans le corps de cet homme. Je sens mon pouls s'accélérer, ma peur grimper.

J'ai l'impression d'étouffer, de ne plus aspirer d'air, comme si ce costume de chair resserrait ses tissus autour de moi.

Et si je n'arrivais pas à revenir ? Et si je restais ainsi bloqué à vie dans le corps d'Emerson ? Et si je restais enfermé dans ce scaphandre à jamais ?

Kleiner doit sentir mon appréhension. Il me parle, me dit des mots qu'il doit vouloir rassurants, mais je n'entends rien. Il faut qu'il comprenne. Il faut que je réintègre mon corps, je suis en train d'étouffer. J'ai l'impression que, d'une minute à l'autre, le corps d'Emerson va s'arrêter de fonctionner, comme si, depuis les tréfonds de son esprit, Emerson reprenait le contrôle pour tout débrancher, pour me punir. Putain, j'ai peur. J'essaie de bouger les yeux de droite à gauche pour alerter Kleiner. Il semble comprendre. Il se saisit d'un carnet, d'un stylo et note frénétiquement.

« N'ayez pas peur, James. Calmez-vous. C'est bien vous. Regardez vos yeux. »

Il approche à nouveau le miroir de mes yeux et, cette fois, je comprends ce qu'il voulait me montrer. À ma grande surprise, je reconnais mon regard : cette couleur d'yeux bleus constellée de pigments verts, c'est la mienne. Emerson, je m'en souviens, a les yeux d'un vert profond. C'est incroyable. Ce sont mes yeux… dans son corps. Je me calme, lentement, en m'attachant à cette idée. Ce sont mes yeux. C'est moi. J'ai le contrôle.

Kleiner approche une nouvelle feuille griffonnée de mes yeux. J'y lis : « Essayez de bouger votre main droite. » J'essaie, mais rien n'y fait. J'ai l'impression que le corps d'Emerson est coulé dans du ciment. La seule emprise que j'ai sur lui, c'est de diriger son regard. Je me concentre à nouveau. De toutes mes forces, j'essaie de faire bouger ma main droite, j'essaie de la soulever. J'ai beau sentir un léger frémissement au bout du bras, rien ne bouge, c'est comme si ce bras était en fonte, d'une lourdeur extrême. J'ai l'impression d'être complètement endolori, comme si j'avais des fourmis dans tout le corps. J'insiste. Finalement, après un effort surhumain, je sens la main se soulever une courte seconde, puis retomber comme une pierre.

Je vois Kleiner et ses collègues m'applaudir, me congratuler. Enfin, Kleiner se saisit d'un talkie-walkie et articule quelques mots.

Quelques secondes plus tard, je reprends connaissance au cœur du Laboratoire n° 1.

Mon premier réflexe est de me soulever brutalement, de regarder mes mains, mes bras, mes jambes, de toucher mon corps, de passer les mains sur mon visage. Je suis revenu…

Après quelques instants où je reprends mes esprits, Kleiner pénètre dans le laboratoire un large sourire aux lèvres, il applaudit à la cantonade. Tout le monde se met bientôt à l'imiter, sauf Caleb, bien entendu. Kleiner descend les marches de l'escalier en métal. Des scientifiques me font des accolades, me serrent la main. J'ai beau être un peu sonné, je m'efforce de profiter de cet instant.

Kleiner attrape ma main, la serre.

— Vous avez réussi James, félicitations.

— Vous avez tout de suite su que c'était moi ?

— Oui, lorsque j'ai vu le regard d'Emerson s'effacer pour laisser place à votre iris, à vos yeux, j'ai su que c'était gagné.

— J'avais l'impression qu'il m'était complètement impossible de bouger.

— Vous apprendrez, comme vous l'avez si bien fait jusqu'à maintenant. Sachez une chose, vous êtes désormais arrivé au même stade que vos camarades Caleb et Thomas. Désormais, vous ferez les mêmes exercices qu'eux.

Kleiner m'attrape alors par l'épaule et se tourne vers l'assemblée. Il s'exprime d'une voix forte et solennelle.

— Messieurs, cet homme, à mes côtés, vient de franchir une frontière. Cet homme est un explorateur d'exception, un pionnier dont on se remémorera le nom quand on repensera à ce que nous avons accompli ici. Cet homme va entrer dans la légende, et je vous prie de l'applaudir comme il se doit.

En cet instant, je suis un peu gêné par le ton assez condescendant du professeur. J'ai un peu l'impression de n'être que le jouet de Kleiner, qu'un pion dans le vaste échiquier qu'il met ici en place. J'ai aussi l'étrange sensation de servir un dessein qui m'est finalement totalement inconnu. Malgré tout cela, je ne peux m'empêcher d'être fier. Car j'y suis arrivé, seul.

Fier et légèrement enivré. Désormais, je peux contrôler des corps à distance, je peux entrer dans l'esprit d'un autre. J'ai les pouvoirs d'un dieu.

Mais Kleiner me rappelle à la dure réalité :

— Le travail sera encore long et les exercices nombreux, avant que vous ne parveniez à pleinement contrôler Emerson. Il vous faudra être patient, James.

10

17 septembre 1971,
Station K 27, 200 km au nord de Galena,
Alaska
Température extérieure : 8 °C

Les jours qui ont suivi ma première prise de contrôle ont été laborieux, difficiles, éprouvants, autant psychologiquement que physiquement.

Chaque matin, nous procédions à de nouveaux tests de prise de contrôle. Ces derniers avaient beau me laisser lessivé, j'en demandais encore.

Il me fallut quatre jours pour réussir à faire bouger la main d'Emerson par ma seule volonté. Trois autres jours pour seulement lever le bras. Cinq encore pour me soulever et me placer en position assise.

Les scientifiques autour de moi m'encourageaient. Je me sentais galvanisé, soutenu. Mais Dieu que c'était dur. Le corps d'Emerson était comme un scaphandre, une armure en fonte qui aurait été scellée à même ma peau. Mes mouvements étaient lents, mes membres lourds. Le plus dur fut de réapprendre à marcher dans la peau d'Emerson, retrouver l'équilibre, travailler le balancement des hanches d'avant en arrière, le soulève-ment d'une jambe puis d'une autre. Tant de choses qui semblent pourtant si naturelles, mais qui, pour moi, en ces instants relevaient d'un défi immense et éreintant. J'avais parfois l'impression de me mouvoir en ape-santeur, tant chaque déplacement était d'une lenteur absolue. Pourtant, encore une fois, à ma grande surprise, chaque jour je progressais un peu plus. Je redressais la carcasse d'Emerson plus rapidement, je la faisais se mouvoir plus naturellement. Le plus dur restait pour moi à ce stade la réalisation de mouvements et d'actions com-plexes. Mes gestes étaient si approximatifs, si grossiers. Il me fallut ainsi de nombreux essais avant de réussir à simplement ouvrir la porte de la chambre d'Emerson : avant tout me concentrer pour ne pas perdre l'équilibre, approcher ma main de la poignée de porte en métal, la saisir, resserrer mes doigts autour du métal, tourner len-tement dans le sens des aiguilles d'une montre, sans lâcher prise. Chacun de ces mouvements représentait un labeur extrême qui me semblait, par le prisme de cette armure de chair, relever d'une complexité hallucinante. À la mi-septembre, j'étais épuisé, vidé, mais victorieux. J'avais réussi à sortir de la chambre d'Emerson, faire une centaine de pas, activer un interrupteur et serrer la main de Kleiner. Caleb et Thomas, de leur côté, s'en sortaient aussi plutôt bien. Ils faisaient des progrès, certes moins marquants que les miens, mais cependant significatifs.

•

Ce soir, nous sommes le 17 septembre. Kleiner a décidé d'organiser une petite fête dans la station, pour célébrer nos dernières avancées. Le champagne coule à flots. Rapidement, les scientifiques, trop heureux de trouver enfin un instant de décompression, se retrouvent bras dessus bras dessous à chanter les derniers tubes des Rolling Stones : « Wild Horses », « Can't You Hear Me Knocking »… Sur la platine vinyle, le disque *Sticky Fingers* passe en boucle. On oublie, ce soir-là, l'isolement, l'absence de femmes, la guerre qui se joue à quelques milliers de kilomètres, on oublie tout. Au cours de la soirée, malgré mon ivresse, je note l'absence d'Emerson. Je m'approche de Kleiner, qui, assis à l'écart, regarde les scientifiques faire la fête en fumant sa pipe. Il arbore un sourire complice et amusé.

— Excusez-moi professeur, mais le Dr Emerson n'est pas là, ce soir ?

Sans même un regard pour moi, il tire une large bouffée de sa pipe. Pendant une seconde, j'ai l'impression que son sourire se fige, puis il reprend son expression bonhomme et me répond.

— Non, le Dr Emerson a été déchargé de ses fonctions au sein du projet Limbes. Il ne fait plus partie de la mission. Je ne l'en blâme point. Il a été extrêmement fatigué par les derniers exercices. Nous avons donc décidé, d'un commun accord, de le renvoyer chez lui. En ce moment même, il doit être auprès de sa femme et de sa famille.

— Mais il n'est même pas venu me dire au revoir…

— Oui, je suis désolé, c'est de ma faute. Il a dû partir un peu en urgence avec l'hélicoptère de ravitaillement. Il était vraiment très faible. Si faible que nous avons dû le transporter en civière.

— Rien de grave ?

— Non, aucun souci. Une grosse fatigue simplement. À ce sujet, je suis désolé. Il m'avait bien demandé de vous transmettre ses amitiés, mais ça m'était complètement sorti de la tête.

— J'aurais voulu partager ce moment avec lui, il y est quand même pour beaucoup.

— Oui, certainement. Allez, amusez-vous, James !

Et c'est ce que je fais. Les heures s'égrènent. Le whisky succède au champagne. Des bières tiédasses succèdent au whisky... Vers la fin de soirée, je repère Caleb, seul au comptoir de la cafétéria, une bouteille de bourbon à la main. Je m'avance vers lui d'un pas incertain, bien décidé à faire la paix une bonne fois pour toutes. J'arrive à ses côtés, m'étale sur le comptoir et tends mon verre vers son visage pour porter un toast.

— Allez, santé, Caleb, à notre réussite !

Caleb, après une longue hésitation, vient faire tinter sa bouteille contre mon verre, puis détourne le regard. Je ne lâche pas, insistant...

— Bon, on fait la paix Caleb. Je ne sais pas pourquoi ma gueule ne te revient pas, mais on est embarqué dans la même galère, alors il serait temps de s'entendre, non ?

— Ouais, c'est ça...

Son ton dédaigneux me met en rogne. C'en est trop, je n'en peux plus de ses petits commentaires sarcastiques, de ce regard sans cesse accusateur. J'explose.

— Mais putain, qu'est-ce que je t'ai fait à la fin ? Qu'est-ce que tu as contre moi ?

Il se retourne et me fait face, enfin. Ses yeux noirs plongent en moi, à travers moi.

— Tu crois quoi ? Que c'est une blague, que c'est un jeu ? Tu ne te rends pas compte de ce qu'on fait ici. Tu ne te rends pas compte des conséquences. Tu ne te rends compte de rien.

— Si, je m'en rends compte. Et je vois surtout que tu te plains beaucoup, mais que tu es toujours là, malgré tout. Si ça ne te convient pas ce qu'on fait ici, barre-toi.

— Non, je reste…

— Pourquoi ? Pourquoi tu restes, hein ?

— Pour l'argent…

— Pour l'argent, ouais… Mais ça ne t'empêche pas de déshonorer la mémoire de tes ancêtres, de fouler chaque jour un sanctuaire interdit. En fait, t'es pire que moi, Caleb. Tu dis vouloir protéger Tjukurrpa, mais, au fond, t'en as rien à foutre.

— Qu'est-ce que tu connais de Tjukurrpa, connard ? Et qu'est-ce que tu connais de ma vie ? Je visite les Limbes depuis que j'ai 9 ans. 9 ans, tu comprends ? Je n'ai jamais eu le choix, moi… Il fallait que je devienne un grand chaman Warlpiri comme mon père et son père avant lui… Tous les moyens étaient bons… quitte à me forcer à boire de l'alcool dès mon plus jeune âge et prendre les pires drogues. La première fois que j'ai pris de la DMT, j'avais à peine 11 ans… et quand je n'étais pas au niveau, quand je ne progressais pas assez, c'étaient les coups qui me faisaient comprendre que je devrais faire mieux la prochaine fois…

— Je suis désolé. Je ne savais pas…

Je reçois son poing en plein visage sans le voir venir. Je chute de mon tabouret et m'étale au sol. Caleb se penche sur moi, m'attrape par le col et me lâche :

— Va te faire foutre, Hawkins. Je ne veux pas de ta pitié…

Autour de nous, des curieux s'attroupent sans oser intervenir. Caleb s'approche un peu plus de mon oreille et me parle lentement.

— Si je suis là, imbécile, c'est pour l'argent, évidemment. Mais surtout parce que j'ai un rôle à jouer ici, tout comme toi. Tout est déjà écrit. Un jour, bientôt, il va falloir que je te sauve la vie et je ne sais toujours pas si tu en vaux la peine.

Sur ces mots, il se redresse, attrape sa bouteille et quitte la cafétéria. Des scientifiques m'aident à me relever.

Ethan s'approche de moi.

— Ça va, James ?

— Ouais, ça va, je réponds en me massant la mâchoire.

— Qu'est-ce qui s'est passé avec Caleb ?

— Je ne sais pas ce qu'il a contre moi. Il ne me lâche pas. C'est insupportable.

— Je sais…

— Comment ça, tu sais ?

— Il m'en a parlé…

— Et qu'est-ce qu'il t'a dit ?

— Je crois qu'en fait tu lui fais peur. Ton pouvoir l'inquiète. Sincèrement, je pense qu'il est tout simplement jaloux de tes capacités.

— Ouais, tu dois avoir raison.

J'oublie rapidement l'incident, malgré les mots de Caleb, malgré la douleur qui me chauffe la joue. Quelques verres de plus et tout cela n'aura plus d'importance.

Vers 4 heures du matin, je quitte à mon tour la soirée. D'un pas chancelant, je rejoins ma chambre et m'étale sur ma couchette. Je ne trouve même pas la force de me déshabiller. Je m'endors quasi instantanément.

Dans mon sommeil, je suis rapidement assailli par les mêmes flashs, toujours les mêmes…

Une bouche ensanglantée…

Des mains farfouillant dans des tripes.

Et ces cris terribles.

J'ai soudain comme une sensation désagréable. Malgré l'alcool dans mes veines, mon état de conscience diffus, j'ai l'impression étrange d'être épié. Comme si, en ce moment même, au fin fond de mes rêves, quelqu'un m'observait. Comme si quelqu'un fouillait en moi. Je m'éveille en sueur, mes draps trempés, le cœur palpitant. Et une étrange conviction au fond de moi. Une seule personne peut ainsi essayer de sonder mes rêves. Une seule personne a ce pouvoir ici : Caleb. Je passe mon visage sous l'eau. Regarde ma montre. Elle marque 5 h 30 du matin. Rien à foutre. Je quitte ma chambre, cherche à tâtons dans l'obscurité des couloirs de la station. J'avance péniblement à la lueur des veilleuses. J'accède enfin à la chambre de Caleb, y entre en trombe. L'aborigène est assis sur son lit, le dos appuyé contre le mur. Il ne paraît nullement surpris de me voir débouler ainsi. Il me jauge de haut en bas, puis dans un sourire :

— Tu n'arrives pas à dormir ? De mauvais rêves peut-être ?

— Ta gueule. Je sais ce que tu as essayé de faire. Tu n'essaies plus jamais de rentrer dans mes rêves, compris ?

— T'en fais pas. Je ne recommencerai pas. J'ai trouvé ce que je voulais. J'ai vu ce que tu as fait et je n'ai aucune envie de voir ça à nouveau. T'es un putain de monstre…

— Qu'est-ce que tu racontes, merde ?

— Tu ne te rappelles vraiment pas, alors ? Tu ne te rappelles vraiment pas ce qui s'est passé là-bas au Viêtnam ?

— Quoi ? Qu'est-ce que j'ai fait ?

151

— C'est pas à moi de te le dire. Tu t'en souviendras en temps et en heure. Tu t'en souviendras et tu comprendras pourquoi je ne peux pas te faire confiance.

— Merde, tu vas parler ou je te fracasse la gueule.

— Ça ne servirait à rien. T'entendras rien sortir de ma bouche. Je vais te dire un truc. Au fond, tu me fais pitié, je crois même qu'il vaudrait mieux pour toi que tu ne découvres jamais ce que tu as fait là-bas. Tu ne pourrais pas t'en remettre. Personne ne pourrait vivre avec ça. Je suis désolé pour toi, petit. Ton pouvoir est grand certes, mais il est destructeur.

— C'est quoi ces conneries ? Ce baratin de merde ? J'ai rien fait, putain. J'ai failli me faire buter, c'est tout. J'ai pris une balle dans la tête et basta. Le noir. J'ai failli crever, c'est tout. Et puis cette putain de Nef. Tout ça, je n'y comprends rien. J'ai fait que recevoir une balle, là, en pleine tête. Rien de plus.

— Si tu le dis. Allez, laisse-moi. Ça suffit comme ça.

Je quitte sa chambre en me répétant sans cesse : « J'ai rien fait, j'ai rien fait, j'ai rien fait… »

Pourtant, au fond de moi, une image revient me fracasser le crâne sans cesse : un visage recouvert de sang, une bouche remplie de viscères, une gueule déformée hurlant à la mort… Un son vient me percer les tympans : un cri inhumain suraigu…

Alors que je tombe à genoux et me bouche les oreilles au milieu d'une coursive, une pensée vient me frapper de plein fouet, une pensée qui n'a aucun sens, mais qui m'apparaît pourtant claire, cristalline : « C'est ce qu'ils méritent… »

11

25 septembre
Station K27, 200 km au nord de Galena, Alaska
Température extérieure : 3 °C

Depuis hier soir, la station palpite d'une étrange agitation. On range les bureaux, on fait le ménage dans les salles de tests : on plie les rouleaux de relevés qui s'entassent au pied des oscilloscopes. Je vois même certains scientifiques armés de serpillières s'évertuer à frotter les sols des couloirs. Kleiner, pris d'une agitation surprenante, court d'une salle à l'autre, invectivant un membre de la mission, en hélant un autre pour lui donner telle tâche. Je le sens tendu, anxieux.

Je ne l'ai jamais vu ainsi.

Adossé à l'entrée de ma chambre, tout en fumant une cigarette, je regarde, amusé, les scientifiques se hâter, se bousculer. J'attends que Kleiner se retrouve seul, qu'il se rallume sa pipe pour m'approcher de lui et lui demander de la manière la plus innocente possible :

— Qu'est-ce qui se passe, professeur ? Pourquoi toute cette agitation ?

Tout en tassant sa pipe du pouce, Kleiner me répond.

— Ils envoient quelqu'un. Il sera là demain. C'est la première fois en un an, depuis le début du projet Limbes, qu'ils nous envoient quelqu'un. Jusqu'à maintenant, ils se contentaient de mes rapports.

— « Ils », mais de qui parlez-vous ?

— La CIA, jeune homme. Notre principal bienfaiteur nous envoie l'un de ses plus hauts responsables.

— Mais pourquoi ?

— Je ne sais pas exactement. Juger de l'avancée de nos travaux peut-être. Vérifier que l'argent du contribuable n'est pas dépensé en pure perte. C'est bientôt l'allocation des budgets de recherche pour 1972. Nous devons faire bonne impression.

— Mais il n'y aura pas de problème. Nos progrès sont incroyables. Il ne va pas en croire ses yeux.

— C'est justement ça le risque. Nous sommes dans une situation délicate. Il nous faudra le rassurer sans trop lui en révéler.

— Comment ça ?

— Écoutez James, je connais ces hommes. Cela fait depuis longtemps, quasiment trente ans, que j'ai affaire aux bureaucrates, ronds-de-cuir, militaires et autres représentants de gouvernements, d'États, de pays, d'organisations diverses. Ce sont tous les mêmes, James. La recherche, les avancées scientifiques ne les intéressent guère. Ce qu'ils cherchent, c'est le pouvoir qu'ils pourront en tirer. Déjà, en Allemagne, ils m'ont forcé... Enfin... Je réunis toute l'équipe de la station

154

dans une heure dans le Labo 1. Vous devez impérativement être là.

— Très bien.

Une heure plus tard, nous sommes tous réunis dans le cœur de la station. Scientifiques, Éveillés, la plupart des hommes sont présents. Je note cependant l'absence des agents de la CIA chargés de la sécurité de la station. Kleiner attrape une chaise et, péniblement, dans un équilibre précaire, soutenu par le Dr Brimley, se place debout sur cette dernière. Je souris devant l'étrange numéro d'équilibriste auquel s'adonnent les deux éminents scientifiques.

— Messieurs, je vous ai réunis aujourd'hui, car, demain matin, nous recevons une visite. Une visite de la plus haute importance pour notre projet. Un représentant de la CIA, un dénommé… (il regarde sur la feuille qu'il tient entre les mains pour se remémorer le nom du visiteur) John Lettinger va nous rejoindre pour une durée indéterminée, certainement plusieurs jours. Lettinger doit avoir accès à toutes les salles, assister à toutes les expériences et obtenir une réponse à toutes les questions qu'il lui semblera bon de poser. Je vous demande à tous la plus diligente collaboration et le plus grand professionnalisme possible. Je vous le répète, l'avenir de notre projet dépend grandement de cet homme.

Il marque une longue pause.

— Cependant, il y a une chose qu'il ne doit absolument pas découvrir, c'est l'existence de Tjukurrpa. Lettinger sait que nous travaillons sur les rêves, et c'est tout ce qu'il doit savoir. Nous le tiendrons au courant de tout ce qui concerne les transferts et les prises de contrôle. Mais je défends quiconque de faire

155

mention de la Nef, des stèles ou de tout ce qui touche aux Limbes elles-mêmes. Soyez évasifs à ce sujet, bottez en touche ou au pire renvoyez Lettinger vers moi en cas de problème. Il ne doit rien découvrir. C'est pour cette raison d'ailleurs que j'ai demandé à certains d'entre vous d'effacer ou de dissimuler toute référence aux phases d'exploration de Tjukurrpa. J'espère simplement que, dans la hâte, nous n'avons rien oublié. Donc, messieurs, que ce soit clair, rien sur les Limbes.

Un murmure d'approbation se laisse entendre. On sent chez certains un regret latent, tant nous tous ici présents aurions été si fiers d'enfin révéler au monde nos incroyables découvertes.

— J'imagine que certains sont déçus. Je vous prie de croire, messieurs, que j'ai mes raisons. Vous m'avez fait confiance jusqu'à aujourd'hui, eh bien continuez !

Sur ce, Kleiner redescend de sa chaise et se mêle aux autres scientifiques. La foule se disperse, chacun retournant à ses activités. Je rentre dans ma chambre et m'endors rapidement.

•

Le lendemain matin, vers 7 heures, alors que je m'apprête à aller prendre mon petit-déjeuner à la cafétéria, je remarque d'emblée un changement radical dans l'attitude générale. Tout le monde semble marcher au pas : personne en train de fumer une cigarette dans un couloir, en train de discuter autour d'une tasse de café, comme c'est souvent le cas à cette heure. Non, aujourd'hui, tout le monde s'active, se presse, court d'un labo à l'autre. Je trouve qu'ils en font tous un peu trop et reste persuadé que, si l'agent de la CIA a un minimum de jugeote, il se rendra rapidement compte de l'excès de zèle général.

Justement, en arrivant dans la cafétéria, je croise Kleiner, accompagné de quelques scientifiques. Ils entourent ou, devrais-je dire, couvent un homme petit, trapu, grassouillet. Engoncé dans un costume gris clair, une cravate, grise également, lui enserre le cou et fait ressortir un léger goitre. Il a la peau rose et respire fort. À l'aide d'un petit mouchoir blanc, il passe son temps à s'essuyer le front ruisselant de sueur. Son visage est rond, grossier, sans aucune finesse. Un petit nez relevé sur des lèvres sèches et pincées, de grosses joues boursouflées, un crâne dégarni uniquement parsemé de quelques cheveux roux. Seuls ses yeux d'un bleu profond lui apportent un certain charisme. D'autant plus qu'au milieu de son visage sans trait, sans marque, comme effacé, lisse comme celui d'un gros poupon, on ne peut voir que ses yeux, bougeant sans cesse, comme pris d'une nervosité permanente. Des yeux de prédateur.

Alors c'est donc lui, Lettinger ? Plus je le détaille, plus je me sens mal à l'aise face à cet homme. Je sens de la haine, de la frustration et une terrible violence larvée.

Alors que j'essaie de retourner à ma chambre sans me faire remarquer, Kleiner me fait un grand signe de main amical et m'invite à les rejoindre, un large sourire aux lèvres. Je le sens un peu excessif, un peu faux et surtout très mal à l'aise.

— Ah ! Monsieur Lettinger, laissez-moi vous présenter James Hawkins, c'est l'un de nos trois voyageurs et, cela reste entre nous, de loin le plus performant.

L'homme me serre la main sans un sourire, sans un mot. Alors que je veux retirer ma main, il la retient. Nous restons ainsi face à face de longues secondes. Il me dévisage sans bouger. Puis il hausse ses fins sourcils roux, comme si mon nom lui rappelait quelque chose.

— Oui. Hawkins. Je vois. Vous étiez au Viêtnam, c'est ça. L'offensive de Svay Rieng, c'est ça ? Vous avez été blessé…

— Oui, exactement.

— Un sacré massacre, hein ? Tous ces Vietnamiens se mettant à s'entre-tuer. Un vrai carnage, étrange, non ?

— Je… je ne sais pas. J'étais inconscient.

— Quoi qu'il en soit, je suis heureux de voir qu'un militaire, médaillé qui plus est, fait partie du projet. Je suis sûr que vous devez apporter une certaine rigueur à ces scientifiques qui en manquent souvent.

Malaise dans l'assemblée. Après avoir longuement profité du froid qu'il a installé, Lettinger me lâche enfin la main et me donne une tape condescendante sur l'épaule.

— Nous comptons sur vous, Hawkins.

— Oui, monsieur.

Kleiner reprend la parole.

— Bon, si vous le voulez bien, monsieur Lettinger, nous allons reprendre la visite de la station. Ensuite, je vous montrerai l'avancée de nos travaux. Caleb est justement en train de « prendre le contrôle » d'un scientifique.

— Très bien.

L'assemblée s'éloigne d'un pas lent tandis que Kleiner pointe du doigt à droite, à gauche, détaillant les diverses installations de la station.

J'ai moi-même un nouvel exercice cet après-midi. Après le départ d'Emerson, c'est désormais le Dr Roslin qui me sert d'hôte. Lettinger assiste à tout l'exercice. Il est dans le Labo 1 auprès de Kleiner lorsqu'on m'endort et le suit ensuite jusqu'à la chambre de Roslin où il me voit prendre le contrôle sur ce dernier, m'efforcer de me déplacer dans la chambre, puis résoudre quelques puzzles rudimentaires afin de juger de ma dextérité. Je remarque que Lettinger prend sans cesse des notes et qu'il passe son temps à s'approcher de Kleiner pour lui parler à l'oreille comme si seul Kleiner était habilité à entendre ses paroles.

Une seconde journée se déroule sensiblement de la même manière. Lettinger assiste à toutes les expériences en prenant systématiquement des notes et en ne s'adressant qu'à Kleiner. Il ignore royalement les autres scientifiques et membres de la station.

Au terme de cette seconde journée, en début de soirée, nous sommes tous convoqués dans le Labo 1. Lettinger veut s'adresser à tous les membres de la station. Amusant. En deux jours, nous avons eu plus de réunions collectives qu'en trois mois d'expériences.

Intrigué, je me rends au laboratoire. Là, tous les scientifiques sont réunis, assis en rang d'oignons sur des chaises. Pas un bruit, des mines renfrognées, inquiètes. On se croirait à l'examen de fin d'études d'une grande école de la côte Est. L'attente, les interrogations, l'ambiance expectative sont presque palpables. Lettinger arrive enfin. Il descend les escaliers en métal lentement, rejoint sa place à pas lents.

Kleiner l'accompagne, quelques mètres en arrière. Je sens bien que Lettinger ménage ses effets, qu'il profite de sa propre mise en scène, je sens bien qu'il aime ça, avoir le dessus, sentir la crainte qu'il évoque chez les gens.

Parmi tous les membres du projet réunis, un seul semble finalement se moquer éperdument de ce qui se joue en ce moment même, de tout ce protocole : Caleb. L'aborigène est assis au fond de la salle, à moitié allongé sur deux chaises, en train de feuilleter une revue quelconque.

Finalement, après un raclement de gorge, Lettinger daigne enfin s'exprimer.

— Messieurs, au terme de mes deux journées d'observation, j'aimerais être à même de vous donner mon sentiment, mon bilan personnel sur le projet Limbes. Eh bien c'est impossible. Car, voyez-vous, je me demande encore à cet instant si vous avez fait une découverte remarquable ou si vous n'êtes qu'une bande d'illuminés, d'imposteurs et de charlatans. Pour en avoir le cœur net, je vais vous mettre à l'épreuve. Finis les exercices, place à la pratique, au concret. L'Amérique a besoin de vous, Messieurs, espérons que vous serez à la hauteur. Si ce n'est pas le cas, je préconiserai le non-renouvellement de l'enveloppe budgétaire du projet Limbes et son arrêt immédiat. En d'autres termes, si vous ne faites pas vos preuves, vous serez tous bientôt au chômage. Cela fait maintenant un an que la CIA dépense sans compter pour ce projet farfelu. Maintenant, il nous faut des résultats !

Lettinger attrape un large rouleau posé sur la table devant lui, il se retourne, le déroule contre un tableau, puis le punaise. C'est une immense carte. Je reconnais instantanément la zone représentée : c'est le Nord Viêtnam et la frontière cambodgienne. Il sort ensuite de son attaché-case plusieurs dossiers qu'il pose sur la table ainsi que quelques photos qu'il punaise à leur tour aux quatre coins de la carte. Je distingue une photo, le portrait d'un homme, un capitaine, semble-t-il, d'après son uniforme. D'autres clichés montrent un hélicoptère écrasé entouré de militaires, sous différents angles. Finalement, Lettinger reprend la parole.

— Voici le capitaine Michael Dougherty, chef de section de la 6e de Cavalerie. Son hélicoptère a été abattu au-dessus de la zone frontalière nord-ouest entre le Viêtnam et le Cambodge, le 7 septembre, aux environs de 16 h 30. Cela fait trois semaines. Après une semaine de recherches, nous avons localisé l'hélicoptère, mais, hormis le pilote, aucun corps n'a été retrouvé. Des traces de pas nous laissent croire que le capitaine Dougherty a été fait prisonnier par une unité Viêt-cong. Nous espérons qu'il est toujours en vie. Mais ce que nous espérons avant tout, c'est qu'il n'ait pas parlé. Si Dougherty traversait la zone rouge, c'est parce qu'il comptait rejoindre Saigon et communiquer à l'état-major des informations capitales. Dougherty revenait ainsi d'une mission d'un mois visant à recenser avec le plus d'exactitude possible la position de nos unités déployées dans la zone. Dougherty sait tout : le nombre d'unités, leurs emplacements, les déplacements prévus, la localisation des bases temporaires, leurs objectifs prioritaires. S'il parle, c'est l'échec d'une stratégie offensive mise en place depuis des mois. S'il parle, toutes les batailles menées par ces hommes auront été vaines. Mais s'il parle, c'est surtout la mort assurée pour des centaines de frères américains. La seule chose de sûre, c'est que, pour le moment, les Viets ne savent rien. Dougherty avait reçu l'ordre de ne prendre aucune note, de ne marquer aucune carte. C'est aussi pour cela qu'il avait été choisi, pour sa remarquable mémoire. Toutes les informations sont donc dans sa tête. Mais vous pouvez en être certains, il finira par craquer et par parler. Il leur faudra peut-être deux semaines ou trois, un mois à la rigueur, mais les Viets arriveront à leurs fins. Personne ne pourrait résister indéfiniment aux supplices et tortures perpétrés par ces types. Ces Jaunes ne manquent pas d'imagination pour faire souffrir un homme.

Étrangement, en cet instant, je sens comme une pointe d'admiration dans le ton de la voix de Lettinger. Il reprend, après s'être épongé le front constellé de perles de sueur :

— J'espère que vous saisissez les enjeux de cette première mission. Il nous faut localiser Dougherty et le sortir de là, vite.

C'est moi qui ai été désigné pour prendre contact avec Dougherty. C'est à la fois un honneur et une terrible pression. Le futur du projet Limbes repose sur mes fragiles épaules. Mais surtout la survie de centaines de soldats, là-bas, sur le front, dépend de moi...

Le lendemain matin, je suis réveillé à 6 heures du matin par Kleiner. Il entre dans ma chambre, s'assoit sans un mot sur le côté de mon lit. De la poche de sa blouse, il sort une photo qu'il me tend. Puis, alors que je regarde ce visage, celui d'un homme perdu à des milliers de kilomètres de là, il parle enfin.

— James, vous comprenez combien cette mission est importante. Un échec est impensable. Je vous fais confiance. Étudiez la photo de Dougherty et retrouvez-le.

Je sens, dans le ton de sa voix, une vraie anxiété, une vraie crainte. Pour être honnête, je ne l'ai jamais vu comme ça.

Je passe la matinée, plus de six heures d'affilée, à détailler le visage de Dougherty. Ses cicatrices, ses grains de beauté et surtout son regard, car comme me l'a dit Kleiner un jour : « Chaque œil est une œuvre unique, la pupille, l'iris, leurs différentes teintes et couleurs, les reflets de la cornée. Les yeux sont, selon moi, certainement ce qui identifie le mieux un homme. Ils sont un puits vers son âme. »

Je me fonds dans ce regard marron, teinté de légères striures grises et d'un défaut de cornée notable : une petite tache noire, sur le côté de la cornée. Après ces longues heures, je sens en moi, comme une évidence, une certitude gagnée avec l'expérience de ces derniers mois. Le visage de Dougherty est désormais ancré en moi, il fait partie de moi. Je suis prêt.

Je me rends dans le Labo 1 où Lettinger ainsi que Kleiner et les scientifiques responsables de l'opération m'attendent. Une dernière fois, Lettinger me débriefe et me réexplique en détail le but de ma mission.

Kleiner prend le relais :

— Ce qu'il faut surtout James, c'est que vous le rassuriez, que vous ne lui fassiez pas peur. Il ne faut pas qu'il vous rejette, qu'il se referme, sinon nous allons le perdre.

Je m'allonge sur le lit du Labo. On m'endort. Rapidement, je me retrouve dans la Nef. Thomas et Caleb sont là, mais ils restent à l'écart, respectant tous deux ma concentration. Je m'approche de la Nef, place mes doigts contre. J'essaie de laisser de côté les questions : « Comment vais-je faire pour entrer dans les rêves d'une personne à des centaines de milliers de kilomètres d'ici ? Et s'il ne dort pas, je ne pourrai pas le localiser ? » Mais surtout, j'essaie de me départir d'une pensée qui n'a de cesse de me tirailler : je retourne au Viêtnam. Je reviens en enfer.

Je ferme les yeux. Mon corps est transpercé d'un froid glacial. J'ai l'habitude maintenant. Je sens mon corps se soulever. Je m'élève, puis me retrouve projeté dans un tunnel. Pendant ce qui me semble être une éternité, je serpente au cœur de ces tunnels, tourne, retourne, monte, descends... puis, enfin, le noir...

La lumière se fait sur une salle carrée, très basse. Je sens le plafond à quelques centimètres de ma tête. La salle est plongée dans le noir. Les murs sont sombres, en pierre, je crois. Je touche l'une des parois, la surface est assez lisse, mais parcourue de fines striures. On dirait de l'ardoise. La lumière se fait lentement sur la salle. Je distingue un peu mieux mon environnement. À ma grande surprise, tous les murs de la salle : sol, parois, plafond sont recouverts d'inscriptions, d'annotations et de plans gravés à la craie sur les murs. Je m'approche de l'une de ces inscriptions et la lis : « Zone sud Tay Ninh // Latitude : 11° 20' N longitude : 106° 5' E // Deux unités de Rangers // 15 hommes. » Plus loin, un plan détaillant un campement, semble-t-il : les différentes tentes, le mess, la cantine, les réserves d'armes. Je lève la tête, au-dessus de moi, au plafond, je distingue encore des centaines, des milliers d'inscriptions qui s'enchevêtrent, se superposent dans un charabia incompréhensible. J'entends un grattement. Je me retourne pour trouver l'origine du bruit. Au milieu de la salle, un homme torse nu, portant simplement un treillis déchiré, est accroupi. En m'approchant, je remarque son visage ensanglanté, mais surtout la manière frénétique dont il frotte le sol de ses mains. Je m'approche plus près encore. Je vois son dos décharné, taillladé d'entailles profondes. L'homme gît dans une mare de sang, mais ne semble pas s'en rendre compte. Je comprends enfin ce qu'il fait. Il s'escrime à effacer des poings les inscriptions au sol. Ses mains sont elles aussi en sang. À force de frotter et de gratter, sa peau est à nu. Je note qu'autour de lui certaines inscriptions sont illisibles, mais la plupart restent identifiables. Je ne peux m'empêcher de me dire qu'il se fait souffrir en vain. Je m'abaisse à ses côtés, lentement. Il ne semble pas relever ma présence. Il continue à frotter et à gratter avec ses ongles brisés, laissant apparaître la peau des doigts à vif et le blanc de ses os. La mâchoire béante, les yeux exorbités, il semble pris d'une frénésie terrifiante.

Je commence à lui parler d'une voix que je m'efforce de rendre la plus douce et rassurante possible.

— Michael…

L'homme lève soudain son visage vers moi, l'air terrorisé.

Il plaque ses mains ensanglantées au sol, sur l'inscription qu'il s'efforçait d'effacer.

— Non, non… Vous ne devez pas voir ça. Non. Vous ne pouvez pas. Il faut que j'efface. Que j'efface tout…

Et il se remet à frotter encore plus frénétiquement de ses deux mains.

— Michael. Écoutez-moi. Mon nom est James Hawkins, je suis là pour vous aider.

Il soulève des yeux effrayés vers moi.

— Non, je sais que c'est encore l'un de vos trucs. Il n'y a personne ici. Je suis seul. Ils les ont tous tués. Tous, tous les autres. Mais je ne voulais pas parler. Je ne peux pas. Putain…

Dougherty se met à sangloter lentement.

— Michael. Regardez-moi. Écoutez-moi. Je n'ai pas le temps de vous expliquer, mais il faut me faire confiance. Je suis là pour vous aider. Nous pouvons essayer de vous retrouver si vous vous laissez faire.

— Qui êtes-vous ?

— Je vous l'ai dit. Je m'appelle James et j'ai une mission, vous sortir de là.

— Vous êtes une hallucination ? Vous faites partie de mon rêve ?

— Non, Michael. Écoutez, j'ai un pouvoir. Le pouvoir de localiser les gens et d'entrer dans leurs rêves. C'est pour ça que je suis là. Je suis américain, Michael. Je suis un soldat comme vous. Ça vous dirait de sortir de cet endroit lugubre Michael, de retourner au pays ?

— Non, je ne peux pas. Il faut que j'efface tout. Sinon, ils vont trouver. Vous savez, ils les ont tous tués : Joe, Alistair, Frank. Tous devant mes yeux. J'avais leur sang sur la gueule. Ils sont morts parce que je n'ai rien dit.

— C'est bien, Michael. Vous êtes courageux. Mais ça peut se terminer.

— Ce matin, ils m'ont tranché le pouce… Et ils ont dit que si demain je ne parlais pas, ils me couperaient un autre doigt.

Dougherty me tend sa main ensanglantée. À la place de son pouce, une plaie béante. Je ne peux refréner un mouvement de recul, de dégoût.

166

— Michael. Fermez les yeux. Je vous emmène ailleurs.

— Oui, ailleurs. Je veux rentrer chez moi. Doris et les enfants doivent s'inquiéter.

— Qui est Doris ?

— Ma femme.

— Il faut vous accrocher, Michael. Pour elle et vos enfants. Fermez les yeux. Faites-moi confiance.

Il ferme finalement les yeux. Je n'ai que quelques secondes. Il faut que je trouve un endroit qui puisse le rassurer, l'apaiser. Je ne sais pas pourquoi, mais à cette pensée, immédiatement me vient à l'esprit l'image de Cedar City : sa grande rue, ses commerces, ses immeubles de brique, ses passants, l'atmosphère langoureuse du printemps, les grands chênes sous lesquels on aime se mettre à l'abri du soleil. Cette image, à cet instant, dégage une vraie sérénité, celle d'une bourgade américaine comme il en existe tant, un endroit où le temps s'est un peu arrêté, un endroit loin de toute la folie du monde. Un lieu imperméable au sang, à la guerre, aux morts, ancré dans son quotidien calme et rassurant. Je me rappelle la ville endormie au petit matin, quand une douce lumière vient lécher la devanture des magasins. Ces images me renvoient à une sérénité perdue et pourtant immuable. Je tente le tout pour le tout, ferme les yeux et me force d'imaginer Cedar City au petit matin de la manière la plus fidèle possible… Douglas, le propriétaire du café Cedar Flavour installe quelques chaises et tables sur sa terrasse, puis se frotte le dos pour faire passer ses rhumatismes. Une odeur de cookies chauds s'échappe de la pâtisserie de Miss Benedict. Brian et Susan Dodge, les vieux propriétaires du drugstore, sont déjà en train de se disputer, un café à la main, sur les petites chaises en bois qu'ils placent toujours devant leur devanture. Le gentil et bedonnant agent de police Petersen vit son grand moment de la journée quand il régule la circulation de ses grands mouvements de bras, pour laisser passer les gamins qui partent à l'école.

Je rouvre les yeux.

J'ai devant moi la grande rue de Cedar City, comme je l'imaginais.

Je détourne les yeux. Dougherty est à mes côtés, regardant avec stupéfaction le spectacle qui s'offre à ses yeux.

— Où sommes-nous ?

— À Cedar City, c'est de là que je viens.

— C'est joli.

— Oui, c'est vrai. Je ne m'en étais jamais vraiment rendu compte. Asseyez-vous, Michael.

Je l'aide à s'asseoir sur un banc fraîchement repeint en vert.

— Ça va mieux ?

— Oui, je crois, oui... Mais vous êtes vraiment dans ma tête ?

— Dans vos rêves plus exactement. Écoutez, Michael. Nous n'avons que très peu de temps. J'ai besoin de savoir comment s'est passée votre capture. Le moindre détail peut nous aider à vous localiser.

— Je ne sais plus. J'étais inconscient quand ils m'ont attrapé. Lors du crash, l'arrière de mon crâne a heurté la carlingue de l'hélico. Je suis resté dans les vapes plusieurs heures, je crois.

— Essayez de vous rappeler quand vous avez repris connaissance.

168

— Oui, je me souviens. Ce sont des cris qui m'ont réveillé. Des cris en vietnamien. J'ai ouvert les yeux. Au début, j'ai eu du mal à comprendre ce qui se passait. J'étais sur le dos d'un homme qui me portait en me tenant les bras serrés autour du cou. J'ai reconnu Mike Milesi, mon second. Je sentais sa respiration fatiguée. Je me rappelle un Viet braquant son flingue sur lui en hurlant : « Bouge ! Bouge ! Allez ! » Mais Mike semblait à bout de forces. J'ai réussi à articuler que ça allait mieux et finalement, après quelques minutes, je suis parvenu à marcher avec son aide. Mais je ne peux pas vous dire où on était. D'abord, j'avais la vue brouillée. Ensuite, je n'ai noté aucun repère visuel distinctif. On était en pleine jungle. Après plusieurs heures de marche à se prendre des coups de crosse dans le dos dès qu'on ralentissait le pas, on est arrivé dans un village. Ils nous ont traînés devant la plus grande case et nous ont forcés à nous mettre à genoux. On avait soif. On était crevé. Je me rappelle qu'Alistair, un bleu, a même été jusqu'à se baisser pour boire dans une flaque d'eau saumâtre. Au bout d'un moment, un homme est sorti de la case. Un Viet plus âgé que les autres, avec un béret rouge recouvert de médailles et une longue barbe filandreuse. Il nous a tous passés au crible les uns après les autres en regardant les galons sur nos vestes. Finalement, il est arrivé devant moi, a vu mon grade de capitaine, a attrapé ma plaque, lu mon nom qu'il a répété plusieurs fois à haute voix, un étrange rictus aux lèvres. « Dougherty, Dougherty… Bien… Très bien… » Puis il a attrapé son pistolet et me l'a braqué sur la tempe. J'entends encore le bruit du chien qu'il soulève. J'ai baissé les yeux. À droite, je me rappelle, il y avait des enfants qui jouaient sans nous accorder la moindre importance. C'est ce que je me suis dit à ce moment-là. Je vais crever là, dans une flaque d'eau à côté de gamins qui s'amusent. Puis il a appuyé sur la gâchette qui a claqué dans le vide. Il a appuyé plus fort son arme sur ma tempe en hurlant « Pan ! Pan ! », puis s'est mis à rire, rapidement suivi de ses hommes. Finalement, il m'a soulevé le menton avec son pistolet, puis s'est approché de mon visage : « Dougherty, parler. Toi, parler. » Je lui ai craché à la gueule. Il a attrapé son pistolet par le canon et m'a envoyé un coup de crosse sur le front. Je suis resté sonné longtemps. On nous a traînés sous une paillote. Je me souviens de quelque chose…

— Oui, quoi ?

— Des hommes, des dizaines de Viets étaient en train de recouvrir de lianes, de bambous et de branches une vaste zone. Tandis que d'autres creusaient.

— Que faisaient-ils ?

— Je ne suis pas sûr. Mais je crois qu'ils préparaient une cache d'arme. Vu sa superficie, c'est la plus grande que j'aie vue du côté Viet. Il y avait des dizaines et des dizaines de caisses là-dedans. Mais c'est flou, je ne m'en souviens pas bien.

— On va essayer quelque chose. Fermez les yeux. Essayez de vous souvenir. Imaginez que vous êtes là-bas à nouveau.

— D'accord…

Dougherty ferme les yeux. Lentement, Cedar City disparaît. Devant mes yeux, et tout autour de moi, comme si un immense écran de cinéma s'était déroulé à 360° je vois une série de flashs : l'arrivée au village, le flingue pointé sur Michael et le visage grimaçant de rires du Viet au-dessus. Au passage, je m'efforce d'enregistrer ce visage émacié, ses yeux fins, comme une plissure sur le visage, ce long bouc grisonnant. Celui-là, je ne l'oublierai pas. Puis apparaît assez clairement la cache d'armes. En effet, des hommes s'affairent à poser une structure en bambous sur un fossé qui doit bien faire la longueur d'un terrain de football. J'enregistre cette information, puis appuie sur le bras de Dougherty.

— C'est bon, Michael. Vous pouvez rouvrir les yeux.

Tandis qu'il s'exécute, je convoque à nouveau le décor de Cedar City.

— Ensuite, Michael. Où vous ont-ils emmené ?

— Je ne sais pas. Ils nous ont traînés près d'une rivière, j'ai cru reconnaître le cours d'eau de Mai Chau, mais je ne suis pas certain. Ils nous ont fait monter sur des pirogues. Ils nous ont bandé les yeux. On a dû remonter le cours d'eau pendant quatre à cinq heures. Puis on est arrivé au camp. Il est composé de trois cases sur pilotis et, au bord du fleuve, de trous creusés dans le sol marécageux. C'est là qu'ils nous ont mis. Dans un trou... Non, je ne veux pas. Je ne peux pas y retourner.

Dougherty se prend la tête entre les mains et se met à sangloter. Je n'ai pas le temps, je sais, d'attendre. Il n'y a plus qu'une seule chose à faire.

— Calmez-vous. Laissez-vous faire. N'ayez pas peur.

Je le soulève péniblement, me concentre afin de prendre le contrôle sur lui.

— Vous me faites confiance, Michael ?

— Oui, je crois.

— Alors, laissez-vous faire. Fermez les yeux.

Il ferme les yeux et je me projette en lui.

C'est d'abord l'odeur que je ressens. Une odeur pestilentielle d'urine et de déjections mêlées. Puis une sensation de liquide poisseux. J'ouvre les yeux. Désormais dans le corps de Dougherty, je suis recroquevillé dans un trou sombre, à peine assez large pour que je m'y relève accroupi. Partout, autour de moi, jusqu'à mes hanches, une eau saumâtre. Des mouches se sont posées sur mon visage. Je les chasse d'un geste. Je lève péniblement la tête. Au-dessus du trou est posée une grille de bambous tressés. Péniblement, je sors les mains de la boue et tire de toutes mes forces pour coller mon visage dans l'interstice entre deux bambous et essayer de voir à l'extérieur. Je remarque le doigt amputé de Michael et note que, déjà, en quelques heures, la gangrène s'est répandue. Avec l'humidité, la plaie est devenue jaunâtre, suppurante. Il va falloir lui amputer la main, sans aucun doute. Je chasse cette idée de mon esprit pour me concentrer sur ce que je peux discerner à l'extérieur de la fosse. Je colle le visage de Dougherty au plus près des bambous. Au loin, le soleil se lève. Il faut faire vite. J'entends le bruit de la rivière, tout près. En face, de l'autre côté de la rive, je vois une colline assez haute, comme une petite montagne. Le relief forme comme une succession de coteaux de taille croissante, il y en a quatre. Plus loin, en amont de la rivière, j'entends un bourdonnement sourd. Je plaque encore un peu plus mon visage contre la grille. Oui, c'est cela, à droite, je vois une cascade d'une quinzaine de mètres qui déverse ses eaux tumultueuses. Il m'en faut plus. Je rassemble mes forces, me concentre le plus possible, prends appui sur mes jambes et m'efforce de faire jouer le nœud de cordes afin de soulever de quelques centimètres la grille. Je vois un peu mieux la berge. Après la cascade, j'ai l'impression que le cours d'eau se divise en deux ruisseaux distincts. J'essaie de voir autre chose, mais une ombre se place devant moi. Sans relâcher prise, je relève la tête. Un Viet se tient devant moi, une torche à la main. Il hurle : « Stop ! Stop ! », mais j'essaie de voir encore. Il écrase de son pied mes mains, et même s'il ne s'agit pas de mon corps, je ressens une douleur vive. Il continue à hurler et me cache la vue. Il se baisse et approche la torche de l'extrémité de mes doigts. Il hurle : « Lâche ! Lâche, l'Américain ! » Je note qu'il porte des lunettes de soleil, de grosses Ray-Ban cerclées d'or, typiques de celles que portent les pilotes d'hélico américains. Dans le reflet de ses lunettes, grâce à la faible lueur du petit matin, je réussis à distinguer ce qui se trouve derrière moi. Trois huttes, et... j'ai du mal à voir. J'ouvre grand les yeux, tandis que le Viet continue de me hurler dessus en approchant toujours plus près la torche de mes mains. Je vois... Ce sont des falaises de roche rouge. La flamme de la torche entre en contact avec mes mains. Je ressens une douleur fulgurante. Je lâche prise et retombe au fond de la fosse. Je me concentre et m'efforce de quitter le corps de Dougherty. Par le lien ténu, si infime soit-il, qui me relie à mon vrai corps, dans le Labo 1, j'essaie de contracter ma main à trois reprises, signe qu'il faut me ramener... J'essaie de faire un mouvement dans un corps, le mien, placé à des centaines de milliers de kilomètres de là. Et si je restais bloqué là... indéfiniment. Et si je ne réinté-grais jamais mon corps... Alors que je sens la panique monter en moi, je suis soudain aspiré en arrière à une vitesse ahurissante. Noir.

J'écarquille les yeux et me soulève brutalement. Je suis dans le Labo 1. L'anesthésiste tient toujours la seringue vidée de son contenu d'adrénaline au-dessus de mon thorax. En sueur, les mains douloureuses, je reprends mes esprits. Malgré la sensation de brûlure et la terrible fatigue qui m'assaille, je réussis péniblement à articuler quelques mots.

— Je l'ai trouvé...

Avant de perdre connaissance, je vois Kleiner et Lettinger, placés auprès du lit, échanger un regard plein d'espoir.

•

Je me réveille quelques heures plus tard dans l'infirmerie de la station. Je note d'emblée les bandages que je porte aux mains. J'essaie de me soulever, un scientifique vient à mon aide. Au fond de la salle, Kleiner, Lettinger et Brimley se soulèvent de leurs chaises et s'approchent. Je ne perds pas une seconde.

— Il faut faire vite. Il est très faible. Il ne va pas tenir bien longtemps. Il est dans un camp le long d'une rivière Mai Chau, peut-être...

Durant les minutes qui suivent, j'essaie de décrire avec le plus de précision possible la colline découpée en quatre petits coteaux, le cours d'eau qui se sépare en deux, la cascade, les falaises de pierres rouges qui bordent le camp. Tandis que je parle, Lettinger prend des notes frénétiquement. Quand j'achève mon récit, il se tourne vers Kleiner et lui demande :

174

« Emmenez-moi auprès de l'agent radio au plus vite. Il faut contacter l'état-major de Saigon. »

Perclus de fatigue, je sombre à nouveau dans une torpeur profonde.

●

J'ai dû dormir plus de douze heures d'affilée. Quand je me réveille le lendemain, Kleiner veille à mes côtés.

Il m'aide à me soulever.

— Alors ?

— Vous avez réussi, James. Dougherty a été secouru. Vos informations ont permis de le localiser. Trois hélicoptères ont remonté le fleuve jusqu'à trouver l'emplacement du camp. Dougherty est vivant, très affaibli, mais vivant. Bravo, c'est extraordinaire. Pour être franc, je ne pensais pas que nous y parviendrions.

— C'est bien…

— Vous voulez connaître la meilleure ? Dougherty avait beau être affaibli, il n'avait qu'un mot à la bouche.

— Quoi donc ?

— Qu'un ange était venu le voir pour l'aider. Un ange qui disait s'appeler James.

— Mais il ne peut pas se rappeler ?

— Parfois, les hôtes rapportent comme une image floue, comme un murmure entêtant de leur visiteur.

— Alors, je suis un ange maintenant ?

— C'est la seule gloire que vous tirerez de ce que vous venez de faire. Pas de remerciements, pas de médaille, pas d'ordre du Mérite. C'est le triste lot des missions secrètes.

— Alors c'est fini ? Nous avons fait nos preuves à Lettinger ? Il va partir maintenant ?

Je sens un voile de gêne mêlé à de la colère traverser le corps de Kleiner.

— Non, malheureusement. Il en veut plus. Nous avons une autre mission James.

— Comment ?

— Après son arrivée à l'hôpital militaire, Dougherty a repris ses esprits. Il a parlé d'une impressionnante cache d'armes qu'il aurait vue sur le chemin le menant au camp.

— Et ?

— Lettinger veut que nous la localisions.

— Mais…

— Chaque chose en son temps. D'abord, il faut que vous vous reposiez. Nous verrons ensuite comment nous y prendre.

Je sais que je devrais me taire, ne rien dire, histoire que toute cette nouvelle opération tombe à l'eau, parce qu'au fond de moi je ne veux pas y retourner, je ne sais pas si j'en aurai la force, mais les mots sortent de ma bouche, malgré tout…

— Je sais comment la localiser… Quand j'étais dans les rêves de Dougherty, j'ai vu le visage du chef viet. Je peux entrer en lui et retrouver cette planque.

— Très bonne nouvelle. Mais vous avez d'abord besoin de repos.

12

28 septembre 1971
Station K27, 200 km au nord de Galena,
Alaska
Température extérieure : 0 °C

Il faut le faire. Ainsi, Lettinger nous laissera avancer sur le projet. Ainsi, je pourrai encore progresser. Devenir plus puissant.

Je n'ai pas le choix.

Je dois y retourner.

L'ordre de mission est clair. Il faut que je localise la cache d'armes et que je trouve un moyen de la détruire. Lors de son assaut du camp de détention pour récupérer Dougherty, l'équipe de secours n'a trouvé aucune trace du chef viet. Il est donc, comme nous le pensions et comme nous l'a confirmé ensuite Dougherty lui-même, resté à la base. Le chef, c'est mon contact, ma cible. Il faut que je parvienne à prendre le contrôle sur lui. Et ça, ça ne va pas être chose aisée.

D'autant plus qu'il faut que je fasse attention. Tout ce qui arrive au corps de mon hôte a une répercussion sur mon véritable organisme. Après plusieurs jours, j'ai encore des douleurs aux mains, là où Dougherty a été brûlé par une torche incandescente durant mon transfert.

Ce n'est pas un jeu, James, ne l'oublie jamais.

Nous avons calculé l'heure du transfert afin d'avoir le plus de chance possible que mon futur hôte soit endormi.

Douze heures de décalage horaire séparent l'Alaska du Viêtnam. Ici, il est 16 heures, là-bas, 4 heures du matin. On ne peut pas faire mieux.

Je m'allonge sur le lit du Labo 1. Des médecins me posent des capteurs sur le crâne, on place l'aiguille de l'électromyogramme sur mon bras. L'anesthésiste se penche vers moi, m'injecte son somnifère.

Puis, comme d'habitude, la Nef... la Stèle... Je ferme les yeux, m'efforce de visualiser au mieux le visage du chef viet. Ce visage émacié, ses yeux plissés, cet iris d'un gris métallique et froid... En quelques secondes, son visage apparaît clair et cristallin devant mes yeux.

Je m'en rends compte, il m'est de plus en plus facile de me transférer dans un corps. De plus en plus rapide.

Une pensée traverse fugacement mon esprit. Si, au bout de quelques mois, je suis déjà capable d'en faire autant, quels seront mes pouvoirs dans deux, cinq ou dix ans ?

Il faut que je reste concentré. Ce visage s'ancre en moi, alors que je sens mon corps se soulever et se propulser vers l'un des tunnels de la Nef. Le trajet est long, tortueux. Puis enfin, le noir.

Une musique se laisse entendre. Une mélodie douce et sucrée, chantée en vietnamien. Une odeur d'encens, de sueur et d'alcool. Une lumière rouge et tamisée se fait. Nous sommes dans un bar. Les murs sont en béton vieilli. Sur une paroi, une fresque représente des femmes nues en train de danser. Partout des miroirs. Au milieu de la salle, plusieurs Viets dansent avec des filles. Ils semblent saouls, des bouteilles à la main. Je reste plongé dans l'ombre.

Le décor continue de se dessiner. Un comptoir de bric et de broc apparaît. Quelques tabourets. Un seul homme y est attablé. Il fume un cigare, un large sourire aux lèvres en regardant ses camarades s'amuser. Autour de lui, quatre magnifiques Vietnamiennes, en jupes moulantes, décolletés suggestifs. Je reconnais immédiatement l'homme au comptoir. Son béret rouge, son long bouc grisonnant.

C'est lui.

Je suis dans son rêve.

Il ne me voit pas.

Il s'imagine dans un bordel de Saigon, d'Hanoi ou d'une autre grande ville vietnamienne.

Il faut que j'en profite, que je trouve quelque chose pour l'approcher.

Je le regarde. Entre chaque inhalation de fumée, il pelote allégrement les putes à ses côtés, en embrasse une, lèche le cou d'une autre. L'homme me dégoûte. Tout ce spectacle me débecte. Alors que ma haine grimpe, la lumière dans le bar grésille, comme avant une coupure de courant. Le chef lève la tête d'un air intrigué.

Merde, c'est moi qui fais ça. Il faut que je reste concentré. Que je n'oublie pas ma mission.

Je me calme. La lumière retrouve ses teintes ambrées.

Trouve une solution pour l'approcher, James.

Changer d'apparence, c'est ça la clé.

Même si l'idée me terrorise, je n'ai pas le choix.

Je repense aux nombreux exercices que j'ai faits en compagnie de Thomas dans la Nef.

« Tout n'est qu'illusion. N'oublie jamais, James. Ton corps est ce que tu veux en faire. Homme, femme, jeune, vieux. Ton apparence n'est qu'un masque ici-bas. Tu peux être qui tu veux ! »

Je me concentre un peu plus. Ferme les yeux, essaie de repenser à cette soirée, lors de mon arrivée à Saigon, cette fête organisée pour les jeunes recrues. Un concert avait été donné. Sur scène, une magnifique Vietnamienne chantait des standards jazz des années cinquante. Je me souviens du silence qui avait empli la salle à son arrivée. C'était comme une apparition, comme un rêve. Cette femme était simplement somptueuse. Je ne pouvais détacher les yeux de son visage, de son corps, aux courbes parfaites et sensuelles. Je me rappelle sa robe fourreau à paillettes argentées. Ses mouvements lancinants de droite à gauche. Ce décolleté qui laissait paraître, de temps à autre, la naissance de sa poitrine. Sa peau blanche comme l'ivoire. Je me souviens de ses longs cheveux noirs, lisses et brillants, de cette longue mèche qui glissait le long de son cou et s'entortillait dans son faux collier de perles. Je revois son visage arrondi, ses longs yeux en amande, ses sourcils fins et gracieux. Ses joues aux teintes légèrement rosées. Ce nez droit, parfait. Ses lèvres épaisses et brillantes. Ce sourire timide…

Je vais devenir elle.

Je suis elle.

Je rouvre les yeux. Lève les mains vers mon visage. Je les détaille. Elles sont devenues fines et allongées.

Je baisse les yeux. Mon corps a disparu, laissant place à celui d'une femme, à celui de cette femme. Je m'approche d'un miroir, plonge mon regard et vois à la place de mon visage celui de la chanteuse, reproduit à la perfection.

Je suis elle.

Je m'approche encore et note cette étrange différence, à la place de ses yeux noirs, les miens. Mon regard. C'est de la folie. Je suis dans le corps d'une femme. Il ne faut pas que je panique. Ce n'est pas le moment. Il faut que je reste calme.

Ce n'est qu'un masque, James, qu'un déguisement.

Je reprends mes esprits, m'éloigne du miroir, prends une grande respiration et me lance. Avec des mouvements lents, je traverse la salle, j'essaie de me déplacer le plus lentement possible, marquer chacun de mes mouvements de bassin à chacun de mes pas. Avoir l'air naturel. Je me concentre également pour que la lumière s'affaiblisse partout dans la salle, partout sauf autour de moi. Le bordel est quasiment plongé dans le noir. Seul un halo lumineux suit mes pas.

Le chef se détourne enfin et me fait face. D'emblée, je sens l'envie dans ses yeux. Je m'approche encore, je ne suis qu'à quelques mètres.

Je lui souris. Il me rend un sourire pervers de sa bouche édentée. Je fais disparaître les prostituées qui l'entourent, sans même qu'il s'en rende compte. Il est fasciné, hypnotisé par celle que je suis. J'avance encore, je ne suis plus qu'à un mètre de lui. Il ne se doute de rien, pourtant j'ai déjà pris le contrôle sur son rêve. J'efface la piste de danse, les autres Viets, le décor. Tout. Je concentre la lumière sur moi.

À part lui, assis sur son tabouret, et moi en face, il n'y a plus rien autour, plus que le noir.

Il ne le sait pas encore, mais il est piégé.

C'est si facile.

Je m'avance encore, passe une main sur son visage. Je me retiens pour ne pas la transformer en pierre et lui éclater sa gueule à cet enculé. Reste concentré, James.

Malgré mon dégoût, malgré ma haine, je laisse ma main glisser le long de son visage. Puis de son cou, la passe délicatement autour de sa taille. Je fais la même chose avec l'autre.

Il me regarde, les yeux exorbités, et me répète : « *Em dep lâm, Em dep lâm...* » Je sais ce que ça veut dire. Ça veut dire : « Tu es belle. » Oui, je suis belle. Et profites-en, car c'est la dernière chose que tu vas voir, saleté.

Je resserre mon emprise.

M'approche plus près de lui.

Il faut que j'entre en lui, maintenant, que je prenne le contrôle.

Je le serre un peu plus encore.

Son regard change, il a peur. Il est en train de comprendre que quelque chose cloche, que quelque chose ne va pas. Il est en train de comprendre que ce n'est pas son rêve. Il essaie de se débattre, mais je le tiens solidement. Il hurle, mais ça ne sert à rien. Il n'y a personne ici, personne à part toi et moi. Tu es pris dans ma toile. Il me repousse, mais je le tiens solidement. Je remarque que mes bras se sont transformés. Ils ressemblent à des mandibules d'araignées. Je les lui plante plus profondément dans le corps. Il crie. Je m'approche encore et me projette en lui. Je me fonds dans ces entrailles, je l'entends qui hurle, qui se débat. C'est trop tard.

Ça y est.

Je suis entré en lui.

Noir...

On me remue...

J'ouvre les yeux. Je suis allongé sur une paillasse dans une case. Au-dessus de moi, je vois un toit tressé de bambous. J'y suis. Je suis en lui. J'ai réussi. Mais à peine ai-je ouvert les yeux qu'un homme, un Vietnamien, apparaît au-dessus de moi et pose sa main sur mon épaule, l'air inquiet. Il répète : « *Co khoé không ?* » Il faut que je reprenne mes esprits... Je connais cette phrase. Je sais ce qu'elle veut dire. Je l'ai déjà entendue. « *Co khoé không ? Co khoé không ?* » « Est-ce que ça va ? » Oui, c'est ça. Je dois répondre, quoi, merde ? « Ça va », se dit « *Khoai* » ? Non. « *Khuai* » ? Non, ce n'est pas ça. Au-dessus de moi, le Vietnamien commence à me regarder bizarrement. « *Khoé* », on dit « *Khoé* ».

— *Khoé, khoé...*

Je repousse sa main de mon épaule. Mal à l'aise, il s'écarte et quitte la salle.

— Tot...

Je me relève péniblement. Je suis dans une petite chambre rudimentaire dans une case. Il fait sombre. Je pousse le rideau en toile et regarde par la fenêtre. Dehors, il fait nuit. Pourtant, le camp est baigné d'une lumière blanchâtre. Je lève les yeux vers la lune. Elle est pleine. Ça ne va pas aider mes affaires. S'il avait fait nuit noire, j'aurais pu profiter de l'obscurité. Ce n'est pas grave, James. N'oublie pas que tu es le chef de ce camp. Tu peux aller et venir comme tu le souhaites. Enfin, je l'espère. J'attrape les vêtements posés sur la chaise à côté du lit, les enfile. Prends le béret, le pose sur mon crâne. Attrape la ceinture avec le holster et le pistolet, et me l'accroche à la taille. Je vérifie que le flingue est bien chargé, on ne sait jamais. Je me lève difficilement. Je vais pour faire un pas. Mais ma jambe se refuse à bouger. J'ai comme des perturbations, comme si j'entendais quelqu'un crier à l'intérieur de mon corps. Comme si un frein venait m'empêcher d'avancer. Je comprends. Il est là, au fond de moi, il se débat, il ne veut pas que je prenne le contrôle.

Merde... Je ferme les yeux, me concentre et tente de le repousser. Le calme revient.

Nous n'avions pas prévu cela. Pourtant, c'était évident ! À chaque fois que j'ai fait un transfert, le cobaye était consentant. Là, c'est autre chose, c'est comme s'il y avait un rejet.

Il sait. Il sait que je suis en lui. Que j'ai pris le contrôle sur lui.

J'ai chaud. Avec ma manche, j'essuie la sueur sur mon visage et m'avance vers la porte de la chambre. Je la pousse le plus lentement possible. J'arrive dans une grande salle très haute de plafond. Je remarque tout de suite les corps au sol. C'est un dortoir. Là, une vingtaine d'hommes dorment. Certains à même le sol, d'autres dans des hamacs délabrés. Un lourd silence pèse sur la salle, seulement entrecoupé de quelques ronflements. Je slalome péniblement entre les corps alanguis. J'essaie de faire le moins de bruit possible, mais surtout de me déplacer de la manière la plus naturelle qui soit.

J'arrive enfin sur le perron de la case.

Là, à ma droite, quatre hommes jouent aux cartes, à la lueur d'une petite lampe au kérosène. L'un d'eux est celui qui est venu à mon chevet. À mon arrivée, ils s'arrêtent de jouer et me saluent de la tête. Je les salue à mon tour.

L'un d'eux se lève et s'approche de moi.

Il me regarde et me demande :

— *Thuoc la ?*

Mais qu'est-ce qu'il veut, merde ?

— *Thuoc la ?*

L'homme lève le bras vers moi.

Discrètement, je pose la main gauche sur le manche du pistolet. Il mime un mouvement en approchant ses doigts de ses lèvres. Il veut fumer. Il veut une cigarette.

J'écarte ma main du pistolet, baisse les yeux et me mets à fouiller mes poches. Dans la poche de ma chemise, je trouve un paquet de Marlboro froissé et humide. Je le sors, en extrais une et lui tends.

Après un hochement de tête, l'homme me lâche un « *Cam on* » et retourne à sa table.

Je descends les marches du perron de la case et fais quelques pas. Je me retrouve à l'endroit exact où Dougherty s'est fait braquer. Si je me souviens bien, il faut maintenant que je parte à gauche pour tomber sur la cache d'armes. J'essaie de me déplacer, mais, encore une fois, mon corps se refuse à bouger. Je sens le chef viet au fond de moi qui, de toutes ses forces, essaie de reprendre le contrôle. À un moment, je sens même ma main gauche se rigidifier et se mettre à trembler.

J'ai la moitié du corps paralysé. À ma droite, les quatre gardes se sont arrêtés de jouer et me regardent, intrigués. Ils se demandent certainement ce que fait leur chef, immobile en plein milieu de la place du village à 4 heures du matin... Pour me donner une contenance, j'attrape de ma main valide mon paquet de cigarettes, en sors une en la serrant entre mes dents, fouille dans ma poche de pantalon, trouve un briquet. J'allume péniblement ma cigarette. Puis je me retourne vers les gardes et leur fais un signe de main. Après un dernier regard, ils reprennent leur partie. Je dois reprendre le contrôle. Je ferme les yeux et m'efforce de repousser la présence du chef viet en moi le plus loin possible. Aux confins de mon esprit. Alors que je sens sa présence reculer, un cri puissant monte des profondeurs de ma gorge. Je serre la bouche et les dents pour la maintenir fermée. Un son étouffé sort quand même. Je me retourne, les gardes n'ont rien entendu.

Il faut que je fasse vite. Il est en train de reprendre le dessus. De toutes mes forces, je me concentre pour faire bouger ma jambe gauche. Même ankylosée, elle part en avant. D'une démarche hésitante, je reprends peu à peu le contrôle. Au bout de quelques secondes, je parviens à remarcher assez naturellement. Je m'éloigne de la grande case en passant sur la gauche. Je traverse le camp endormi. Alors que j'avance, je note qu'il est beaucoup plus grand que ce que j'avais entraperçu dans les souvenirs de Dougherty. Ainsi, je remarque des rizières à flanc de colline, au-dessus du camp, des bêtes de trait dans des enclos. Enfin, j'arrive à proximité de la planque. Je remarque d'emblée l'immense surface sommairement camouflée de feuillages, de bambous...

Un chemin de terre descend vers la fosse creusée. À son entrée, un garde est assis sur une chaise. Il est somnolent.

Je m'approche. L'homme m'entend arriver, cligne des yeux et se redresse sur sa chaise. Il se lève et me salue. Puis me lance sur un ton interrogatif en se frottant les yeux.

— *Sur chen vao ?*

Je n'ai pas la moindre idée de ce que cette question veut dire. Que peut-il vouloir me dire ? Me demander ce que je fais là ? Non. Impossible, on ne parle pas comme ça à son chef. Me demander si je vais bien ? Ça m'étonnerait. Non, il doit vouloir savoir si je veux entrer dans la réserve d'armes. C'est évident. Ça doit être ça. De toute manière, c'est quitte ou double. Je n'ai pas vraiment le choix. Soit je réponds oui, soit non.

J'opte pour un oui sec et déterminé. En espérant qu'il fasse illusion.

— *Vang.*

L'homme me fixe quelques secondes, puis s'écarte et me laisse entrer.

Je descends le petit chemin de terre. Après quelques pas, je réalise qu'il faut que je me débarrasse de ce garde. Si je fais du bruit, si je reste trop longtemps, il va s'interroger et peut-être donner l'alarme. Je me retourne, l'homme s'est rassis sur sa chaise, qu'il a placée au milieu du chemin. Je marche à pas de loup vers lui, avance discrètement mes mains vers son cou. Sans un bruit, je place mon bras droit autour de son cou et serre de toutes mes forces. L'homme se débat, ses pieds tapent la chaise. Je serre plus fort encore. Je le vois qui essaie d'accéder à son pistolet sur sa hanche, de mon autre main je lui retiens le bras. Je continue à serrer. Je le sens qui hoquette, qui sursaute, puis, après une interminable minute, il arrête de bouger. Je regarde à droite, à gauche, attrape le corps sous les bras et le traîne vers l'intérieur de la réserve. Je le cache dans l'obscurité d'une des allées.

Mais au moment où je me saisis de son pistolet pour le ranger dans ma ceinture, je sens comme une décharge en moi. Un mal de crâne fulgurant vient me vriller la tête. Je me sens soudain lourd. Je tombe à genoux. Le chef viet revient à l'attaque, c'est sûr. Encore une fois, je suis en train de perdre contrôle. Je vois, impuissant, la main détenant le pistolet se lever et tremblante, hésitante, s'avancer vers mon crâne. Il a compris, il veut en finir. Lentement, la main se soulève, serrant fébrilement l'arme. Je sens le canon du pistolet se presser contre mon front. Non, il faut que je me batte, que je le repousse encore. Je vois le doigt qui, malgré les convulsions, essaie d'appuyer sur la gâchette. Il n'a pas assez de force. James, tu as encore le contrôle, reprends-toi. Merde, je ne vais pas crever ici, dans la peau de cette vermine. Non...

De tout mon être, je tente de le repousser à nouveau, d'en venir à bout une bonne fois pour toutes. Je sens comme une vague de chaleur se répandre en moi, puis d'un seul coup se concentrer dans mon crâne. Un nouveau cri étouffé s'élève du fin fond de mes entrailles. J'ai la plus grande peine à le retenir. Mais, finalement, ma main armée retombe lourdement au sol. J'ai gagné. Pour le moment.

Je me relève péniblement, usé, fatigué par ces combats incessants.

J'avance dans les allées vers le cœur de la réserve. Je croise un amoncellement de caisses en bois, des dizaines de fusils empilés, quelques lance-roquettes alignés les uns à côté des autres. Je regarde les noms sur les caisses en bois. Sur mon chemin, j'attrape un pied-de-biche, posé contre des caisses. Je dois être arrivé au cœur de la réserve. Je cherche des yeux un indice, quelque chose écrit sur une caisse. Et là, je remarque un gros écriteau « *Chât nô* » noté sur l'une des caisses. Je sais ce que ça veut dire. On m'a bien briefé avant l'opération. « *Chât nô* » veut dire « explosifs ». C'est ce que je cherche. Je m'approche de la boîte, fais jouer le pied-de-biche pour en retirer les lattes de bois. À l'intérieur, je découvre des caisses de dynamite. Parfait. Voilà de quoi me faire un beau feu de joie. J'en attrape une, l'ouvre. Je brise quelques bâtons de dynamite afin d'en répandre la poudre sur l'ensemble de la caisse. J'en prends quatre autres avec moi. Je reviens sur mes pas tout en laissant derrière moi une traînée de poudre qui remonte jusqu'à la caisse de dynamite. J'arrive à l'entrée de la réserve, brise mon dernier bâton de dynamite et fais continuer la traînée jusqu'à quelques mètres en dehors de la réserve. Je sors mon briquet et le passe sur la poudre. Malgré l'humidité ambiante, elle se met rapidement à frétiller et à s'embraser. La traînée incandescente remonte lentement vers la réserve. Il faut que je m'éloigne.

Mais soudain, comme un dernier soubresaut, je sens une nouvelle attaque du chef viet, un cri puissant monte de mes tripes et se propage jusqu'à ma gorge et ma bouche.

Il comprend, il sait ce qui se passe. Il veut prévenir les autres.

Je plaque ma main sur ma bouche pour empêcher le son de sortir. Mais un gémissement s'échappe tout de même. Je tombe à genoux. Le cri se fait plus fort, plus perçant. Je m'affale au sol. J'entends des bruits de pas.

Je vois des pieds, des personnes s'approcher, certainement réveillées par le cri. C'en est fini, les soldats m'ont trouvé, ils vont comprendre, ils vont m'achever là. D'une balle dans la tête.

Je lève les yeux. Au-dessus de moi, pas de soldats, mais une femme d'une vingtaine d'années, un enfant dans les bras, l'air inquiet. Derrière elle, deux autres enfants apparaissent à la porte d'une case.

Mon Dieu…

Je réalise à cet instant que j'ai fait une terrible erreur. Comment n'y ai-je pas pensé avant ? Ce n'est pas qu'un camp militaire. C'est un village. Dougherty m'avait pourtant parlé de ces enfants qui jouaient alors qu'il se faisait braquer. J'ai moi-même remarqué les rizières. J'aurais dû y penser. J'aurais dû comprendre. L'explosion de la réserve va tous les tuer. Ils vont tous mourir par ma faute. Ces femmes, ces enfants, innocents. Non… Je ne peux pas. Je rassemble mes dernières forces et m'oblige à me soulever. Il faut que j'aille éteindre la mèche. Il faut tout arrêter. Il faut annuler l'opération. Il est encore temps. Je m'avance d'un pas lourd vers la réserve, suivi du regard par la femme et les enfants. Je peux le faire. Il faut que je le fasse. Je ne pourrai pas vivre avec tous ces morts sur la conscience. J'arrive à l'entrée de la réserve. Allez, plus que quelques mètres. J'entends alors un choc sourd, un bruit de déflagration phénoménale. Pendant un millième de seconde, je comprends qu'il est trop tard, que la réserve est en train d'exploser et qu'un océan de douleur va se propager dans le village. Je sais que je les ai tués et que, moi aussi, je vais crever ici. Je dois réintégrer mon corps. Il faut que je m'échappe maintenant.

Comme au ralenti, je vois l'onde de choc s'avancer vers mon corps. La fournaise se répandre autour de moi. La chaleur lécher mon visage. Mon corps s'embraser. Puis je suis aspiré en arrière.

Le noir absolu.

Le noir total.

Une éternité de secondes.

Le temps disparaît.

Les sensations s'effacent.

Il n'y a plus rien.

13

...

Ce que je sens d'abord, ce sont mes mains enfoncées dans un sol meuble. Je remue les doigts. J'ai l'impression d'avoir les mains plongées dans du sable fin.

J'ouvre les yeux. Je n'y vois d'abord rien. Puis ma vue s'acclimate à l'obscurité.

Je suis à quatre pattes, les mains plongées dans ce qui semble être de la terre. Je les ramène vers moi. Non, ce n'est pas de la terre. C'est trop fin. On dirait plutôt un tapis de cendres.

Je lève les yeux. Je suis dans une sorte d'allée. Autour de moi, de chaque côté, de hauts murs... Je n'y vois pas encore grand-chose, il fait trop sombre.

Ce qui me marque en cet instant, c'est le silence absolu. Pas un bruit ne s'échappe de l'endroit où je me trouve. J'entends ma respiration, et quasiment mon cœur palpiter.

Ce silence est lourd et étouffant. Un silence de mort.

J'ai du mal à respirer. Comme si j'étais en altitude. J'ai un peu la même sensation que lorsque nous allions faire des randonnées dans les montagnes de

Cedar City. La sensation que ma cage thoracique est écrasée, qu'elle va exploser. Comme si l'air autour de moi était compacté, lourd.

Je regarde mes mains, mon corps. C'est bien moi. J'ai réussi, je ne sais pas comment, à quitter mon hôte, le corps du chef viet, *in extremis*. Juste avant qu'il ne soit dévoré par les flammes. Ça veut dire que je suis vivant ?

Je suis retourné dans mon corps, heureusement.

Mais alors où suis-je ?

Je ne suis plus au Viêtnam.

Je ne peux être revenu dans le Labo.

Je ne suis pas en Alaska.

Je ne suis pas dans la Nef.

Je suis ailleurs.

Je me relève difficilement. Mon corps me semble lourd. J'époussette mes jambes de la poussière qui s'y est accrochée. Un nuage de cendres s'échappe de mon pantalon et retombe lentement au sol. Je me mets à marcher. Mes pieds s'enfoncent de quelques centimètres dans les cendres. C'est un peu comme une fine couche de neige grisâtre qui semble tout recouvrir autour de moi. L'allée dans laquelle je me trouve doit faire quatre à cinq mètres de largeur.

Je lève la tête. Je ne vois pas le ciel. De chaque côté, les deux murs s'élèvent à une vingtaine de mètres. J'ai l'impression qu'il y a des sortes de reliefs sur ces parois. Je m'approche. Je pose ma main sur l'un des murs. Étonnamment, la pierre est chaude. Un dépôt de cendres se détache de la zone sur laquelle je passe ma main et s'évapore dans l'air. Je vois des saillies, comme des motifs ou des gravures, sur toute la surface du mur. Non, en fait, il ne s'agit pas de frises ni de sculptures. On dirait plutôt des os… compactés les uns contre les autres. Mais, en même temps, je sens bien que c'est de la pierre. Comme s'il s'agissait d'une espèce d'architecture organique.

Mon Dieu, mais où suis-je ?

J'avance dans l'allée, à pas hésitants. Toujours dans un silence effrayant. Je n'entends que le bruit de mes pas. Ma respiration. Au bout de quelques mètres, j'aboutis sur un espace beaucoup plus large. On dirait une vaste place. Je ne sais pas s'il y a plus de lumière ici, ou si mes yeux se sont simplement habitués à l'obscurité. En tout cas, j'y vois mieux. Tout, autour de moi, semble nimbé d'une lumière bleutée et grisâtre, comme si l'air lui-même était empli de ces cendres. J'avance jusqu'à me retrouver au centre de la place. Stupéfait, je regarde autour de moi. Partout, des sortes de bâtiments immenses hauts de plusieurs dizaines de mètres, ressemblants à des cathédrales, des temples primitifs, des ruines diverses. Certains semblent rehaussés de minarets longilignes, de tours percées de cavités, d'autres sont semblables à des pyramides, d'autres encore à des pagodes. Ces architectures me semblent à la fois fines et travaillées, mais en même temps plus primitives que tout ce que j'ai pu voir jusqu'à maintenant.

Je pénètre par une large cavité circulaire dans l'un des bâtiments. L'intérieur est complètement vide. De petites dunes de cendres se sont amoncelées de-ci de-là. Je lève la tête. Au-dessus de moi, un immense dôme. Les arches ressemblent à des côtes d'une taille phénoménale, soutenues au sol par d'immenses colonnes comme des tibias géants. Je n'essaie même plus de réfléchir, je n'essaie même plus de comprendre. Tout cela me dépasse.

Je ressors de l'édifice. Je cherche autour de moi, un indice, quelque chose qui me monterait que des gens ont vécu un jour ici. Qu'il y a eu de la vie dans ce lieu si mort.

Mais je ne vois rien. Aucun squelette au sol, aucun objet à taille humaine, aucune relique.

Je regarde à nouveau les bâtisses qui m'encerclent. Je remarque ainsi que, devant moi, d'autres bâtiments encore ont été bâtis sur une sorte de colline. Je discerne ainsi, enchevêtrées les unes aux autres, une vingtaine de constructions de tailles différentes. Encore des dômes, des tours, des minarets, semblables à des stalagmites. Oui, c'est cela, des stalagmites. Comme si, depuis des millions d'années, des gouttes d'eau étaient tombées sur ces pierres et avaient creusé des galeries, des cavités, des reliefs. Car, c'est encore un paradoxe, ces bâtiments me semblent à la fois créés par quelqu'un, quelque chose, mais en même temps relevant complètement du minéral. Et partout cette impression d'être face à des amoncellements d'os géants, comme si j'avais devant moi des structures faites de gigantesques carcasses. Tous ces bâtiments semblent en réalité n'appartenir qu'à une seule architecture, ils sont tous reliés par des passerelles, par des sortes de liens filandreux. Je réalise alors à quoi me fait penser mon environnement : à une toile d'araignée géante. On dirait, en effet, que ces bâtiments gigantesques ont été enveloppés et transformés en cocons. Ils ont cet aspect de pierre, mais aussi une apparence un peu aqueuse, comme s'ils étaient recouverts d'un voile de cendres.

En cet instant, j'ai l'impression d'être dans un cimetière géant. Comme si chacun de ces bâtiments était une stèle, un tombeau.

Des terres mortes.

Les Terres Mortes.

Au fond de moi naît alors une certitude : je n'appartiens pas à cet endroit. Je ne suis pas le bienvenu. Il faut que je m'en aille.

Alors que je m'aventure dans l'une des allées partant de la place, je remarque une gravure sur l'une des parois d'un des bâtiments.

Je reconnais d'emblée l'inscription : « *Manus Dei* ». « La main de Dieu ». Il s'agit de la même inscription en latin que nous avions relevée en divers endroits de la Nef.

Instantanément, je décide de la suivre. Simplement parce que c'est la seule chose dans cet environnement dément qui me rattache à quelque chose que je connais. Qui me rattache à une issue.

En avançant dans l'allée, je remarque tous les dix mètres environ une nouvelle inscription. Peut-être s'agit-il d'une sorte d'indication pour sortir d'ici ? Je m'accroche à ce fol espoir et avance en m'enfonçant dans la cité abandonnée. Je marche dans des allées, tourne à gauche, à droite. Et je ne sais pas pourquoi, quasi inconsciemment, j'accélère le pas. Au bout de cinq minutes, je cours quasiment. Au fond de moi, naît une peur qui grandit, une intuition, une sensation. Il y a quelque chose ici. Quelque chose qui m'observe.

Non, il ne faut pas que je panique. Il faut que je me calme sinon je ne trouverai jamais d'issue.

Je m'arrête, reprends ma respiration, expire lentement. Puis je tends l'oreille, histoire de me persuader une bonne fois pour toutes qu'il n'y a personne d'autre ici que moi et ces pierres mortes. J'attends. J'entends dans le silence lourd simplement ma respiration sifflante.

Puis, je me mets à discerner, provenant de très loin, un son tamisé. Un martèlement sourd. Non, je dois rêver. Je me concentre à nouveau. Le martèlement semble se rapprocher. Soudain, je commence à sentir de légères vibrations au sol. Des pas lourds. Quelque chose approche, quelque chose me cherche. Comme un pressentiment, une pensée s'ancre dans mon esprit : si je reste là, je vais mourir. Je ne sais pas pourquoi, mais cela ne fait aucun doute.

Je me remets à courir, en suivant mètre après mètre les inscriptions « *Manus Dei* » sur les murs, comme un fil d'Ariane, comme le seul espoir auquel me raccrocher. Je refoule ma peur, ce doute qui me fait penser que ces inscriptions ne mènent nulle part. Et j'avance. Comme jamais, une peur panique se répand en moi, mes poils et mes cheveux se hérissent. J'ai des frissons et cette petite voix intérieure qui me répète : « Cours James, la mort te traque. »

J'ai la gorge en feu à force de respirer cet air chargé de cendres, j'ai les mains en sang à trop trébucher au sol.

Pourtant je ne m'arrête pas. Car, derrière moi, le martèlement se rapproche.

Bam. Bam.

Toujours plus fort, toujours plus près.

Je traverse encore quelques allées quand, finalement, je tombe nez à nez avec une immense paroi rocheuse. Je m'arrête net. Devant moi, la paroi est lisse, sans aucune saillie. Pas moyen d'escalader, pas moyen de revenir en arrière. Merde, c'est une impasse. Les inscriptions menaient à une putain d'impasse.

J'entends les bruits de pas lourds et effrayants plus près encore.

Bam.

Je m'approche de la paroi rocheuse. J'essaie de trouver une indication en latin quelque chose. Frénétiquement, je laisse glisser mes mains sur la pierre. Enfin, je remarque une inscription « *Manus Dei* ». Je m'approche. Non, ce n'est pas possible. Par un incroyable jeu de perspectives, l'inscription a été gravée à l'endroit même où une fissure s'enfonce dans la roche. Une fissure juste assez large pour laisser passer un homme de profil. Mais, dans l'ombre, et sans y prêter attention, il m'aurait été impossible de la repérer.

Est-ce que je dois y aller ?

Est-ce je ne serai pas pris au piège là-dedans ?

Le sol tremble sous le choc des pas. La chose qui me traque ne doit plus être qu'à quelques mètres.

Je n'ai pas le choix.

Je me faufile dans la fente, compresse ma cage thoracique afin de mieux pouvoir évoluer.

J'avance pas à pas. Après quelques mètres, je regarde d'où je viens. Il n'y a plus de bruit, plus un son. Je continue à avancer, à m'enfoncer dans les entrailles de la roche. Soudain, un cri suraigu me transperce les tympans. Je plaque mes mains contre mes oreilles. Cette sonorité me vrille la tête. On dirait un cri humain mêlé à celui d'un millier d'autres. Sous cette sonorité dissonante, une autre plus gutturale, sourde et basse, comme venant du tréfonds des âges.

Le hurlement s'arrête. C'est elle, la créature. Elle sait que je lui ai échappé. Il ne faut pas que je pense à ça.

Il faut que je continue. Je ne peux pas m'arrêter.

Pendant ce qui me semble être une éternité, je serpente péniblement au cœur de la fissure. Le goulot se resserre, me forçant à me faufiler entre deux parois quasiment collées l'une à l'autre. Puis il s'écarte, me laissant ainsi assez de largeur pour que je puisse y marcher naturellement. La fin de ma traversée est la plus difficile. Car, ici, en plusieurs endroits, il me faut m'allonger pour me faufiler sous les deux parois de la roche presque collées l'une contre l'autre. Heureusement que j'y vois un peu quelque chose là-dedans. Sinon, je n'aurais jamais pu trouver mon chemin. Ainsi, étonnamment, tous les cinq mètres, je trouve au sol des petits tas de pierres bleues luminescentes comme celles que l'on trouve dans la Nef. On dirait qu'elles ont été arrachées et déposées ici sciemment, comme des lanternes facilitant l'évolution au sein de la fissure. Ça me rassure doublement. D'abord, parce que je me dis que quelqu'un est déjà passé par ici. Ensuite, parce que si ces pierres bleues sont là, c'est que je ne suis pas si loin finalement de la Nef. J'avance encore, me baisse, passe par-dessus des éboulis, puis enfin m'allonge et me glisse dans une fente qui ne doit pas faire plus d'un mètre de largeur. J'arrive dans une immense salle. Je mets quelques secondes avant de comprendre qu'il s'agit bien de la Nef. Je suis du côté sud de l'immense caverne. Dans la partie que nous avions le moins explorée avec Caleb et Thomas. Justement, je vois de la lumière à une trentaine de mètres. Ce ne peut être qu'eux. Je m'avance péniblement, les bras et les jambes en sang. Je les vois distinctement maintenant, ils semblent inspecter une paroi rocheuse. J'essaie de les appeler. Mais je ne réussis qu'à tousser un nuage de cendres. J'essaie encore.

— Thomas.

Je tombe au sol exténué, mes jambes ne peuvent plus me porter autant par fatigue, que par le contre-coup de la terreur que je viens de vivre.

— Thomas.

Mon œil se trouble. J'ai juste le temps de les voir se retourner, se jeter vers moi. Je sens Thomas m'attraper. Je l'entends crier : « Ethan, Ethan tu m'entends ? Dis-leur de nous ramener. On a retrouvé James. Je répète, on a retrouvé James. Il est vivant. »

Mes yeux se ferment.

J'ai une dernière pensée avant de m'évanouir.

Je suis sauvé… pour le moment.

Des Terres Mortes.

14

6 octobre 1971
Station K27, 200 km au nord de Galena,
Alaska
Température extérieure : – 4 °C

Je cours dans un couloir interminable. Un couloir qui s'étire. Il n'y a pas d'issue. Aucune échappatoire. Il faut que je continue à courir.

Derrière moi, je sens sa présence. Elle s'approche. Alors qu'elle avance, le monde est plongé dans l'obscurité comme si un voile d'encre recouvrait tout sur son passage.

Je tombe au sol. Je me retourne. Je ne peux plus respirer. Au-dessus de moi se dresse une ombre gigantesque. Elle plonge sur moi…

Non…

Je rouvre les yeux.

Je ne vois d'abord rien.

Je sens une main qui se pose sur mon épaule.

Qui m'aide à me rallonger.

— Où suis-je ?

J'ai du mal à parler, j'ai la bouche pâteuse, comme endolorie.

— Calmez-vous, James. Tout va bien…

Ma vue s'habitue à la luminosité. Mais je ne vois encore que des taches de couleur.

— Où suis-je ? Il est là. Il me cherche…

— Calmez-vous, James. Vous êtes en sécurité. Vous êtes à la station. Tout va bien.

— Professeur Kleiner ?

— Oui, c'est moi.

— Elle est là, quelque part. Tapie.

— Non, calmez-vous, James. Vous avez juste fait un cauchemar.

— Un cauchemar…

Je sens mon pouls qui se ralentit.

— Qu'est-ce qu'il m'est arrivé ?

Je commence enfin à discerner mon environnement. Je suis dans l'infirmerie. Autour de moi Kleiner, ainsi que d'autres médecins. Plus loin Ethan et Caleb. Ils se sont redressés de leur chaise et me regardent avec stupéfaction.

— Tout va bien, James. Vous avez réussi votre mission. La cache d'armes a bien été détruite. Nos forces ont repéré une immense explosion dans la région de Snuol, le 28 septembre, à 4 h 58 du matin.

— Il y avait des civils, un village, des enfants. J'ai essayé d'arrêter…

À ces mots, je distingue Lettinger s'approcher et se placer à la gauche de mon lit.

— Vous avez fait un travail remarquable, Hawkins. C'est tout ce dont il faudra se souvenir.

— Mais il y avait des enfants…

— Chaque victoire a un prix, Hawkins. Ce qui compte, c'est que vous ayez réussi. En faisant exploser ce dépôt d'armes, vous avez considérablement fragilisé les forces Viêt-congs.

Kleiner reprend la parole.

— Et vous avez sauvé le projet Limbes. N'est-ce pas, monsieur Lettinger ?

— Oui. En effet, au vu des résultats remarquables des deux essais auxquels j'ai pu assister, je ne vois pas de raisons valables pour couper les financements du projet. Au contraire. Je repars à Washington dès demain. J'expose les résultats à mes supérieurs. Et je vous garantis que nous referons très rapidement appel à vous.

— Nous en parlerons plus tard, monsieur Lettinger. Je pense que James a besoin de repos.

— Oui, bien sûr.

Lettinger s'éloigne.

Kleiner va pour me laisser seul, mais je le retiens par le bras.

— Professeur ?

— Oui, James ?

— Il s'est passé quelque chose.

— Comment ça ?

— Combien de temps suis-je resté dans les vapes ?

— Vous voulez vraiment le savoir ?

— Oui.

— Ça fait maintenant huit jours que vous êtes dans un état léthargique.

— Comme un coma ?

— Non, plutôt comme si vous étiez plongé dans un profond sommeil. Nous n'avions jamais vu cela auparavant.

— Docteur, pendant que je dormais, je crois que j'ai découvert un nouvel endroit. Dans les Limbes.

— Pardon ?

— Oui. Après l'explosion, je me suis réveillé ailleurs, comme dans une immense ville, abandonnée.

Je vois les yeux de Kleiner s'écarquiller de surprise.

— Une ville, comment ça ?

— Je ne sais pas. Chaque bâtiment ressemblait à un temple. Mais l'architecture était étrange, comme organique et minérale à la fois.

— Vous l'avez trouvée ! Ce n'est pas possible !

Kleiner regarde à droite et à gauche. Il semble tout excité, parle comme un enfant.

— C'est remarquable, James. Je le savais ! Je savais qu'elle existait quelque part. Mais nous ne pouvons pas en parler ici. Soyez patient, je vous expliquerai tout.

— Mais…

— Vous ne vous rendez pas compte combien votre découverte est importante. Vous ne vous rendez pas compte !

Puis Kleiner me tapote sur la main et me laisse. Il rejoint Lettinger, se retourne une dernière fois, un large sourire aux lèvres, puis s'éloigne enfin.

Pendant le reste de la journée, je me sens comateux. Je ne parviens pas encore à retrouver mes forces. Le responsable de l'infirmerie, le Dr Gregson, m'aide à me soulever et à marcher quelques mètres. Mes membres sont tout endoloris. Comme si j'avais des fourmis dans tout le corps. Ethan est venu me rendre visite. Il m'a expliqué combien lui et son frère se sont inquiétés. Surtout Thomas, lorsqu'il m'a découvert en sang dans la Nef. Il paraît que ça fait plusieurs jours que je délire dans mon sommeil, comme si j'avais de la fièvre. Je parle d'une créature qui me poursuit.

Même moi, j'ai du mal à faire le tri entre ce que j'ai vraiment vécu là-bas et les cauchemars qui ont suivi. Je ne sais plus trop. Peut-être que Kleiner pourra m'en dire plus.

L'après-midi s'écoule et, peu à peu, je me sens sortir de mon état léthargique.

Gregson m'aide un peu à marcher. On discute ensemble de choses et d'autres. Je fume des cigarettes à l'entrée de l'infirmerie. Je fais tout pour penser à autre chose. Mais je n'ai qu'une seule envie. Qu'une seule chose en tête. Avoir des réponses. Comprendre. Il faut que Kleiner m'explique. Je pensais qu'il allait me prendre pour un fou, me dire que je délirais, que ce que j'avais vu n'était qu'un rêve. Pourtant, non. Il sait. Il semble connaître l'endroit où je me suis retrouvé.

Enfin, vers 18 heures, Brimley vient me chercher. Il m'installe dans un fauteuil roulant. Je suis en effet encore trop faible pour marcher jusqu'au bureau de Kleiner. Nous traversons les couloirs de la station. Nous croisons plusieurs scientifiques que je connais. Un me donne une claque sur l'épaule. Un autre me gratifie d'un large sourire. Un autre encore me serre la main en me disant que ça lui fait plaisir de me voir de retour. J'ai l'impression d'être un héros national. Mais c'est vrai qu'après tout j'ai sauvé le projet Limbes.

Nous arrivons enfin devant le bureau de Kleiner. Brimley frappe, puis entre. Comme à son habitude, Kleiner est affairé derrière son bureau. Brimley me pousse jusque devant le bureau en bois massif, puis s'assoit à mes côtés.

Kleiner lève la tête, replace ses petites lunettes sur son nez.

— John, pourriez-vous nous laisser seuls s'il vous plaît ?

— Euh, oui, bien sûr, professeur.

Brimley déçu, se relève, replace la chaise, puis quitte le bureau la tête entre les épaules.

Nous sommes seuls Kleiner et moi, enfin.

Le professeur me fixe quelques secondes, un large sourire aux lèvres, puis, finalement, soulève son corps fragile et usé, fait le tour de son bureau et regarde les rayonnages de sa bibliothèque.

— James, si je vous dis *Per Inania Regna*, est-ce que cela vous dit quelque chose ?

— Non, absolument pas. C'est du latin, non ?

— Oui, tout à fait. Si l'on traduit littéralement, cela veut dire « le Royaume des Ombres ». C'est un extrait de *L'Énéide* écrite par le poète grec Virgile... Cet extrait provient du Livre VI, vers 269. Voilà le texte original : « *Ibant obscuri sola sub nocte per umbram, Perque domos Ditis vacuas et inania regna.* »

Il dit ça avec un accent parfait, comme si le latin était sa langue maternelle.

— Et qu'est-ce que cela veut dire ?

— On pourrait le traduire par : « Ils marchaient dans les ombres obscures de la nuit solitaire, à travers les demeures vides de Pluton et le Royaume des Ombres. »

— Je ne comprends pas. Qu'est-ce que ça a à voir avec...

— Attendez, soyez patient... C'est très compliqué. Et je n'en ai jamais vraiment parlé à personne. Ce que je vais vous dire ce soir doit rester entre nous à jamais. Vous ne devez le répéter à personne.

— D'accord, mais je ne comprends toujours pas. Quel rapport avec ce que j'ai vu dans les Limbes ?

— Attendez, vous dis-je. Vous n'avez donc jamais entendu parler de *Per Inania Regna*, le Royaume des Ombres ?

— Non.

— En même temps, cela est tout à fait normal, car il s'agit d'un des secrets les mieux gardés de l'Histoire de l'humanité. Très peu de personnes connaissent encore son existence.

— L'existence de cette citation ?

— Non, car *Per Inania Regna* est, bien entendu, une citation célèbre de Virgile, mais c'est aussi le titre d'un livre écrit aux alentours de 1527. Pas n'importe quel livre. C'est l'ouvrage le plus rare et le plus convoité de l'Histoire. Un livre oublié. Un livre interdit. Pendant des années, le seul fait de le posséder vous plaçait en danger de mort... Il n'en subsiste aujourd'hui que deux exemplaires. Un est caché au cœur de la bibliothèque secrète du Vatican.

— Et le second ?

— Il est ici... Là, sous vos yeux.

Je me retourne pour faire face au professeur. Il s'est un peu écarté de la bibliothèque et me montre de la main la vitrine en verre que j'avais repérée à mon arrivée. En effet, elle abrite un ouvrage vieilli, usé, posé dans un écrin de velours rouge.

— Je ne peux vous le montrer, malheureusement, il est trop abîmé. Il faut le manipuler avec une extrême précaution. Et l'humidité environnante risquerait de le détériorer encore un peu plus.

— Qu'est-ce que c'est que ce livre ?

— Une légende, un mythe… un délire de collectionneur averti. Des amateurs du monde entier ont passé leur vie à le chercher, certains en sont devenus fous, obsédés par cette quête. Je ne vous raconterai pas comment je me suis procuré cet exemplaire, ça serait trop long et fastidieux. Sachez simplement qu'il m'aura fallu une vie entière et de terribles sacrifices pour pouvoir mettre la main dessus.

— Mais pourquoi est-il si rare, si recherché ?

— Parce qu'il remet en question notre monde comme nous le percevons aujourd'hui, parce qu'il ouvre certaines portes… Mais surtout parce qu'il est dangereux pour tous ceux qui ont essayé de faire obéir notre civilisation à leur réalité.

— Je ne vous suis pas trop.

— Excusez-moi. Mais imaginez que je dois essayer de faire le tri dans ma vieille tête en vous parlant. Plus de cinquante ans de recherche à résumer ici et maintenant… Je vais essayer d'aller à l'essentiel.

Kleiner retourne derrière son bureau et, après s'être massé les tempes, reprend.

— *Per Inania Regna* est un carnet de voyage, le plus stupéfiant journal jamais réalisé. Ce livre a été écrit en 1527 par un homme appelé Geronimo de Aguilar. Aguilar était un père franciscain engagé dans la conquête de l'Amérique aux côtés du conquistador Hernan Cortes. Durant de nombreuses années, il sillonna les terres d'Amérique du Sud pour évangéliser les tribus rencontrées. Aguilar était un homme pieux, convaincu de ses convictions religieuses et de la légitimité de convertir les peuplades sauvages à la religion catholique. Cependant, en bon franciscain, l'usage de la violence le répugnait. Là où les autres moines et missionnaires n'hésitaient pas à faire couler le sang en cas de résistance, lui préférait rester pacifique, s'armer de patience. En 1510, Aguilar arrive à la colonie de Santa Maria la Antigua del Darien. Là encore, il est témoin des violences et des exactions terribles perpétrées par les conquistadors sur les Indiens. En 1511, il parvient à convaincre le procureur Juan de Valdivia de l'accompagner à Santo Domingo pour plaider sa cause auprès des autorités espagnoles en place et ainsi, l'espère-t-il, mettre fin au règne de terreur des conquistadors. Ils embarquent ensemble dans une caravelle dont l'équipage est composé de soixante hommes et deux femmes. Après plusieurs jours de navigation, le navire échoue au large de la péninsule du Yucatan en se retrouvant piégé sur un haut-fond, un banc de sable. Après plusieurs jours passés à essayer de dégager le bateau, Aguilar et l'équipage décident finalement d'embarquer sur des chaloupes pour tenter de rejoindre la Jamaïque. Mais de forts courants les entraînent vers les côtes du Yucatan. Là, ils sont faits prisonniers par une tribu maya. Exténués, affamés par leurs longues journées de dérive, ils ne peuvent et n'essaient d'ailleurs même pas de combattre ou de résister. Valdivia et quatre autres hommes sont sacrifiés aux dieux, les autres réduits en esclavage. Durant les semaines qui suivent, beaucoup vont mourir de fatigue, de malnutrition ou de maladie causées par les conditions terribles de captivité. Enfin, malgré leur état de faiblesse critique, Aguilar et quelques autres parviennent à déjouer la surveillance des gardes et à s'échapper. Après quatre jours de marche, Aguilar est le dernier homme debout. Ses camarades, des marins de la caravelle, sont tombés les uns après les autres, harassés, affamés, incapables de faire un pas de plus dans cette jungle qui est le pire des pièges pour qui n'en connaît pas les secrets. Aguilar évolue seul péniblement encore environ deux jours, puis, lui aussi, abandonne le combat. Il s'écroule à terre, incapable d'avancer plus, résigné à mourir là, au cœur de ce terrible labyrinthe végétal. Mais, par chance, il est recueilli par des chasseurs d'une autre tribu maya. Ils le désaltèrent, le nourrissent et le ramènent jusqu'à leur cité, la ville de Chetumal. Aguilar est emmené auprès du chef de la cité, un dénommé Nachan Kaan. On ne sait exactement pourquoi, même lui, dans ses mémoires, dit ne pas se l'expliquer, mais Kaan lui laisse la vie sauve. Là où la tradition veut qu'un prisonnier soit offert en sacrifice aux dieux. Mieux, Kaan ne le réduit pas en esclavage, mais le laisse libre d'évoluer sans entrave dans Chetumal. Fasciné par cet homme et par la culture maya, Aguilar s'installe dans la ville, ne cherche plus à fuir. Il se convainc ainsi que Dieu l'a mené en cette ville pour une raison précise. Rapidement, il apprend des rudiments de langue maya. Semaine après semaine, il se rapproche de Nachan Kaan. Ce dernier semble fasciné par le monde occidental, ces terres par-delà les mers, où d'autres hommes à la peau blanche vivent une tout autre vie. Quelque part, il semble croire qu'Aguilar est un envoyé divin, un émissaire. Volontairement, parce qu'il sait que c'est la condition de sa survie, Aguilar va entretenir cette mystification. Il dépeint son monde, comme un univers baigné de magie, de puissances occultes, et Kaan l'écoute, le croit. Il demande encore et encore à ce qu'Aguilar lui raconte des histoires sur son peuple, sa vie, sa religion. Il lui accorde toute sa confiance et, mois après mois, lui révèle tous les secrets de la culture maya. C'est là que le livre devient véritablement intéressant.

— Comment ça ? Cette histoire est déjà fascinante…

— Certes, mais il s'agit d'un récit d'explorateurs comme tant d'autres. Non, ce qui est fascinant, c'est ce qui arrive après. Aguilar a passé huit années à vivre auprès de Nachan Kaan à Chetumal. Il est devenu, année après année, son conseiller principal pour les questions diplomatiques et les relations avec les autres cités mayas. Kaan avait fini par convaincre le peuple entier de Chetumal qu'Aguilar était un envoyé des dieux. Au bout de trois ans, Kaan considéra qu'il était prêt à l'initiation.

Kleiner marque un temps d'arrêt, comme s'il hésitait à continuer son récit… Je le relance.

— L'initiation, mais à quoi ?

— Pour entrer au cœur de ses rêves, pour visiter le Monde inférieur. Dans la religion maya, le monde est divisé en trois parties distinctes : la Terre, le Ciel et le Monde inférieur, appelé Xibalba. La religion maya est encore aujourd'hui très mystérieuse, les informations à son sujet restent confuses, partielles. La mémoire des Mayas était principalement orale, elle a donc disparu avec la décimation de son peuple. Hormis un seul ouvrage, le Pop Vuh, un équivalent de la Bible pour les Mayas, qui partage d'ailleurs de troublants points communs avec cette dernière, nous ne connaissons que très peu de choses sur les mythes de cette civilisation. Les approximations ou contresens sont légion. On associe souvent Xibalba aux Enfers, alors qu'il n'en est rien. Comme l'explique justement Aguilar, le Monde inférieur est un autre monde qui coexiste avec le nôtre.

— Les Limbes…

— Oui, exactement. Les Mayas avaient trouvé un moyen d'y accéder. En utilisant des dérivés de plantes et de racines psychotropes, ils entraient dans une sorte de transe et se retrouvaient projetés dans la Cité de Lumière, cette même ville que vous avez découverte. Chaque nuit, les Élus se rendaient dans cette ville, honoraient les dieux et faisaient en sorte de respecter l'Équilibre.

— L'Équilibre ?

— Oui. Aguilar n'a jamais pu les voir de ses propres yeux, car l'accès aux temples lui était formellement interdit dans la Cité de Lumière. Mais Kaan lui a raconté que des Veilleurs vivaient alors dans la Cité. Au cœur de certains temples, ils dictaient aux Mayas la marche à suivre par leur peuple, les grandes actions à exécuter. C'est d'ailleurs eux qui avaient prévenu Kaan de l'arrivée d'Aguilar, eux encore qui l'avaient incité à initier l'Espagnol au voyage dans le rêve. Eux enfin qui avaient indiqué aux Élus que la fin des temps arriverait avec les hommes recouverts d'or. Les conquistadors. Ainsi, ce qui est troublant, c'est que dans l'un de leurs calendriers, car ils en avaient plusieurs, les Mayas ont prophétisé très exactement la fin de leur monde avec l'arrivée des forces espagnoles.

— Je ne comprends pas bien, qui étaient ces Veilleurs ? Et pourquoi n'ont-ils pas essayé d'empêcher le massacre des Mayas ?

— Je ne sais pas qui ils sont. Je ne sais même pas vraiment s'ils ont jamais existé. Tout ce que je sais, c'est ce qu'en raconte Aguilar dans son livre. Lui aussi s'est interrogé sur le fatalisme des Mayas. Kaan lui a expliqué que les Veilleurs ne faisaient qu'établir l'ordre des choses. Il dit ces mots : « Ils ne font que créer ce qui doit être créé. »

— Avec tout le respect que je vous dois, professeur, j'ai du mal à croire à toute cette histoire, c'est trop fou...

— Je ne vous en veux pas du tout, James. Alors que je commençais à m'intéresser aux mécanismes du sommeil et du rêve, que je m'introduisais dans le cercle des rares chercheurs qui se penchaient sur la question à mon époque, il y a bien longtemps de cela, j'ai entendu parler de ces voyageurs du rêve, de ces hommes capables de maîtriser leurs songes. On en parlait comme d'une blague, d'une vaste supercherie... Moi aussi, j'ai longtemps eu du mal à y croire. Je pensais qu'il s'agissait d'un délire d'illuminés, d'une mystification. Et pourtant, alors que je voyageais pour l'avancée de mes recherches en Amérique latine, en Australie, en Afrique, en Indonésie, afin d'y rencontrer les chamans, marabouts ou sorciers et recueillir leurs témoignages sur leurs expériences en état de transe, de méditation, d'étranges recoupements m'ont intrigué, m'ont poussé à aller plus loin. Puis, on m'a introduit auprès de certains initiés, de personnes qui se disaient capables de voyager dans les rêves, capables d'entrer dans le corps des autres. J'ai moi aussi mis longtemps à y croire, je pensais qu'il s'agissait de folklore, je pensais que tout s'expliquerait par le plus pur pragmatisme, par le mécanisme complexe du cerveau en état d'endormissement. Puis les années ont passé, les expériences que j'ai vécues m'ont bouleversé à jamais, elles m'ont forcé, ne m'ont laissé d'autres choix que d'y croire. J'ai noté d'étranges recoupements. Toutes parlaient d'un même cheminement pour accéder à la maîtrise des rêves : on parlait d'une grotte, d'une Nef, de pierres bleutées, de la sensation de sortir de son corps, d'être projeté à une vitesse phénoménale dans des boyaux rocheux, puis de voir au travers des yeux d'un autre... Ces mêmes personnes, que l'on appelait toujours, malgré les différences d'idiomes, aussi surprenant soit-il, dans tous les pays visités, des Élus, certains d'eux me parlaient aussi d'une vieille légende, d'une cité oubliée au cœur du Royaume des rêves. C'est à cette période, il y a maintenant une quarantaine d'années, que j'ai entendu pour la première fois parler de *Per Inania Regna*. Puis, moi aussi, ce livre m'a obsédé, sa quête m'a fasciné, m'a dévoré. Cette recherche est devenue obsessionnelle. J'ai souvent cru devenir fou. Et pourtant ce livre existait. Et son histoire était vraie. Car comme je vous l'ai dit, j'ai noté d'étranges recoupements, d'une culture l'autre, d'un pays l'autre, les peuples qui expérimentaient des voyages dans les rêves me parlaient tous de la légende d'une cité oubliée.

— Comment ça ? Je croyais qu'il ne s'agissait que des Mayas qui avaient accès à la Cité de Lumière.

— Non, c'est bien plus compliqué que cela. Kaan et quelques autres hommes étaient les Initiés, les Élus, des émissaires, mais uniquement ceux du peuple maya. Car, c'est là où je voulais en venir, la Cité de Lumière abritait des Élus venant des quatre coins du monde : Dogons, Balinais, Égyptiens, Tibétains, Peuls, Bochimans, Indiens d'Amérique... Il semblait que, depuis des siècles, quelques rares Élus se retrouvaient là, pour qu'on leur dise ce qui allait advenir d'eux et qu'ils fassent en sorte que cela advienne. C'est l'une des révélations les plus stupéfiantes du livre d'Aguilar. Dès sa première visite dans la Cité de Lumière, il note qu'en plus des Mayas il croise d'autres personnes : des hommes d'origine asiatique, indienne, africaine. Tous appartenaient à des sortes de congrégations qui venaient ici attendre les recommandations des Veilleurs.

— Mais comment faisaient-ils pour communiquer ?

— Vous le verrez, si vous parvenez à en retrouver le chemin. *A priori*, dans la Cité de Lumière, la barrière des langues est abolie, chacun comprend l'autre. Pourtant, il était formellement interdit aux Élus de différentes congrégations de parler entre eux de certaines choses. C'est ce qui était appelé la Règle de l'Équilibre. Les Élus ne devaient jamais parler entre confréries différentes du monde du dehors de leur culture, de leurs avancées. Aguilar dit que les Veilleurs se refusaient absolument à ce que soient créées des interférences entre les peuples. Quiconque était surpris en train de partager des informations sur le monde réel se verrait ôter la vie par ses pairs. Bien sûr, l'homme étant ce qu'il est : une créature faillible, des échanges eurent malgré tout bien lieu. Cela explique les étranges concordances à des dizaines de milliers de kilomètres de distance entre les architectures mayas et égyptiennes par exemple, les sites mégalithiques de Malte, de Baalbek en Iran et de Stonehenge en Angleterre, ou les méthodes d'irrigation et l'apparition de la roue au même moment en Égypte et en Mésopotamie, ou encore certains cultes religieux étonnamment proches comme l'usage de la momification au Tibet, au Japon, en Chine, en Amérique latine et, bien sûr, en Égypte.

Il y eut donc des interférences, malgré tout… Mais la plupart des Élus respectaient la Règle.

— Et Aguilar dans tout ça ?

— Aguilar, lui, n'était qu'un témoin. Il relatait jour après jour ces expériences au sein de la Cité de Lumière. Son initiation a duré cinq ans. À l'été 1519, un événement extérieur l'a stoppé net.

— Que s'est-il passé ?

— Hernan Cortes et ses hommes ont conquis Chetumal. Ils en ont décimé la population. Aguilar manqua lui-même d'être exécuté. Car, les années passant, sa peau s'était tannée, une longue barbe recouvrait son visage, il s'habillait comme un Maya. Alors qu'un conquistador pointait une lance sur lui, prêt à la lui enfoncer dans le poitrail, Aguilar lui parla en espagnol. Il fut emmené auprès de Cortes qui reconnut en lui le père franciscain qui l'avait accompagné des années auparavant. Aguilar raconta son incroyable histoire, on le prit d'abord pour un fou. Puis l'homme leur fit la preuve de ses dires. Il avait pu apprendre les recettes des plantes à mélanger pour entrer en transe et accéder à la Nef, puis à la Cité de Lumière. Il initia quelques conquistadors, dont Cortes lui-même. Stupéfait de la découverte, le conquistador décida de renvoyer Aguilar en Europe. Le moine fit le voyage accompagné de quelques autres esclaves mayas, enchaînés au fond d'une cale. Pour Cortes et ses hommes, Aguilar n'était plus vraiment un homme, il leur faisait peur, ses révélations dérangeaient. Mais Cortes comprit malgré tout que, ce qu'il cherchait depuis des années, il venait de le découvrir.

— Comment ça ?

— Vous avez déjà entendu parler du mythe des Cités d'Or. Une ville entièrement bâtie en or, emplie de richesses. Cortes et de nombreux autres conquistadors ont passé de longues années à rechercher cette ville. Pourtant, tous couraient après une chimère, car cette cité n'était qu'un rêve. Les Cités d'Or étaient en réalité cette Cité de Lumière, inexistante et pourtant réelle. Il aura suffi d'une traduction approximative, de quelques racontars pour créer un mythe durable auquel certains croient aujourd'hui encore. Mais revenons à Aguilar…

— Oui, qu'est-il devenu ?

— Une fois arrivé sur les côtes espagnoles, Aguilar fut emmené en Italie, à Rome, au Vatican. Il y rencontra le pape et ses cardinaux. Encore une fois, il essaya de leur raconter son incroyable découverte. Encore une fois, ils ne le crurent pas. Encore une fois, il dut former certains moines et leur montrer pour qu'ils voient de leurs propres yeux. Mais le Vatican ne reconnut jamais l'existence de cette Cité. Au contraire, elle remettait en question l'existence même de Dieu, l'existence même d'une religion monothéiste. Le Vatican força alors Aguilar à former d'autres moines, toujours plus, pour que ces derniers puissent faire disparaître cette Cité, et en éliminer ses habitants. Le Saint-Office fut chargé d'éradiquer cette menace. Ce fut l'Inquisition oubliée. Les moines formèrent un ordre qu'on appela la Manus Dei.

— C'était donc cela toutes les annotations que nous avons remarquées dans la Nef.

— Oui, absolument. « *Manus Dei* » signifie « La Main de Dieu ». Ils furent chargés de détruire la Cité et d'en éliminer ses habitants, convaincus de faire disparaître à jamais l'antichambre des Enfers. En septembre 1521 eut lieu la Nuit de sang. Une centaine de moines accédèrent à la Nef, puis pénétrèrent dans la Cité de Lumière et en tuèrent tous les habitants. Pas un seul ne survécut. Car vous l'avez expérimenté vous-même, les blessures reçues dans les Limbes subsistent dans le monde réel. Et personne n'avait jamais appris aux Élus à se battre, à résister.

— Et les Veilleurs, pourquoi ne sont-ils pas intervenus ? Eux aussi ont été tués ?

— Personne ne le sait. Aguilar lui-même ne faisait pas partie de l'expédition de la Manus Dei. On lui proposa d'en prendre la tête, en échange du salut. Il s'y refusa toujours. Il batailla pour faire entendre raison au Saint-Siège. Mais il était trop tard. Il fut mis aux fers dans la prison du Vatican et tout contact avec lui fut formellement proscrit. On ne sait pas vraiment ce qu'il est advenu de lui. On raconte qu'il est mort après des années d'enfermement, devenu fou, mais tout cela reste assez obscur. Peut-être a-t-il été tué... On ne sait d'ailleurs pas comment le manuscrit *Per Inania Regna* a pu sortir des geôles du Vatican. En revanche, ironie du sort, les dernières lignes du livre du manuscrit d'Aguilar sont particulièrement saisissantes. Il explique pourquoi son témoignage doit s'appeler *Per Inania Regna*. Ainsi, toute sa vie, il a cru en un Dieu, une religion, qui lorsqu'elle en eut le moyen, plutôt que d'offrir au monde la lumière et la connaissance, préféra le plonger dans les ombres. Le Royaume des Ombres, ce n'est pas son expérience chez les Mayas, c'est celle qu'il a connue en rentrant en Europe. Son livre s'achève par ces lignes étranges : « Le monde a choisi les ombres là où je lui offrais la lumière. Il est une chance, il est toujours un fol espoir que quelqu'un m'ait entendu et rétablisse enfin l'équilibre. Il est une chance, un fol espoir que l'enfant qui viendra fasse à nouveau jaillir la lumière dans ces Cités éteintes. »

Kleiner cesse là son récit, le souffle court, comme si cette histoire, le fait de me la raconter, l'avait exténué. Il ferme les yeux de longs instants. À ce moment, il me semble terriblement vieux, usé. Je comprends alors combien cette quête, cette recherche des Limbes, est l'œuvre d'une vie. J'imagine en regardant ce visage émacié, strié des marques indélébiles de l'existence, combien il a dû batailler seul contre les moulins de la bonne pensée et de la raison, combien ses pairs, ses collègues ont dû longtemps le prendre pour un fou, un doux illuminé, combien toute sa vie durant cet homme a dû se sentir seul avec ses certitudes. Combien il a dû lui-même douter. À moi-même, il m'aurait raconté cette histoire quelques mois plus tôt, je l'aurais pris pour un aliéné. Jamais je n'aurais pu croire l'histoire d'Aguilar. Mais, maintenant, après tout ce que j'ai vu, tout ce que j'ai vécu, le doute n'est plus possible. C'est la vérité.

Kleiner rouvre finalement les yeux, saisit sa pipe qui repose sur son bureau, puis lentement la fourre de tabac. Il ne parle pas. Il me laisse digérer le flot d'informations phénoménales que je viens d'emmagasiner. Puis, enfin, il aspire une bouffée de sa pipe, conserve la fumée quelques secondes en bouche, puis la recrache lentement, la tête légèrement penchée en arrière. Il reprend.

— C'est toute ma vie, James. Vous comprenez ?

— Oui, je comprends.

— Et vous venez de m'apporter la réponse que j'ai longuement attendue. Celle que j'ai toujours cherchée.

La Cité existe. Elle a toujours existé. Vous ne vous en rendez pas compte, le soulagement que ça signifie pour moi. Et ce soulagement se double d'un autre, celui de pouvoir parler de tout ça à quelqu'un d'autre. Pouvoir enfin partager ça et cesser de le ruminer pour moi-même.

— Et pourquoi ne jamais avoir parlé de cela avant, avec d'autres scientifiques, ceux qui vous font confiance, qui travaillent à vos côtés ?

— Parce qu'on m'a suffisamment traité de fou. Et parce que la confiance que j'ai tissée avec ces derniers est si fragile que je ne voudrais pas prendre le risque de la briser avec de nouvelles questions. En les faisant venir ici, en plus d'abandonner leurs familles, leurs proches, mes collaborateurs ont dû aussi mettre de côté leurs certitudes, remettre en question tout ce qu'ils croyaient savoir. Tout ce qu'ils avaient appris. Chaque chose en son temps. Pour le moment, ils ne sont pas prêts.

— Alors ? Qu'est-ce qu'on doit faire maintenant ?

— Il faut retourner dans la Cité. Essayer de comprendre, de savoir ce qui s'y est vraiment passé avec la venue de la Manus Dei. Mais surtout essayer de trouver une trace des Veilleurs.

— Je ne sais pas si je pourrai et si je veux y retourner.

— Et pourquoi, James ?

— J'ai eu l'impression que je n'étais pas seul là-bas. J'ai senti comme une présence, la présence la plus malfaisante, la plus noire que j'aie jamais ressentie. La mort rôde dans la Cité. Le mal pur.

— Ce n'est pas possible. La Cité est abandonnée. Plus personne n'y vit depuis des siècles.

— Je vous garantis que quelque chose y erre.

— Eh bien, ne vous en faites pas. Vous ne serez pas seul. Caleb et Thomas vous accompagneront. Et au moindre danger, nous vous rappellerons à nos côtés. Il n'y a rien à craindre.

— Si vous le dites.

— Comprenez-moi, James. Nous ne pouvons pas nous arrêter. Pas maintenant. Nous sommes si près du but. J'ai attendu ce moment toute ma vie.

— Je comprends, professeur. Dans ce cas, j'y retournerai. Mais j'ai un très mauvais pressentiment.

— Je vous garantis que nous prendrons toutes les précautions nécessaires. Il n'y a aucun risque.

— Je l'espère, professeur.

— Concernant votre prochaine expédition, n'en parlez à personne. J'avertirai les principaux intéressés : Ethan, Thomas et Caleb. Personne d'autre ne doit savoir. Et surtout pas Lettinger.

— D'accord.

Je vais pour quitter le bureau, commence à faire reculer mon fauteuil roulant. Kleiner se lève, m'accompagne jusqu'à la porte, puis l'ouvre. Il me pose affectueusement la main sur l'épaule.

— Nous sommes à l'aube d'une nouvelle ère. Le monde ne sera plus jamais le même lorsque nous aurons révélé nos découvertes. Nous avons franchi la dernière frontière, James.

— Oui, professeur.

— Merci, James. Merci pour ce que vous venez de découvrir.

Je sors de son bureau.

Brimley m'attend dans le couloir. Il semble furibond d'avoir été mis à l'écart par Kleiner. Alors qu'il me ramène à ma chambre, qu'il m'assaille de questions, je ne réponds pas ou dans le vague. Je ne l'écoute pas vraiment. Mon esprit est ailleurs. Je repense aux derniers mots du professeur. Malgré moi, ils ne parviennent pas à me convaincre, à me rassurer.

Une nouvelle ère…

Au fond de moi, au cœur de mes tripes, de mes entrailles, d'autres mots se forment comme une terrible certitude, comme une fatalité funeste. Non, ce n'est pas une nouvelle aube, c'est un crépuscule de mort qui nous attend.

Un crépuscule de mort…

15

11 octobre 1971
Station K27, 200 km au nord de Galena,
Alaska
Température extérieure : – 6 °C

C'est aujourd'hui que nous retournons dans la Cité,
Caleb, Thomas et moi. Kleiner nous a réunis avec
Ethan pour nous présenter les enjeux de cette expédition. Il n'a pas raconté toute l'histoire de *Per Inania
Regna* à Caleb. Il lui a simplement expliqué que j'avais
fait une découverte considérable, une nouvelle zone
dans les Limbes. Pour Kleiner, le but de notre mission
est simple : retourner sur place, évoluer le plus longtemps possible dans la Cité et en ramener un maximum
d'informations. Je vois bien au regard circonspect de
Caleb qu'il se doute qu'on lui cache quelque chose,
mais comme à son habitude il ne dit mot. Il accepte sa
nouvelle mission dans un grognement. Sans curiosité,
sans question. Il ne cherche pas à en savoir plus.

C'est aussi aujourd'hui que Lettinger quitte la base.
Je soupçonne Kleiner d'avoir attendu ce moment
précis pour poursuivre l'exploration de la Cité. Il m'a

bien fait comprendre que Lettinger ne devait pas être mis au courant.

C'est enfin aujourd'hui que, pour la première fois, depuis mon arrivée, ma confiance inébranlable en Kleiner a commencé à doucement s'effriter. Comme si d'un seul coup je découvrais une facette de sa personnalité qui m'était encore inconnue ou que je m'étais refusé à voir. Comme si la silhouette de bonhomie, de sagesse et de gentillesse du professeur commençait à lentement se fissurer. J'ai surtout eu l'impression pour la première fois de ne pas être mis dans la confidence. J'ai ressenti la désagréable sensation qu'on ne me disait pas tout, mais simplement ce qu'il suffisait que je sache pour que je continue mon travail.

En effet, ce matin, alors que je me rendais au Labo pour rejoindre les autres et me préparer à l'expédition, je suis tombé, au détour d'un couloir, sur Lettinger et Kleiner qui discutaient. Lettinger semblait sur le départ, sa mallette à la main. Un peu plus loin, à quelques mètres de lui, un militaire attendait patiemment, portant la valise de Lettinger à bout de bras. Ils ne m'avaient pas vu. Je rebroussais chemin, pour me cacher à l'angle du couloir, dans une zone d'ombre. Peut-être parce que l'attitude de Lettinger, sa manière de parler à voix basse à Kleiner, sa tête penchée sur l'oreille du professeur, ses coups d'œil effrayés à droite et à gauche me convainquirent que quelque chose se tramait. Je me collais à la paroi, avançais de quelques centimètres, à pas de loup dans leur direction, en faisant de mon mieux pour ne pas être repéré par l'œil de vautour de Lettinger.

Je n'entendis que quelques bribes éparses de la conversation. Des mots susurrés à l'oreille de Kleiner. Mais cela me suffit pour en saisir la terrible portée.

— Rendez-vous en compte, professeur… fascinant… marionnettistes du monde… tout faire basculer… nouvel ordre… renverser la situation… Viêtnam… détruire le bloc communiste… écrire l'Histoire… contrôle… ensemble… sans même verser le sang… Amérique toute-puissante.

Et là où j'aurais aimé entendre un signe de mécontentement dans la bouche de Kleiner, un rejet absolu de ces paroles terrifiantes, ou ne serait-ce qu'une pointe de doute, tout ce que je vis, c'était ce visage servile, soumis. Tout ce que j'entendis fut des mots d'une pathétique résignation : « Oui, bien entendu, nous ferons notre possible. »

Lettinger, finalement, serra longuement la main du professeur, un large sourire aux lèvres.

Enfin, avant de quitter Kleiner, l'agent de la CIA lui dit ces derniers mots :

— Je reviens dans quelques semaines. Et nous pourrons lancer les premières opérations.

Puis Lettinger s'est éloigné de Kleiner. Le professeur est resté là quelques instants, les yeux dans le vide. À cet instant, j'ai cru percevoir du doute, de la peur, une pointe de rage peut-être : comme s'il se rendait compte que, déjà, sa formidable découverte lui échappait. Puis son masque s'est refermé et il s'est dirigé vers le Labo.

Tout cela s'est déroulé il y a environ deux heures. Désormais, je suis allongé sur mon lit dans le Labo. Kleiner est au-dessus de moi, achevant de contrôler que tous les capteurs sont bien en place. Il me sourit amicalement. Je lui rends son sourire tant bien que mal. J'aimerais lui parler de ce que j'ai entendu, lui dire que je me sens déçu, trahi, mais, au fond de moi, je me dis que ce n'est ni le moment ni l'endroit. Finalement, l'anesthésiste s'approche, m'envoie son cocktail et je sombre dans les vapes. Avant de m'endormir, j'entends la voix de Kleiner douce et rassurante.

— James, faites votre possible pour me ramener un maximum de données et d'informations. Je compte sur vous…

Le noir.

Je m'éveille dans la Nef. Je reprends mes esprits, puis rejoins Caleb et Thomas qui m'attendent un peu plus loin, auprès des stèles.

Thomas s'approche de moi et me saisit la main qu'il serre longuement.

— James, je suis heureux de te revoir en pleine forme. Tu nous as fait très peur à Caleb et moi.

Caleb, comme d'habitude reste à l'écart, les yeux baissés, il donne des petits coups de pied au sol, trahissant son agacement.

— Merci, Thomas. Ça va mieux maintenant. Mais je dois t'avouer que, moi aussi, je me suis fait peur.

— Je n'ai pas bien compris ce que nous sommes censés faire. Ethan m'a expliqué que tu avais découvert une nouvelle zone. C'est vrai ?

— Oui. Absolument. J'ai trouvé quelque chose. Mais plutôt que de te décrire ce que j'ai vu, il vaut peut-être encore mieux que je vous y emmène Caleb et toi. Suivez-moi, c'est de ce côté.

Je les entraîne vers la paroi de la Nef. Après quelques minutes, je retrouve la fissure, sous laquelle je m'étais glissé pour les rejoindre. Je me mets accroupi, me faufile.

Thomas semble hésiter.

— Suivez-moi, c'est par-là.

— Tu en es sûr ? Il n'y a aucun danger.

— Non. Je ne crois pas. Il faut traverser ce goulot, puis serpenter une dizaine de minutes dans ces failles. Le chemin est balisé. Ensuite, vous verrez.

Les deux me suivent. Caleb passe en dernière position. Je sens sa nervosité, son hésitation avant de se faufiler dans la faille.

Nous évoluons péniblement. Heureusement que les quelques pierres luminescentes laissées là par les membres de Manus Dei permettent d'y voir à peu près. Étonnamment, le chemin me paraît bien moins long que lors de mon premier périple.

Après quelques minutes, nous ressortons de l'autre côté.

Mes deux compères restent longuement subjugués devant le spectacle qui s'offre à leurs yeux. Dans l'atmosphère grisâtre, emplie de cendres, les minarets et les temples apparaissent comme un rêve filtré par cette poussière de cendres omniprésente. Nous avançons dans une rue silencieuse, brassant sous nos pas un nuage de poussière. Thomas laisse glisser sa main le long d'une paroi d'un temple. Il semble perdu, déboussolé.

— Mais qu'est-ce que c'est que ça ? Une ville ?

— Oui. Ça en a l'air. Mais je n'en sais pas plus que vous. C'est pour cela que nous sommes là, pour essayer de comprendre.

Je mens de manière éhontée, mais Kleiner m'a bien averti de ne parler à personne de l'histoire d'Aguilar et *Per Inania Regna*.

— Cette ville est habitée ?

— Non, je ne crois pas. Lors de ma première visite, je n'ai pas croisé âme qui vive.

En repensant à mon éveil dans la Cité, et à cette sensation, cette certitude qu'une créature, que quelque chose m'avait poursuivi, je réprime un frisson, mais je fais de mon mieux pour le dissimuler et continue à avancer.

— On dirait que cette ville a été abandonnée depuis des siècles, des millénaires, reprend Thomas.

— Oui, c'est l'impression que j'ai eue moi aussi.

— Mais à quoi pouvaient donc servir tous ces temples ? Tu as déjà entendu parler de cet endroit, Caleb ?

Caleb s'approche de nous. Au fond de son regard, je sens comme une peur sourde qu'il cache tant bien que mal.

— Oui, j'ai entendu parler de cet endroit. C'est une vieille légende qu'on nous racontait gamin. Une cité oubliée. Peuplée des âmes des ancêtres. Un lieu interdit. Nous sommes au cœur de Tjukurrpa. C'est un territoire sacré. Nous n'avons pas le doit d'être là. Il s'est passé des choses ici, je le sens. Des choses horribles. La mort s'est abattue et a tout recouvert. Je le sens.

Le sixième sens de Caleb ne le trahit pas. J'ajoute :

— Oui, j'ai eu cette même impression la première fois. J'avais l'impression de visiter un mausolée géant. Des terres mortes…

— Oui, les Terres Mortes, c'est cela, rajoute-t-il. La mort a tout recouvert ici. Il faut faire vite, ne pas nous attarder… Je sens quelque chose. Quelque chose de puissant, de dangereux…

J'essaie de le rassurer tant bien que mal.

— Ne t'en fais pas, Caleb, il n'y a rien à craindre. Je suis déjà venu ici. Je te le répète, il n'y a pas âme qui vive.

— Tu mens mal, Hawkins… Je ne sais pas ce que tu nous caches, mais je sais qu'il y a quelque chose que tu ne nous dis pas. Et d'ailleurs s'il n'y a rien à craindre, pourquoi t'avons-nous retrouvé alors, terrorisé, les bras et les jambes en sang, à répéter qu'elle te suivait, qu'elle arrivait ?

— C'est juste que j'ai eu une crise de panique à me retrouver seul ici. Mais nous n'aurons pas de problème. Je vous le garantis.

Caleb passe à son tour sa main sur un mur recouvert de reliefs étranges, puis ajoute :

— Nous n'aurions jamais dû fouler ce sol.

Nous continuons à avancer jusqu'à accéder à cette grande place où je m'étais déjà retrouvé.

J'essaie de le montrer le moins possible, mais je guette chaque bruit, craignant que la présence que j'avais ressentie réapparaisse à chacun de nos pas.

— Bien, nous allons nous séparer, mais on reste à proximité les uns des autres. On ne s'éloigne pas à plus de cinquante mètres. Chacun essaie de visiter un de ces temples. S'il trouve quelque chose, il appelle les autres. Si quoi que ce soit d'anormal se produit, on se retrouve ici.

— Je croyais qu'il n'y avait aucun risque, Hawkins, lâche Caleb.

— Non, bien sûr, c'est juste au cas où…

Caleb sait… il sent que quelque chose cloche. Mais j'ai fait la promesse à Kleiner de ne rien dire. De plus,

plus vite nous en aurons fini, plus vite nous pourrons quitter cet endroit.

Nous nous séparons donc et visitons chacun l'un des nombreux temples qui s'étendent autour de la place circulaire. Celui dans lequel je pénètre ressemble à une crypte d'une trentaine de mètres de hauteur. Mais, encore une fois, alors que j'arrive à l'intérieur, je ne vois aucune trace de vie, que ce tapis de cendres, qui forme çà et là de petites dunes. L'intérieur du mausolée consiste en une énorme salle carrée, remplie de colonnes. L'endroit me rappelle un peu les photos que j'ai pu voir du monument de Karnak en Égypte. Sauf qu'ici, pas de colonnes sculptées et travaillées, mais des structures semblables à d'imposants fémurs... qui grimpent jusqu'au plafond. Je slalome entre ces sculptures organiques. Elles sont toutes posées de manière assez rectiligne, cette configuration venant contraster avec leur caractère organique. Finalement, j'arrive au centre de la salle. Je lève la tête, le cœur du mausolée est percé d'un large trou carré, qui dispense un rai de lumière au centre de la salle. Le rai de lumière crée un halo autour d'un amoncellement de cendres haut de plus de deux mètres. Je m'avance jusqu'à entrer dans la lumière blanchâtre du cœur de la pièce. En m'approchant, je remarque que de l'amoncellement de cendres dépasse comme une sorte de structure. Je plonge les mains dans les cendres et, à pleines poignées, commence à les dégager et les rejeter sur les côtés. Minute après minute, je mets au jour une sorte de trône sculpté dans un seul et énorme bloc de pierre. Encore une fois, on retrouve cette même structure organique. Comme si le trône n'était que le squelette de ce qu'il avait été. Comme si cette cité un jour avait été vivante et qu'il n'en restait aujourd'hui que les oripeaux, les restes et les os. Pour la première fois, je note dans la roche gravée des motifs primitifs assez semblables à ceux trouvés dans la Nef. Enfin, après une hésitation, je m'assois sur le trône. Je pose mes mains sur les accoudoirs. Étonnamment, le trône est à taille humaine. Est-ce qu'il y a plus de cinq cents ans, un Veilleur s'est installé là, dispensant ses ordres et conseils aux peuples du monde ? Alors que je suis perdu dans mes pensées, la voix de Thomas me rappelle à la réalité. Je sors en courant du temple.

Thomas est revenu au centre de la place. Il est essoufflé et reprend sa respiration, les mains sur les jambes.

Je m'approche, tandis qu'un frisson glacial traverse ma colonne vertébrale. L'a-t-il senti ? Est-ce qu'elle approche ?

— Qu'est-ce qui se passe ? Tu as vu quelque chose ?

— Oui… J'ai…

Caleb nous rejoint…

— Il y a quelque chose là-bas. Un peu plus loin après cette allée, nous dit le jeune homme.

En le regardant mieux, je réalise combien il a l'air sous le choc de sa découverte.

— Quelque chose ? Tu veux dire quelque chose de vivant ?

— Non… enfin je ne sais pas. Pendant que j'étudiais l'un des temples, j'ai cru entendre des bruits de pas. Comme si quelqu'un essayait de s'enfuir.

— Des bruits de pas, mais c'est impossible, il n'y a personne ici !

Une peur primale commence à monter en moi. C'est elle, c'est la créature. Elle arrive. Il faut que je sache.

— Ce n'était pas plutôt comme des tremblements sourds ?

— Non. Absolument pas. C'était vraiment des bruits de pas atténués.

Caleb s'approche de Thomas et, à ma grande surprise, lui pose une main sur l'épaule comme pour le calmer et lui parle d'une voix douce.

— Tu es sûr de ce que tu as entendu, Thomas ?

— Oui. D'ailleurs, j'ai réussi à suivre les bruits de pas. Il y a un tel silence ici. C'est là que j'ai trouvé l'endroit.

— L'endroit ? Quel endroit ?

— Il vaut mieux que vous voyiez ça par vousmêmes. C'est assez… indescriptible.

Nous attendons quelques secondes qu'il reprenne son souffle, puis nous suivons Thomas dans le dédale des, ruelles de cette cité déserte. J'ai beau tendre l'oreille, je n'entends pas le moindre bruit, pas un seul frisson sonore à part celui de nos pas pour venir briser le lourd silence qui règne ici. Après quelques minutes à bifurquer à droite, puis à gauche, nous accédons à une immense arche minérale.

C'est comme si la ville s'arrêtait ici, comme si, en franchissant cette arche, nous accédions à une autre zone. Je réalise que nous entrons dans un espace assez similaire à celui de la Nef, mais aux proportions beaucoup plus folles, beaucoup plus démesurées. Le plafond de cette grotte doit grimper à une hauteur de cent mètres et j'ai beau plisser les yeux, je ne vois pas les parois du fond de la grotte. Elle doit mesurer au moins cinq cents mètres de longueur. C'est incroyable. Après avoir pris note des proportions gigantesques de la grotte, mon regard est attiré par des reliefs jonchant le sol à perte de vue. Dans un renfoncement, comme une cuvette naturelle qui englobe tout le sol de la grotte, se trouvent des centaines, des milliers de formes torturées.

On dirait des arbres.

Personne ne parle. Nous continuons à suivre Thomas qui s'enfonce avec une certaine appréhension dans la cuvette vers ces sortes d'arbres. Alors que nous nous approchons, nos yeux commencent à s'habituer à la semi-obscurité du lieu. Thomas se saisit d'une poignée de pierres bleutées qu'il dresse devant lui afin de nous ouvrir le chemin. Nous ne sommes plus qu'à quelques mètres de ces arbres, je distingue mieux désormais leurs branches ankylosées, faméliques. Mais déjà je comprends qu'il ne s'agit pas d'arbres, on dirait plutôt des espèces de stalagmites. J'en touche une du bout des doigts. Sans aucun doute, il s'agit de pierres. Mais je n'en ai jamais vu de cette sorte, aux ramifications aussi étranges.

Thomas m'attrape la main et l'éloigne de la pierre d'un mouvement sec.

Il me lance un étrange regard, perdu. Puis me dit à mi-voix :

— Tu ne devrais pas, James.

— Pourquoi ?

— Parce que… regarde…

Il approche la poignée de pierres bleutées luminescentes de la stalagmite que je touchais à l'instant.

Non.

J'ai un mouvement de recul naturel.

J'ai la respiration coupée.

Je reste là plusieurs secondes, la mâchoire béante, complètement stupéfait.

Devant moi, il s'agit non pas d'une stalagmite, d'une formation rocheuse ou de quoi que ce soit de ce genre, mais d'un corps humain minéralisé dans une posture démente. Je regarde mieux, sous le choc. On dirait que le corps a été empalé sur un piton rocheux. Sa position trahit une souffrance extrême, je vois une bouche qui hurle, des yeux écarquillés, un bras tendu vers le ciel, un autre accroché au pieu qui l'empale. La douleur absolue. On dirait des sculptures vivantes. On dirait que ce corps a été instantanément pétrifié. Ce spectacle m'évoque les images que j'ai pu voir des corps retrouvés à Pompéi. Sauf qu'ici ces corps semblent s'être fondus dans la pierre, ne formant plus qu'une seule et même structure.

Thomas me rappelle à la réalité.

— Regarde James, ce n'est pas le seul.

Thomas se saisit de quelques-unes de ces pierres luminescentes et les jette aux quatre coins de la salle. Elles rebondissent au sol, puis lentement se mettent à dispenser leur lumière.

Et là, je comprends.

Devant nous se dressent des centaines de corps empalés sur des pieux de pierre.

Des centaines de mains crispées.

Des milliers de visages à l'agonie.

Des regards figés et pourtant chargés d'une douleur éternelle.

Des corps déformés prenant des postures grotesques et improbables.

Et toujours, sur chacun d'eux, cette terreur absolue, comme s'ils avaient été médusés à l'instant même de leur mort.

Une folie.

Un carnage.

Étrangement, devant un tel spectacle de mort, Thomas, Caleb et moi, nous nous sommes rapprochés les uns des autres, collés dos à dos.

Caleb s'essuie le front en sueur, puis prend la parole.

— Je crois que nous n'avons plus à chercher où sont passés les habitants de cette ville. On vient de les trouver.

— Mais qu'est-ce qui a pu leur arriver ? s'interroge Thomas.

— Aucune idée. Hawkins en sait peut-être un peu plus que nous, non ?

— Non, je ne sais pas ce qui s'est passé ici. Mais ils sont combien à votre avis ?

— Je ne sais pas, trois cents, peut-être plus. Je vous avais dit que cet endroit puait la mort. Il ne faut pas rester là. Nous ne devrions pas être là. C'est un sanctuaire.

Thomas semble toujours sous le choc. Il approche l'une des pierres qu'il tient dans la main d'un des visages pétrifiés. Sa bouche est distordue dans un cri aigu laissant apparaître ses dents.

— C'est une forêt. Une forêt d'âmes.

Caleb attrape Thomas par le bras et l'emmène avec lui.

— Bon, il faut rentrer maintenant. Je ne sens vraiment pas cet endroit.

— D'accord.

Mais alors que nous sortons de la Forêt des Âmes, je note quelque chose sur les parois rocheuses en haut de la cuvette. J'appelle Caleb à me rejoindre. Je saisis une des pierres que Thomas tient toujours serrées dans ses mains. Je l'approche de ce que j'ai cru voir. C'est bien ça. La paroi est recouverte d'inscriptions en latin gravées dans la roche.

Au milieu des « *Ad majorem Dei gloriam* », des « *Ita diis placuit* », des « *Gratis pro Deo* », je remarque des dizaines de gravures exécutées à la va-vite répétant inlassablement : « *Manus Dei* », « *Manus dei* », « *Manus Dei* »...

La Main de Dieu.

Ce sont eux.

Ce sont eux qui ont fait ça.

Kleiner m'a raconté cette histoire de l'Inquisition oubliée, quand, après la découverte d'Aguilar, le Vatican a envoyé des hommes chasser et tuer les habitants de la Cité de Lumière. Et voilà ce qu'ils en ont fait.

La sauvagerie de l'acte de ces hommes de foi me donne la nausée.

Je m'efforce de cacher mon malaise, mais Caleb semble le sentir.

— Qu'est-ce qu'il y a, Hawkins ? Tu reconnais ces inscriptions ? Ce sont les mêmes que nous avons relevées dans la Nef, tu te souviens ?

— Oui...

— Elles ne veulent rien dire pour toi ?

— Non. Il faudrait que tu en parles à Kleiner, peut-être pourra-t-il t'expliquer.

— C'est ça. Cause toujours.

Nous quittons finalement la Forêt des Âmes, puis les Terres Mortes. Nous accédons à la Nef, tout ça sans un mot. Je ne pense même pas à la créature, qui pourrait nous attaquer d'un moment à l'autre. Je n'ai qu'une image en tête. Celle de cette forêt de corps. Cette horreur sans nom. Chacun rumine en lui-même ce que nous venons de découvrir. Chacun se pose des questions, s'interroge. Même moi, en ayant beaucoup plus de réponses que les autres, je reste sous le choc. Les paroles de Kleiner, le récit d'Aguilar prennent soudainement vie. Il ne s'agissait pas d'une légende ni d'un conte. Je le savais déjà. Mais, là, tout prend réellement sens. Cela s'est vraiment passé. Le Vatican a détruit ce monde au nom de son Dieu.

Nous sommes ramenés dans le Labo.

Les scientifiques ont beau poser des questions, nous ne pouvons pas répondre. Qui nous croirait ? Et Kleiner a été très clair, personne ne doit savoir.

Je quitte le Labo lorsque j'entends des bruits de pas légers derrière moi. Kleiner me rejoint. Il semble agité comme un enfant, il tressaute sur place.

— Alors, James ? Qu'avez-vous trouvé ?

Malgré la fatigue, le souvenir de la discussion surprise entre Kleiner et Lettinger ce matin ressurgit...

— Vous trouvez ça drôle, vous croyez que c'est un jeu ?

— Pardon ?

— Regardez-vous, professeur, vous êtes surexcité. Vous ne savez pas ce qu'on a vu là-bas.

— Comment ça ?

— Vous voulez savoir ce qui se trouve là-bas. La mort. La terreur. Nous avons retrouvé les Élus. Tous. Ils ont été empalés dans une immense grotte. C'est la Manus Dei qui a fait ça. Je n'ai jamais rien vu d'aussi... d'aussi horrible.

— Mais...

— Ça sera tout pour l'instant. Je n'ai pas la force d'en parler maintenant, professeur. Laissez-moi me reposer.

— Bien sûr, James, reposez-vous.

Je rentre dans ma chambre, m'écroule sur mon lit et m'endors quasi instantanément.

16

13 octobre 1971
Station K27, 200 km au nord de Galena, Alaska
Température extérieure : – 8 °C

Peur.

J'ouvre les yeux. Je me soulève d'un lit de camp. Il fait noir. Mes yeux s'habituent à l'obscurité. Je regarde autour de moi. Je suis dans un abri souterrain. La chaleur est suffocante. Autour de mon lit, d'autres couchages. Je m'approche. Un homme est endormi sur le côté. Plus près encore. Mon Dieu ! C'est un Viet. Qu'est-ce que je fous là ? L'homme ouvre les yeux et me regarde avec surprise. Il ne peut pas donner l'alerte, il ne faut pas. Comme par automatisme, mes mains viennent enserrer son cou. Je serre, je serre. Le visage de l'homme devient rouge, ses yeux exorbités, son corps est pris de spasmes. J'aime ça. Je serre.

Rage.

J'ouvre les yeux.

J'attrape un fusil, vérifie le chargeur. Je me lève, aperçois une silhouette qui se dirige vers moi. Je tire à vue, sans réfléchir. Un autre mouvement. Je tire encore et encore. Je crie.

Haine.

J'ouvre les yeux.

Un homme est assis à mes côtés dans la tranchée, il dort. Je m'approche, soulève les bras et me mets à le marteler de coups de poing.

Vengeance.

J'ouvre les yeux.

Je redresse la tête. Je me suis endormi sur une table. Cette dernière est recouverte de bouteilles, d'un jeu de cartes. Un couteau est planté dans le bois humide de la table. Je le saisis. En face de moi, un autre homme dort sur une chaise la tête en arrière. Je m'approche, passe derrière lui, avance mon couteau contre sa gorge. Puis tranche d'un mouvement vif et précis. Le sang gicle sur la table. J'aime ça. Je ris.

Je sors de l'abri. Je tiens le couteau serré dans ma main. Je sais où aller. J'avance dans la tranchée. Les bruits alentour me semblent étouffés, mais je distingue des cris, des coups de feu. Sur la gauche, au sol, un Viet est en train de hurler, hystérique. Il est assis sur un autre corps. Je vois ses mains pleines de sang. Il tourne son visage vers moi, il est barbouillé de sang. Sa bouche entrouverte laisse dégouliner des viscères. Puis il se détourne et replonge son visage dans les entrailles de son compatriote.

C'est moi qui ai fait ça, qui vais le faire, qui suis en train de le faire.

Je souris.

J'avance.

Je le vois enfin.

Il est là, le fusil tendu au-dessus des tranchées, la peur se lit sur son visage. Ce n'est qu'un enfant. J'avance vers lui. Il me voit. Je serre un peu plus ma main sur mon couteau. Je suis face à lui. Il me parle, mais je ne comprends pas, il semble paniqué. Je donne un premier coup sec. Mon couteau s'enfonce dans son torse, lentement. Il tombe à la renverse. Je m'assois à ses côtés. Le soldat a posé ses mains sur la plaie, comme s'il pouvait faire quelque chose, comme si ça allait changer quelque chose. Il pleure. Je lève le couteau et l'enfonce à nouveau dans sa chair chaude. Je ris.

J'ouvre les yeux.

Où suis-je ?

Merde. Qu'est-ce qui m'arrive ?

Je suis en sueur.

J'ai le souffle court, je panique.

J'essaie de reprendre mon calme. De savoir où je suis.

J'entends le tic-tac d'une horloge. Un bruit sourd et ronflant au loin, celui du générateur. Je suis dans ma chambre, dans la station. Je suis revenu.

Mais qu'est-ce qui s'est passé ? Merde… Qu'est-ce que c'est que ce putain de cauchemar ? J'en peux plus, c'est de pire en pire.

Ces images horribles me strient le cerveau. J'allume la lampe. Je saisis mon paquet de cigarettes et m'en allume une. Il faut que je demande plus de cachets pour dormir.

Je croyais que ces cauchemars étaient passés. Ces derniers temps, j'en faisais moins. Je pensais que ça allait mieux.

Mais cette fois, c'était si... si vrai.

Les minutes passent, mais je ne parviens pas à me retirer ces images de la tête.

Je me rallume une cigarette. J'ai peur. Car, au fond, quelque chose me dit que je sais de quoi il s'agit. Mais je ne réussis pas à débloquer le verrou. Je ne réussis pas.

Quelqu'un frappe à ma porte.

Je regarde ma montre. Il est 4 h 20 du matin. Qui peut bien venir m'emmerder à cette heure-là ?

J'attrape un tee-shirt, l'enfile.

D'un pas lourd, je vais ouvrir la porte. Caleb se tient derrière, dans l'ombre. Il a une bouteille à la main et deux verres. Il les soulève devant lui, dans un geste de fraternisation.

— Je peux entrer ?

Il empeste l'alcool.

— Bah, je ne sais pas. Il est tard là.

— Je dois te parler, Hawkins.

— Maintenant ? Ça ne peut pas attendre ? Il est 4 heures du matin, Caleb !

— Non, ça ne peut pas attendre.

— Bon.

Je me pousse et le laisse entrer. Il pose la bouteille et les verres sur la petite table en Formica de ma chambre, se saisit d'une chaise et s'affale dessus. Je m'assois sur le lit.

Sans un mot, il sert deux verres de whisky et m'en tend un.

Personne ne parle pendant un long moment. Je bois des petites lampées de whisky. L'alcool me brûle la gorge, mais ça fait du bien. Enfin, Caleb prend la parole.

— Tu n'as pas l'air en forme.

— Non, en effet.

— Encore de mauvais rêves ?

— Ouais.

— Je sais.

— Comment ça ?

— J'étais là…

— Quoi ? Tu te fous de ma gueule. Je t'avais dit de ne plus entrer dans mes rêves. Espèce d'enculé, je vais t'exploser la gueule !

Je me lève, prêt à lui balancer mon poing dans la tronche.

Il lève une main d'un geste apaisant.

— Calme-toi, Hawkins. Je vais t'expliquer. Je n'ai pas fait ça pour t'énerver. Calme-toi. Assieds-toi.

— Qu'est-ce que tu me veux à la fin ?

— Je veux que tu comprennes.

— Que je comprenne ?

— Oui, ce qui s'est passé. Afin que tu sois prêt pour ce qui arrive.

— Qu'est-ce que tu racontes ? Écoute, Caleb, t'as l'air complètement cuit. On en reparle demain, d'accord ?

— Non, il faut que l'on parle ce soir. Demain, il sera trop tard. Tout est déjà en marche.

— Bon, très bien, vas-y, je t'écoute.

— Je pensais que tu comprendrais par toi-même. Mais je vois que tu t'y refuses. Ces cauchemars, tu ne les comprends toujours pas ?

— Non.

— Mais une part de toi se souvient de ces images, non ?

— Je ne sais pas…

— Nous n'avons plus le temps. Tu vas devoir vivre avec. Hawkins, tu dois savoir. C'est toi qui as fait ça.

— Quoi ? Qu'est-ce que tu racontes ?

— Ces meurtres sauvages. Cette tuerie, c'est toi.

— Mais non.

— Au début aussi, je ne voulais pas y croire. Mais écoute-moi. Ça a dû arriver quand tu as fait ton premier séjour dans la Nef. Tu as dit avoir eu l'impression d'y être resté une éternité. J'ai demandé à Brimley, il m'a dit que tu avais passé trois semaines dans le coma. Dans la Nef, inconsciemment certainement, tu es revenu à l'endroit même où tu t'es fait tirer dessus. Tu es revenu pour te venger. Inlassablement.

— Mais non, ce n'est pas possible.

Caleb se ressert un verre de whisky et le vide cul sec. Puis il s'allume une cigarette.

— Il y a une chose que ni toi ni Kleiner n'avez encore comprise sur les Limbes. Moi seul le sais. Dans les Limbes, il n'y a pas de notion de temps. Pas de présent, pas de passé, pas de futur. Les Limbes sont partout, simultanément. Ce que vous ne savez pas, c'est qu'une fois dans les Limbes on peut accéder aux rêves de n'importe qui, certes, mais n'importe quand, à n'importe quelle époque !

— Foutaises.

— Mais, comment te rappelles-tu ces images alors ? Je te le répète, tu es revenu en arrière quelques minutes avant que vous donniez l'assaut. Tu as pris successivement le contrôle sur les corps endormis des Viets de la tranchée et tu les as fait s'entre-tuer, jusqu'au moment où tu as retrouvé celui qui t'a tiré dessus.

— Non…

— Écoute, ce qui est fait est fait. Tu avais soif de vengeance. Ces hommes seraient morts de toute façon.

— Non…

— Il fallait que je te le dise. Car je sens que quelque chose arrive. Il faut que tu prennes conscience de tes pouvoirs.

— Tu délires là !

— Sur toi reposent énormément de choses, tu es à la croisée des chemins. Tu vas bouleverser à jamais les Limbes et peut-être même le monde. C'est écrit.

— Mais qu'est-ce que c'est que ces conneries ? D'où sors-tu ces bêtises ?

— Écoute-moi bien. Tu ne me croiras certainement pas, mais durant tout ce temps je t'ai fait croire que j'étais là pour l'argent, mais, en réalité, je m'en balance pas mal. Si je suis là, sur ce projet, c'est pour protéger les Limbes, pour tant bien que mal maintenir l'Équilibre.

— L'Équilibre ?

— Même moi je n'y comprends pas grand-chose. Disons pour faire simple que, toi, tu as expérimenté le voyage dans le passé en entrant dans les têtes de ces soldats. Moi, j'ai vu ce qui va arriver, dans le futur.

— Quoi ?

— Je n'ai que des visions éparses. Je vois des choses. Ils vont prendre le contrôle des Limbes. Ils vont s'en servir pour réécrire l'Histoire. J'ai vu un vieil homme dans le futur, c'est lui qui est au cœur de tout ça. Un vieil homme…

— Merde, tu délires là !

— Écoute, j'ai reçu des messages aussi.

— Arrête tes conneries.

— Il y a cet enfant qui vient me voir dans mes rêves. Il doit avoir 16 ans. Il dit venir du futur. Il m'a chargé d'une mission. Il m'a parlé des Limbes, du projet. C'est lui aussi qui m'a montré le futur. Ce qui va arriver.

— Foutaises…

— Il m'a aussi parlé de toi. Il m'a dit que je devais te prévenir.

— Me prévenir ?

— Ce n'est pas clair, mais il m'a dit qu'il fallait absolument que tu refuses ce qu'on va te demander. Qu'il faudra impérativement que tu refuses.

— Mais que je refuse quoi ?

— Je ne sais pas, je n'en ai aucune idée.

— Allez, ça suffit, on arrête ces conneries, sors de ma chambre, j'ai besoin de dormir, moi. Demain, une dure journée nous attend.

Je l'aide à se relever, il a l'air sous le choc de ses paroles. Il titube tandis que je le raccompagne vers la porte.

Mais, soudain, il se retourne et m'attrape par les épaules.

— Quelque chose rôde dans les Terres Mortes, je le sais.

— Quoi ?

— Je le sais ! Il y a quelque chose là-bas, quelque chose qui attend. L'enfant m'a prévenu.

— Ouais, c'est ça, allez, à demain, Caleb. Dessaoule bien !

— Il m'a demandé de te protéger. C'est lui qui m'a demandé. Il vient dans mes rêves, James. Il vient sans cesse demander mon aide. Je n'en peux plus. Il dit que c'est ici que tout va se jouer.

— Allez, ça suffit, tu as perdu les pédales.

Je claque la porte et m'y adosse.

Je souffle, sous le choc des paroles de Caleb. J'oublie ces délires d'alcoolique, ces histoires d'enfant, non, ce qui me marque, ce qui me fait trembler de peur, c'est ce qu'il a dit au début. « C'est toi qui as fait ça. »

Oui, c'est moi.

C'est moi qui ai tué tous ces hommes.

Il faut que j'en aie la certitude.

Je sors en trombe de ma chambre et marche au pas de course jusqu'au poste de surveillance de l'entrée de la station. Là, je me dissimule derrière quelques cartons de ravitaillement et attends, immobile, que l'agent en faction quitte sa guérite pour faire le tour des installations. Enfin, après une bonne dizaine de minutes, il s'absente, lampe torche au poing. J'en profite pour entrer dans la salle minuscule et me saisir du téléphone d'urgence pour appeler l'extérieur. Je décroche, appuie sur la touche 3, celle qui correspond à la liaison vers l'extérieur de la station K27. Ça sonne. Deux fois. Trois fois. Mais décroche bon Dieu ! Finalement, après une bonne dizaine de sonneries, j'entends une voix endormie.

— Allô ? Poste extérieur 3, station K27.

— Nate ?

— Qui est à l'appareil ? James, c'est toi ?

— Oui. Il faut que je te parle, c'est urgent.

Sa voix devient plus claire, comme s'il s'était réveillé d'un seul coup.

— Un problème ? Qu'est-ce qui se passe ? Vous avez un souci en bas ?

— Non, non, tout va bien.

— Alors, explique-moi pourquoi tu me réveilles à 5 heures du mat', petit ? Tu as intérêt à avoir une bonne excuse !

— Il fallait que je te parle de quelque chose.

— J'en étais sûr ! Eh bien, t'en auras mis du temps. Ça y est, tu pètes les plombs là-dessous, c'est ça ? En même temps, avec les gars, ici, on se demandait au bout de combien de temps tu craquerais. On n'est pas fait pour vivre sous terre. C'est de la folie.

— Non, ça n'a rien à voir, c'est autre chose.

— Ah bon ? Bah, vas-y, balance ce que tu as sur le cœur, petit. Je suis là pour aider. Même à 5 heures du mat…

— Je voudrais te reparler de Svay Rieng.

Un silence au bout du fil. Puis finalement :

— Oui, je t'écoute.

— Je me rappelle vaguement t'avoir déjà demandé ce qui s'est passé là-bas, après que j'ai pris ma balle dans le crâne, mais tu ne m'as jamais vraiment raconté.

— Mmmmh… Qu'est-ce que tu veux savoir, James ? Tu veux que je te dise quoi ? C'était une putain de boucherie là-bas, un vrai chaos. Même moi, j'ai du mal à m'en souvenir.

— Ne me bassine pas, Nate. Il est temps que je sache. Qu'est-ce qui s'est passé vraiment ? J'ai comme des flashs de Viets s'entre-tuant. Il faut que tu me racontes.

— C'est classé confidentiel.

— Arrête tes conneries, Irving !

— Mais…

— J'ai le droit de savoir, putain. J'étais là avec vous !

— Et merde. T'as raison. T'as le droit de savoir. Je vais essayer de te raconter, mais même pour moi, ce n'est pas facile. C'est le truc le plus horrible que j'aie jamais vu de ma putain de vie, tu comprends ?

— Oui, je t'écoute.

250

— Je me rappelle te voir tomber sous le choc de la balle que tu t'es prise. Je me suis avancé vers toi, pour voir si je pouvais te tirer de là. Quand j'ai vu ton visage en sang, j'ai pensé que c'était foutu. Je suis désolé, mais il fallait que j'avance, j'avais mes autres gars à ramener sains et saufs.

— Il n'y a pas de souci, Nate. Je comprends. Et ensuite ?

— Ensuite, je me suis relevé. Là, j'ai d'abord été surpris par le silence. En une seconde, le vacarme assourdissant du combat avait laissé place au silence. On n'entendait plus un coup de feu du côté des tranchées viets. Rien. Comme s'ils s'étaient tous arrêtés de tirer d'un seul coup. J'ai avancé, recourbé, jusqu'à arriver au-dessus des tranchées et c'est là que j'ai commencé à entendre les cris. Des cris horribles, suraigus, comme s'ils surgissaient du fin fond de la gorge de ces types. Des cris de terreur absolue. J'ai porté mon fusil à l'épaule, prêt à tirer une salve sur quiconque me ferait face. Je me suis relevé d'un seul coup, l'arme braquée sur l'intérieur de la tranchée. Et j'ai vu...

Il s'arrête longuement. J'entends sa lourde respiration au bout du fil. Il hésite. Je sens bien qu'il ne veut pas continuer, que, pour lui, ça veut dire retourner là-bas, refaire face aux horreurs qui s'y sont passées. Je le relance.

— Tu as vu quoi ?

— J'ai vu... j'ai vu un bain de sang. J'ai failli en vomir. Les Viets étaient en train de s'entre-tuer. J'en voyais certains s'acharner à coups de couteau sur d'autres. J'ai même vu un type en train de bouffer les entrailles d'un de ses frères d'armes. D'un de ses frères d'armes, putain ! Ils étaient devenus comme des bêtes. Ils avaient les yeux révulsés, comme s'ils étaient possédés. Leurs gestes étaient bizarres, pas naturels, hasardeux. Je me rappelle sur le coup m'être dit qu'ils ressemblaient à des putains de marionnettes. Dans d'autres circonstances, ça aurait pu me faire marrer, tant leur démarche était grotesque, syncopée. Mais là, ça ne me faisait pas rire du tout. Au contraire, j'avais comme un frisson qui me parcourait toute l'échine. Comme si je faisais face au mal pur. Le reste de l'escouade, les rares survivants, Rhames, Bregman et Cinotti m'ont rejoint. On est resté tous les quatre à regarder ce spectacle de mort sans un mot, sans comprendre. Le plus bizarre, c'est que les Viets continuaient leur carnage sans se soucier de nous. À leurs yeux, on aurait dit qu'on n'existait même pas. Au bout d'un moment, j'ai essayé de me reprendre. J'ai dit aux gars de se mettre un mouchoir sur la gueule. Au départ, j'ai pensé qu'il s'agissait peut-être d'une arme expérimentale. J'avais entendu parler de trucs comme ça. On s'est tous mis des mouchoirs sur la bouche et on est resté là, à attendre que la boucherie se termine, incapable de faire quoi que ce soit. Même après que le dernier Viet est tombé au sol, rejoignant ses pairs dans une mare de sang et de viscères, on est resté planté à découvert, les bras ballants, infoutu de bouger le petit doigt. On avait beau en avoir tous pris plein la gueule depuis le début de cette guerre, rien ni personne n'aurait pu nous préparer à ça. C'était monstrueux.

— Qu'est-ce qui s'est passé ensuite ?

— Les renforts sont finalement arrivés. J'ai décidé de te ramener avec moi, même si je n'étais pas certain que tu sois encore vivant. Il fallait que je fasse quelque chose, quelque chose de bien, après tout ça… On a dû faire un long débriefing au commandement, puis on a été interrogé, réinterrogé. C'est là que j'ai commencé à comprendre qu'ils ne savaient foutrement rien de ce qui s'était passé là-bas. Si une arme chimique ou quoi que ce soit a été utilisé, ça ne venait pas de notre côté, j'en suis quasi sûr.

— Et ensuite ?

— Ensuite, ils m'ont fait signer tout un tas de papelards, tous siglé du Secret Défense. Puis, quelques mois plus tard, on m'a affecté à la mission Limbes. On m'a chargé de venir te récupérer. Je n'ai pas réfléchi longtemps. Pour moi, c'était une porte de sortie du Viêtnam. Une occasion rêvée. Bien sûr, je me suis dit que ça avait un lien avec le massacre, mais je n'ai toujours pas compris lequel. T'en sais plus de ton côté ?

— Ouais, je t'en parlerai dès que possible.

— En tout cas, s'il y a quelque chose que je sais, c'est que s'ils m'ont envoyé ici, dans le trou du cul du monde, c'est peut-être bien pour que tu ne sois pas seul, mais surtout pour une autre raison.

— Laquelle ?

— Pour m'avoir sous le coude et être sûr que je ne balance pas ce que je sais aux journalistes.

— T'exagères.

— J'n'exagère rien du tout. J'ai eu le temps de mener ma petite enquête ici. J'ai que ça à foutre, en même temps. Tu te rappelles, les autres survivants de l'escouade Rhames, Bregman et Cinotti. Ils étaient tous censés rentrer au pays. Et tu sais quoi ?

— Non ?

— D'après les informations que j'ai pu glaner de-ci de-là, les mecs ne sont jamais arrivés au bercail. Soi-disant que leur hélicoptère aurait été descendu alors qu'ils étaient en train d'être rapatriés.

— Tu sous-entends quoi ?

— Je sous-entends que personne ne veut qu'on parle de ce qu'on a vu là-bas. Je sous-entends que je suis le dernier à savoir. Et je sous-entends encore une chose, c'est que, toutes les nuits, je dors avec mon flingue bien serré dans ma main, sous ma couverture. Et je te conseille vivement de faire la même chose. On ne peut pas faire confiance à ces mecs-là, James. Ne l'oublie pas. Ils se servent de nous. Et après ils nous jetteront. Point.

— Je m'en souviendrai. Bon allez, faut que je te laisse. Je risque de croiser le garde qui revient de sa ronde. Si on me voit utiliser le téléphone d'urgence, on va se poser des questions.

— D'accord, James. Mais ne raconte à personne ce que je viens de te dire.

— Non, t'en fais pas, ça reste entre nous.

— Et tu me diras un peu ce que vous foutez là-dessous ? Parce qu'ici, il se passe de plus en plus de trucs bizarres à la surface.

— Écoute, là, je n'ai vraiment pas le temps. Mais dès que je peux, je t'explique.

— Bon, OK. Fais bien attention à toi, James.

— Ne t'en fais pas, Nate. Je reste sur mes gardes.

Je raccroche le téléphone, quitte à la hâte le poste de surveillance et me faufile jusqu'à ma chambre. Je referme la porte et m'appuie contre.

Putain, c'était vrai. Tout ce que j'ai vu, tout ce que m'a raconté Caleb. C'est vrai. C'est moi qui ai fait ces horreurs. Je suis un putain de tueur, pire un véritable monstre. Je croyais contrôler mon pouvoir, mais je réalise que je n'ai aucune emprise sur ce dernier. Cette connerie me dépasse. Il faut que ça s'arrête. Je suis un danger pour tout le monde ici. Et si je recommençais ?

J'attends que la matinée avance, assis sur mon lit, enchaînant cigarette sur cigarette. Dès 8 heures du matin, je me lève, me change et me rue vers le Labo. Comme je l'espérais, Kleiner est déjà là en train de préparer l'expédition vers les Terres Mortes, prévue ce matin. Je m'approche de lui.

— Professeur, il faut que je vous parle.

Kleiner repose le relevé sur lequel il prenait des annotations, replace ses lunettes sur son nez, puis me fait un grand sourire.

— Bien sûr, qu'est-ce que je peux faire pour vous, James ?

— Je ne peux pas continuer, professeur. Ça devient trop dangereux. Pour toute l'équipe ici. Pour moi. On est allé trop loin. Il se passe des choses. Des choses qu'on ne maîtrise pas.

— Voyons, voyons, James, calmez-vous. De quoi parlez-vous exactement ?

— Je ne peux pas vous le dire. Mais je suis en train de réaliser que ce que l'on fait dans les Limbes nous dépasse de loin. On a ouvert une porte que l'on aurait dû laisser fermée, professeur.

— Vous vous emballez bien trop, James. Je comprends, c'est le surmenage. Écoutez, j'ai une proposition à vous faire. Nous allons faire une dernière expédition, puis nous ferons une pause de quelques jours. D'accord.

— Non. Je m'arrête maintenant.

Kleiner a soudain une drôle d'expression. Son air débonnaire laisse place à une froideur terrible. Ses yeux se plissent, laissant à peine apparaître les deux billes bleu azur de ses iris. Sa voix devient plus sèche, plus dure.

— Mais vous croyez quoi, James ? Que l'opération peut s'arrêter selon votre bon vouloir ? C'est peut-être vous qui dirigez le projet désormais ? Vous n'avez pas le choix, James. Vous allez faire cette expédition comme je vous le demande, car ici, c'est moi qui décide. Pas vous.

— Votre crise d'autorité ne me fait pas peur, Kleiner.

— Vous voulez que je vous fasse peur, James ? Ça ne me dérange pas de vous mettre aux arrêts. Vous avez ouvert la voie, certes. Mais votre aide ne m'est plus essentielle désormais. J'ai trouvé ce que je voulais. De plus, vous n'êtes pas unique. Il y en a d'autres comme vous de par le monde. Peut-être même des plus puissants encore. Vous n'êtes qu'un maillon dans une immense machinerie. Et si un maillon faiblit, qu'il met en danger la machine elle-même, on le change. Point final. Je ne veux pas vous faire peur, juste vous aider à comprendre. Ce que je veux dire, c'est que personne n'est irremplaçable ici. Ni vous ni même moi. Nous œuvrons pour une finalité qui nous dépasse. Je vous l'ai déjà dit, nous sommes des explorateurs. Les derniers grands explorateurs. Et chaque grande découverte mérite son lot de sacrifices. J'en ai conscience. J'en ai toujours eu conscience.

— Je n'ai pas le choix alors ?

— Non. Car le doute n'est pas permis ici. Moi aussi, j'ai peur, James. Moi aussi, je sais que j'ai des vies entre les mains. Je sais que chaque nouvelle expédition comporte une part de risque. Mais le risque ne peut être pris en compte dans ce projet. Car si, *in fine*, je mets tout cela en balance, je n'ai plus de doute. Rien n'est trop fou pour la mission que nous poursuivons. Rien, pas même la mort, ne pourrait contrebalancer l'extraordinaire découverte que nous mettons au jour. Car, je vous le répète, nous défrichons des terres qui marqueront peut-être la plus grande révolution scientifique de l'Histoire !

— Vous ne vous rendez pas compte que l'on joue avec le feu ici !

— C'est vous qui ne vous rendez pas compte ! De ce que je vous ai offert. De ce que vous êtes devenu. C'est une chance, un immense privilège de participer à ce projet. Vous n'avez pas l'air d'en prendre la pleine mesure. En quelques mois, vous avez été transformé. Vous êtes devenu un être unique, un être important. Je vous ai offert cette chance. Vous n'étiez personne, un être insignifiant. Vous auriez passé une vie minable comme grand invalide de guerre aux dépens de la société. Une vie sans envie, sans ambition. Mais regardez-vous aujourd'hui… regardez ce que vous avez accompli. Ce que nous pouvons encore faire. Vous voulez vraiment vous arrêter ? Voyons… reprenez vos esprits.

Sa voix s'apaise et reprend son ton doux habituel. Le masque de bonhomie retombe sur son visage. Comme si l'être agressif que je venais d'entrapercevoir n'avait jamais existé, il me tapote l'épaule amicalement.

— Allez, ça suffit, allez vous préparer, James. Nous allons commencer.

Je réalise que je n'ai aucun choix. Je vais la faire, son expédition. Après, je ne sais pas comment, mais une chose est sûre, je me démerde pour foutre le camp d'ici.

Une heure plus tard, nous entrons dans les Terres Mortes. Le voyage s'est fait en silence. Personne ne parle. L'appréhension est palpable. Je sens bien que Thomas a été marqué par la Forêt des Âmes, ces corps statufiés à perte de vue. Il doit se demander quelle découverte macabre nous allons faire cette fois-ci. Caleb, quant à lui, a beau être aussi taciturne que d'habitude, je sens en lui quelque chose de plus, comme une peur sourde, une inquiétude que je ne lui connaissais pas.

Lors du briefing, Kleiner a été clair, nous devons éviter de nous éparpiller et procéder à des recherches bien spécifiques. Kleiner nous demande de chercher des traces d'inscriptions, de calligraphies qui pourraient nous aider à comprendre ce qui s'est vraiment passé dans les Terres Mortes, mais plus encore comprendre comment cet endroit peut exister. À partir des plans approximatifs de la ville que nous avions pu dresser, Kleiner nous demande d'évoluer zone par zone, petit à petit.

Nous avançons dans les ruelles de la cité abandonnée. Nos pieds s'enfoncent dans la couche épaisse de poussière au sol. Nous arrivons finalement sur la place centrale à partir de laquelle partent les artères principales. Autour de nous, les temples gigantesques, ces mausolées déments semblent dresser leurs architectures torturées comme des menaces, comme des mises en garde adressées à nous, étrangers en ce monde. Thomas nous distribue à chacun un morceau de pierre luminescente afin que nous puissions étudier en détail l'intérieur des temples. On se sépare. Je suis chargé d'explorer une immense structure pyramidale. C'est l'un des rares monuments à ne pas avoir d'entrée vaste, mais un petit couloir étriqué. Ça ne me rassure pas du tout. J'y pénètre la tête recourbée. Je dois serrer les coudes tant les parois de chaque côté du couloir sont resserrées. Je sens ma respiration devenir de plus en plus forte tandis que j'avance dans une obscurité quasi totale.

Finalement, j'accède à une salle assez vaste. Je respire enfin. Je lève la tête. La structure de la salle est, elle aussi, pyramidale. Sur chaque face, je repère de longues travées qui laissent passer la lumière extérieure. Ça me permet de mieux distinguer l'intérieur de la voûte. On dirait que les arêtes de la pyramide sont composées de quatre immenses colonnes vertébrales se rejoignant au sommet de la structure. Chaque face semble elle-même être un entrelacs de côtes gigantesques. Encore une fois, je me dis que cela ressemble au squelette d'une architecture morte. La lumière pénètre le bâtiment comme des lames aiguisées. Les quatre travées de lumière viennent se rejoindre au centre de la pièce. Je remarque tout de suite un trône comme celui découvert la dernière fois. C'est sensiblement le même. J'époussette la poussière accumulée dessus et mets au jour son étrange structure organique. Ensuite, méticuleusement, je fais le tour de la pièce en cherchant des inscriptions, des annotations, quelque chose parmi l'amoncellement d'ossements qui compose la structure porteuse de la salle. J'ai beau passer ma main sur les murs, malgré mon dégoût, je ne déniche rien.

Enfin, après plus d'une dizaine de minutes de recherche, j'accède à une étrange alcôve de cinq mètres sur cinq, comme un renfoncement dans la salle. Ce qui me marque d'emblée, c'est qu'au sol il n'y a pas de traces de poussière, comme si cette zone avait été récemment déblayée. Je distingue ainsi le sol de la pyramide composé de larges dalles. J'avance dans l'alcôve, les pierres luminescentes dressées devant moi. Et là, je reste sous le choc. Devant mes yeux s'étendent des inscriptions étranges, faites indiscutablement à la main. J'essaie d'en défricher quelques-unes. Ce qui est stupéfiant, c'est qu'elles sont écrites dans un nombre assez incroyable de langues : du latin, du portugais, du français, de l'anglais, de l'italien... Péniblement, je relève pêle-mêle :

« Je suis désolé... attendre... *Suplicio... Dio è morto... guilty... tormento... Es mi culpa ?* Depuis une éternité... Morts... *Muertos... He will come... Mi castigo... My fault...* »

J'ai beau ne pas parler toutes ces langues, quelque chose me saute d'emblée aux yeux.

Toutes ces expressions sont des lamentations, des plaintes...

Plus j'observe, plus je réalise que l'alcôve est entièrement recouverte de ces mêmes inscriptions. Elles sont gravées dans la pierre, comme si elles avaient été exécutées à l'aide d'un silex effilé. Elles se chevauchent les unes les autres, s'entremêlent. Un tel amoncellement d'écriture me met mal à l'aise. Il aura fallu des dizaines, des centaines d'heures pour parvenir à un tel résultat. Dans quel état de solitude, de démence faut-il être plongé pour en arriver là ?

Alors que je continue à les étudier, j'entends comme un frottement derrière moi, je me retourne dans un sursaut. À peine le temps de voir une silhouette disparaître par l'embrasure de l'entrée de la crypte. Ai-je rêvé ? Pas le temps de réfléchir, je me jette à la poursuite de cette forme. J'accède à mon tour au couloir de l'entrée. J'évolue le plus vite possible malgré l'épaisse couche de cendres qui ralentit ma progression. Arrivé à l'extérieur, je regarde autour de moi, rien, pas un mouvement. J'appelle Caleb et Thomas. Quelques secondes plus tard, ils sont à mes côtés. Je leur explique ma découverte, l'alcôve, les inscriptions, puis leur parle de la silhouette que je crois avoir entraperçue. Immédiatement, on se met à chercher des traces de pas au sol. Rapidement, je découvre des traces qui partent en serpentant le long de la pyramide. Je comprends immédiatement qu'il ne s'agit pas des nôtres puisque, dans la cendre, sont moulées des formes de pieds nus.

Alors qu'il y a seulement quelques heures je n'avais qu'une seule envie : expédier cette mission pour pouvoir foutre le camp, désormais, la perspective d'obtenir des réponses m'excite au plus haut point. Il y a tellement d'interrogations encore en suspens sur les Limbes. Si nous mettons la main sur cette personne, sur un survivant, nous pourrions comprendre tant de choses. Je réalise, sans oser me l'avouer, que Kleiner avait sans doute raison, cette quête dans laquelle nous nous lançons dépasse nos simples existences. La perspective de repousser les frontières, de défricher l'inconnu est trop forte pour y résister. Je lance à mes camarades :

— Il faut suivre ces traces.

— Et si c'était un piège ? me répond Caleb.

— Nous devrions plutôt retourner au Labo, faire un débriefing et suivre ces traces une autre fois, ajoute Thomas.

— Si quelqu'un est vivant ici, nous devons le retrouver. Il pourrait répondre à toutes nos questions ! Vous vous rendez compte ?

Caleb s'abaisse au sol, regarde longuement les traces de pas puis se relève.

— Dans ce cas, allons-y. Mais on reste les uns à côté des autres.

On se met à courir en suivant les traces de pas au travers de la Cité. Elles serpentent de droite à gauche comme si la personne que nous poursuivions hésitait elle-même sur le chemin à suivre. Nous tournons à droite, puis à gauche, puis encore à droite et nous enfonçons toujours plus au cœur de la ville morte. Après une dizaine de minutes de course effrénée, Thomas m'arrête soudain en me posant la main sur l'épaule.

— Tu as entendu ?

— Quoi ? Non…

— Écoute. Il y a comme un bruit, comme un ronflement.

— Je n'entends rien.

Mais à peine ai-je prononcé ces mots que j'entends moi aussi un grondement profond et abyssal, suivi de martèlements qui font vibrer le sol.

Un frisson parcourt mon corps. Je reste figé, paralysé. Je sais d'où vient ce son. C'est elle. La créature. Je n'avais pas rêvé la première fois dans les Terres Mortes. Elle revient.

— Il faut partir d'ici maintenant.

Thomas semble un peu agacé de mes constants revirements et me le fait savoir.

— Qu'est-ce que tu racontes ? On ne sait même pas ce que c'est que ce bruit. Il faudrait savoir ce que tu veux, James, il y a un instant, tu voulais qu'on suive les pas…

Caleb, l'oreille tendue, s'approche de nous.

— James a raison. Nous devons partir. Il se passe quelque chose. Je sens une présence. Une présence très forte.

Les bruits de pas sourds semblent se rapprocher.

— James, tu sauras nous ramener vers la sortie ?

— Oui, je vais essayer.

— Alors, allons-y…

Alors qu'on se met à courir, un cri strident inhumain vient se répandre dans l'air de la Cité. C'est comme si ce cri emplissait l'espace entier des Terres Mortes, comme s'il saturait tout. Par réflexe, tous trois nous plaçons les mains sur les oreilles, tant ce cri fait vriller nos tympans. J'ai beau appuyer de toutes mes forces contre mes tempes, je le sens qui pénètre en moi, qui me martèle le cerveau, comme si ma tête allait imploser. Je serre les dents, je les sens qui grincent. Le cri semble monter en puissance, en aigu, tandis que des tréfonds de la Cité rejaillit un autre son beaucoup plus guttural, comme un râle horrible qui vient se superposer au premier son. Cette mélopée démoniaque provient de la même origine. La créature. Et je sens que le son se rapproche. Je m'efforce de retirer mes mains des oreilles. Il faut bouger, malgré le hurlement. Si on reste pétrifié là, c'en est fini. Je force Caleb et Thomas à retirer leurs mains de leurs oreilles, je les aide à se redresser. Je hurle pour qu'ils m'entendent.

— Il faut continuer à avancer. On ne peut pas s'arrêter.

On se remet péniblement à courir. J'essaie de me guider comme la dernière fois en m'appliquant à retrouver les inscriptions « *Manus Dei* » sur les murs, comme un fil d'Ariane qui nous ramènerait vers la faille et vers la Nef. Mais nous avons beau aller le plus vite possible, le martèlement semble se rapprocher. À regarder autour de moi, à chercher les inscriptions, je chute au sol. Mon visage s'enfonce dans les cendres. Thomas s'approche de moi, me tend la main pour m'aider à me relever. Je crache la poussière que j'ai dans la bouche. Alors qu'il m'aide à me redresser, Thomas reste comme figé, sa bouche s'entrouvrant. Les yeux exorbités, il regarde par-dessus mon épaule, derrière nous. Je me retourne. Et là, je la vois. À une vingtaine de mètres, à l'angle de la ruelle d'où nous venons, une ombre gigantesque d'au moins cinq mètres de hauteur se profile. Je reste moi aussi les yeux rivés sur cette ombre. Plus je regarde, plus je réalise qu'en fait d'une ombre, on dirait plutôt que cette silhouette vaporeuse constitue le corps même de la créature. En effet, l'ombre se répand sur les murs, au sol, court, serpente le long des saillies et progresse inlassablement. On dirait qu'un millier de tentacules composés d'une fumée noire se propagent partout, sur les murs, au sol, dans l'air.

Caleb aussi s'est arrêté et fixe la forme vaporeuse s'avancer vers nous.

— Mais putain, qu'est-ce que c'est ? s'exclame Thomas.

— Je ne sais pas, mais il faut y aller. Vite !

On se remet à courir, d'un pas frénétique. Mon cœur bat à cent à l'heure. J'ai un point de côté, mais ça n'a pas d'importance. Il faut avancer. Je cours quasiment à quatre pattes, les mains tendues en avant pour éviter de chuter à nouveau. À chaque fois que l'on tourne, je jette un œil en arrière, et je vois les tentacules s'approcher irrémédiablement. Je ne sais pas pourquoi, mais en cet instant, j'ai beau continuer à courir, je perds tout espoir. La créature nous rattrapera. Mais elle prend son temps, elle se délecte de notre peur. C'est un jeu pour elle. Elle en finira quand elle le souhaitera. J'essaie de chasser ces pensées. Non, James, accroche-toi. Reste concentré. Cherche les indications de Manus Dei. Trouve la faille et fous le camp de cet enfer !

Ça fait maintenant bien cinq minutes que l'on court. Je suis Caleb qui court devant moi. Mais il s'arrête soudain. Je le percute et m'arrête à mon tour. Je place mon bras en arrière pour retenir Thomas et éviter qu'il nous fonce dessus.

— Pourquoi est-ce que tu t'arrêtes, Caleb ? Il faut continuer, vite !

— Non, il y a un truc bizarre.

— Quoi ?

— On n'entend plus rien.

J'essaie de me calmer, de reprendre ma respiration. J'ai la gorge sèche, emplie de poussières et de cendres. J'essaie de déglutir. Puis je me relève et j'écoute. En effet, la Cité baigne à nouveau dans un silence absolu, seulement entrecoupé par nos respirations sifflantes et haletantes.

— Qu'est-ce que ça veut dire ? Ça aurait arrêté de nous suivre…

— C'est bizarre. Il y a quelque chose qui cloche.

Caleb fait quelques pas en arrière.

— Il n'y a plus rien derrière nous. Mais il faut continuer à avancer vite.

— Ça voudrait dire que la chose a arrêté de nous suivre ? demande Thomas.

— Je ne sais pas, on se posera la question plus tard. Il faut qu'on se barre d'ici, conclut Caleb.

On se remet à avancer, sans courir cette fois, mais en marchant à vive allure. L'oreille tendue, je reste à l'écoute du moindre son, du moindre murmure.

Au bout de quelques minutes interminables, nous accédons à la place centrale. À ce moment, je me dis que nous ne sommes plus qu'à quelques encablures de la sortie des Terres Mortes. Le salut est proche. La dernière fois, en effet, la créature ne m'avait pas suivi dans la faille.

Mais alors que nous arrivons au cœur de la place, que nous nous apprêtons à prendre la ruelle qui nous amènera vers notre salut, un long murmure se laisse entendre. Le murmure devient bourdonnement. Inconsciemment, Caleb, Thomas et moi nous collons les uns aux autres. Le cri suraigu se laisse à nouveau entendre. Au même moment, les ombres des bâtiments environnants, des cryptes et temples semblent happés vers le centre de la place comme si elles coulaient et dégoulinaient, aspirées vers un point unique. Je n'en crois pas mes yeux. Je réalise au même instant que mon ombre et celles de mes camarades se dégagent, comme saisies par une force démentielle pour rejoindre le tourbillon qui se forme au cœur de la place. Nous reculons de quelques pas. Alors que les ombres tourbillonnent, un trou béant se fait au milieu de la salle, duquel commencent à s'échapper des centaines de tentacules noirâtres dans un vacarme assourdissant. Les tentacules pulsent de l'intérieur vers l'extérieur, tandis qu'une forme arrondie grossit au cœur du maelström. Les tentacules l'entourent, l'encerclent. De plus près, on dirait que ces tentacules sont un mélange d'encre, de pétrole et de fumée. Les ténèbres pures. La forme devient plus oblongue, plus haute tandis que le cri devient plus grave.

Au cœur de cet écrin de ténèbres se distingue une silhouette massive de plusieurs mètres de hauteur. Je comprends alors que les tentacules, les ombres, sont comme un cocon qui protège la créature, comme si, en son cœur, cet immense tourbillon renfermait la bête elle-même. Les tentacules claquent dans les airs tandis que du cœur de la créature semble échapper un amalgame de sons disparates : une lourde mastication, un gargouillis sourd, un bruit baveux comme l'écoulement d'un liquide poisseux…

L'aberration nous fait face, de toute sa démoniaque démesure, ses tentacules venant fouetter l'air à
quelques mètres seulement de nos visages. En cet instant, je me dis que c'est fini. Face à nous, l'indicible
horreur grossit toujours et se rapproche. Elle va nous
dévorer, nous happer dans ses ténèbres.

Soudain, sans un mot, Caleb s'avance d'un pas, puis
d'un autre vers la créature. Cette dernière, en réponse,
soulève dans les airs sa forêt de tentacules.

Caleb se retourne vers nous, les yeux emplis de
larmes.

— Vous devez partir, maintenant. Je vais essayer
de la retenir le plus longtemps possible.

— Non, nous ne partons pas sans toi.

— J'attendais ce moment, Hawkins. Ça devait
se passer comme ça. Je dois mourir pour te protéger.
L'enfant m'a prévenu. C'est mon rôle. À toi de jouer
le tien. Rappelle-toi de ce que je t'ai dit, refuse ce qu'il
te proposera !

— Je ne te lâcherai pas, Caleb.

Le maelström de ténèbres semble palpiter, de plus
en plus vite, de plus en plus fort. Déjà des tentacules
commencent à enserrer les jambes de Caleb.

— Foutez le camp maintenant ! Vous voulez crever
ici, c'est ça ?

Et merde. J'attrape Thomas, sous le choc, par
le bras et le tire avec moi. Alors que j'avance, je
regarde en arrière. Les tentacules enserrent toujours
plus Caleb. Le chaman comprime alors son corps.
Que fait-il ? Il hurle de toutes ses forces et se compacte encore plus. Je vois ses bras qui s'allongent, qui
s'étendent et s'affinent. Je comprends en cet instant
qu'il modifie radicalement son apparence comme on

ne peut le faire qu'ici. Quelques secondes plus tard, ses bras se sont transformés en des sortes d'immenses lames aiguisées. La douleur de la transformation a beau être terrible, déjà Caleb commence à suriner la créature de coups.

Il projette ses bras vers les tentacules qu'il tranche en deux, il enfonce ses lames géantes dans le corps de la créature. Je ralentis le pas, en espérant soudain, dans un fol espoir, que l'aborigène puisse bien avoir ses chances. Il est très puissant, je l'ai toujours su.

Le combat fait rage. Caleb s'acharne à planter de toutes ses forces ses bras dans les ombres alors que les tentacules l'enserrent jusqu'à la poitrine. En y regardant mieux, je réalise qu'à peine tranchées, les tentacules repoussent instantanément et que Caleb a beau enfoncer ses bras aiguisés dans le corps de la créature, c'est comme s'il frappait dans un nuage de fumée. Caleb se retourne une dernière fois, tout en continuant à frapper sans relâche. Il nous voit au loin et hurle :

— Courez !

Je me remets à courir poussant Thomas devant moi. Avant de quitter la place, je regarde une dernière fois en arrière. Caleb est suspendu dans les airs, le cou enserré par un tentacule. C'est fini, je le sens. Un énorme bras noir recouvert de volutes de fumée surgit du maelström. Il s'approche lentement de la poitrine de Caleb. Les yeux fermés, l'aborigène a cessé le combat. Désormais, il psalmodie des prières en attendant que la créature le prenne. Cette dernière semble se délecter de ce moment et laisse courir un moment son bras le long de la poitrine de Caleb tandis que les tentacules paraissent lancés dans une danse macabre autour du corps de mon ami. Enfin, la créature ouvre grand sa main et fait jaillir des énormes griffes. D'un geste sec, elle plonge ses griffes dans le torse de Caleb. Ce dernier pousse un lourd hurlement avant de laisser choir sa tête en arrière, inconscient. Dans un geste atroce, la créature tourne et retourne son poing dans la cage thoracique de l'homme comme si elle s'amusait à lui broyer les entrailles. Puis lentement, elle retire sa main remplie de viscères. Alors que je me mets à courir, j'ai juste le temps de voir une immense langue noire et aqueuse sortir des ténèbres et laper les entrailles de mon ami. Face à une telle horreur, j'ai envie de vomir, de me laisser tomber là et d'attendre moi aussi la mort, mais non, il faut que je continue. Thomas et moi, nous nous remettons à courir. Alors que l'on arrive près de la faille, j'entends un dernier bruit terrifiant. Un son qui me fige sur place. Un rire. Un rire lourd et profond.

Nous traversons la faille en toute hâte et atteignons finalement la Nef. Thomas se laisse tomber à genoux, essoufflé. Je m'approche de lui.

— Que vas-tu faire, Tom ? Tu ne peux pas rester ici, c'est trop dangereux.

— Je sais. Je vais essayer de me mettre à l'abri au plus profond de mes rêves. Là où la créature ne pourra pas venir me trouver.

— Mais si je dois te trouver…

— Tu…

Alors que Thomas entame sa réponse, je me sens happé en arrière. Son visage s'efface. Je me réveille dans le Labo. J'ouvre les yeux et me soulève de mon lit en panique. Autour de moi, Kleiner et plusieurs autres scientifiques. Immédiatement, je tourne la tête pour regarder le lit de Caleb. Ce n'était qu'un rêve après tout, peut-être que… mais non. Je comprends instantanément que tout cela est vrai. Le visage tourné vers le côté, Caleb me fixe d'un regard vitreux, exorbité. Ses traits sont figés dans une expression de terreur pure. Son corps est cambré vers le haut, comme s'il s'était rigidifié. Au niveau du torse, sa chemise est recouverte de sang.

Je me tourne vers Kleiner. Il comprend ce que je vais lui demander et anticipe ma question.

— Nous ne savons pas ce qui s'est passé. Caleb a été pris de spasmes violents, puis soudain tout son corps s'est soulevé. Ensuite, nous avons entendu un terrible craquement, puis le sang est apparu sous sa chemise. Nous avons vérifié. Il semblerait que son cœur ait implosé dans son thorax. C'est… c'est impossible…

— Je le savais…

— Nous avons essayé de vous faire revenir avant, mais c'était impossible, comme si vous étiez bloqués dans les Limbes. Que s'est-il passé là-bas, James ?

— La créature, elle est revenue. Elle nous a traqués et elle a pris Caleb.

— La créature, quelle créature ? Mais de quoi parlez-vous ?

— Je vous avais prévenu qu'il y avait quelque chose là-bas. Que quelque chose rôdait dans les Terres Mortes. Nous n'aurions jamais dû y retourner.

— Êtes-vous certain de ce que vous avez vu là-bas ? C'est impossible…

— Je ne veux plus discuter, professeur. Je n'en peux plus… Il faut que je prenne une pause.

— Bien entendu, je comprends. La perte de Caleb est un drame pour nous tous. Reposez-vous le temps qu'il faudra.

17

19 octobre 1971
Station K27, 200 km au nord de Galena, Alaska
Température extérieure : − 8 °C

Voilà plusieurs jours que je tente de me reposer, d'oublier tout ce qui s'est passé dans les Terres Mortes. Les funérailles de Caleb ont été un moment particulièrement éprouvant. La cérémonie a eu lieu dans la cantine de la station. L'aborigène reposait dans une caisse en métal froide posée sur une vulgaire table en Formica. De là où je me trouvais, je pouvais distinguer son visage qui semblait toujours aussi effrayé, même dans la mort. Kleiner a commencé par lire un texte qu'il avait préparé à l'attention de son « ami ». En l'écoutant, je ne pouvais m'empêcher de repenser à ce que m'avait dit le professeur : « Personne n'est indispensable. » En cet instant solennel, il cachait bien son jeu. Tous devaient le croire sincère. Après sa lecture, Kleiner retourna à sa place, puis les uns après les autres, les scientifiques de la station passèrent devant la dépouille pour la saluer une dernière fois. Quelle hypocrisie… Dans la station, personne n'aimait vraiment Caleb, il intimidait, voire faisait peur à la plupart des scientifiques. Sauvage, l'homme passait la plupart de son temps dans sa chambre, seul, à boire. Le seul qui m'eut l'air vraiment sincère en cet instant fut Ethan… Alors que venait mon tour d'aller me recueillir, je restais à ma place. Car au fond de moi, je ne réussissais pas à chasser une terrible pensée. Si Caleb était là aujourd'hui dans ce cercueil minable, c'était à cause de moi. Il avait essayé de me mettre en garde, m'avait prévenu de ne pas retourner dans les Terres Mortes et, sur place, c'était encore moi qui avais encouragé mes camarades à suivre les traces de pas… Après la cérémonie, Ethan est passé me voir dans ma chambre, me proposant d'aller boire un verre en mémoire de Caleb. J'ai refusé, prétextant être fatigué. En réalité, j'étais mal à l'aise de me retrouver seul avec Ethan. Car je savais que, prisonnier de ses propres rêves, son frère Thomas était peut-être lui aussi traqué par cette créature. Cette monstruosité que j'avais réveillée.

•

Les jours ont passé, mais mon état est resté le même. Malgré l'alcool que j'ingurgite à longueur de journée, la vision de Caleb déchiré par les ombres ne parvient pas à s'effacer. J'ai du mal à dormir, car au fond de moi j'ai peur de retourner là-bas. Dans les Terres Mortes. Je passe donc mes journées dans ma chambre à m'occuper comme je peux, en relisant encore et toujours les mêmes revues vieilles de plusieurs mois. Je rends également quelques visites aux rares scientifiques avec qui j'ai pu sympathiser dans la station, histoire de m'aérer la tête, de ne pas devenir fou.

Il est 19 heures, je suis en compagnie de Gregson, le responsable de l'infirmerie.

Nous avons installé deux chaises dans le couloir et fumons cigarette sur cigarette en nous racontant des banalités. Le temps s'étire…

Un bruit de roulement nous parvient alors du bout du couloir.

Deux scientifiques s'approchent de nous en poussant un chariot. En soi, ce n'est pas surprenant. Ce qui l'est plus cependant, c'est que ce chariot soit encadré par une escorte armée. Ainsi, deux militaires entourent le chariot, armes au poing. Les roues grincent sur le sol en béton. Ils ne sont plus qu'à quelques mètres. Lorsque le chariot passe à notre niveau, je comprends qu'il s'agit d'un brancard. Je regarde Gregson avec incompréhension.

— Que se passe-t-il, Gregson ?

— Je ne sais pas trop. Je crois qu'il y a eu un décès cette nuit. Un scientifique est mort dans son sommeil.

Je ne sais pas pourquoi, mais, à ces mots, ma curiosité est piquée. Comme un pressentiment.

— Qui est mort ?

— Ça ne vous concerne pas, James.

Je sens qu'il aimerait en dire plus, qu'il aimerait pouvoir se livrer, mais qu'il n'ose pas.

— Racontez-moi, Gregson.

— Eh bien, c'est assez bizarre, car, d'après le rapport que m'a fait parvenir le Pr Kleiner, il s'agirait du Dr Mayer qui serait décédé cette nuit.

Je réponds de but en blanc.

— Je ne crois pas le connaître.

273

Pourtant, en mon for intérieur, ce nom, Mayer, me rappelle vaguement quelque chose.

— C'est normal.

— Et pourquoi ?

— Parce que le docteur est censé avoir quitté la base il y a trois semaines de cela.

— Comment cela ?

— Il s'agissait d'un des scientifiques qui ont accepté de servir d'hôte à vous autres, les Éveillés. C'est Thomas, je crois, qui le visitait en rêve.

— C'est ça. Ça me revient. C'est Ethan qui avait dû m'en parler. Et on connaît la cause exacte du décès ? Vous avez examiné le cadavre ?

— Non, je n'ai pas pu. Le Dr Brimley s'en est chargé.

— Pourtant, normalement, en tant que médecin responsable de l'infirmerie, c'est à vous de procéder aux autopsies, non ?

— Oui, mais Brimley était sur place, donc…

— Donc, vous n'avez même pas vu le corps ?

— Non, ils l'avaient remonté avant que…

— Remonté ? Remonté d'où ?

— Je ne devrais pas en parler.

— Gregson, vous en avez déjà trop dit.

— Quand je suis tombé sur Brimley, il revenait de la zone rouge. C'est de là qu'ils avaient ramené le corps.

— La zone rouge ? Et qu'est-ce qu'il y a là-bas ?

— Je ne sais pas. Très peu de personnes sont habilitées à s'y rendre.

— Mais je n'en ai jamais entendu parler.

— Il s'agit des sous-sols de la station… mais on ne sait rien de ce qui s'y passe. Rien de certain en tout

274

cas. Écoutez James, parfois il vaut mieux ne pas trop creuser. Moi, je fais mon boulot, point final. Chacun à sa place. Vous voyez ce que je veux dire ?

— Vous avez certainement raison.

Je sens bien que Gregson ne lâchera rien de plus. J'arrête de l'assaillir de questions et passe à autre chose. Pourtant, cette histoire de mort m'intrigue.

Il est 2 heures du matin, je suis allongé sur mon matelas, dans ma chambre, et je ne parviens pas à trouver le sommeil. Je pense encore à tout ça. Je ne sais pas pourquoi, mais inconsciemment, j'ai la certitude que je suis relié, indirectement ou non, à ce cadavre. Mayer était le docteur qui servait d'hôte à Thomas. Soudain, sans trop savoir pourquoi, je me remets à penser à Emerson. Il a quitté la station sans même me dire au revoir, Kleiner m'avait dit qu'il avait rejoint sa famille. Et si…

Il faut que j'en aie le cœur net.

J'attrape quelques comprimés pour dormir, les avale. Ferme les yeux.

Je reprends mes esprits dans la Nef. Je marche jusqu'à la Stèle. Je me concentre, visualise le visage d'Emerson dans ses moindres détails, puis appose ma main sur la Stèle. J'ai fait cet exercice des dizaines et des dizaines de fois, tellement en réalité qu'il ne me faut pas plus de quelques secondes pour retrouver projeté dans les rêves d'Emerson.

Le silence, comme toujours.

L'obscurité.

Puis lentement, comme si la lumière se faisait et se répandait autour de moi, mon environnement se dessine. J'ai d'abord du mal à comprendre ce qui se présente sous mes yeux. Certes, c'est indéniablement le décor du rêve d'Emerson que j'ai tant arpenté, tant façonné et retravaillé. Je reconnais le ponton, le lac, derrière moi la magnifique maison coloniale. Et pourtant, mon environnement a complètement changé. Tout le paysage a perdu ses couleurs. Je m'avance vers le ponton et m'abaisse au sol. Le gazon normalement d'un vert éclatant a pris une couleur jaunâtre. En y regardant mieux, je réalise que la surface de l'eau du lac d'une teinte normalement émeraude est désormais d'un noir profond. Plus étrange encore, je remarque un peu partout des coulées d'un liquide noir et brillant qui ressemble à une sorte de goudron. Le liquide dégouline lentement des arbres, des murs de la maison coloniale, d'une balançoire pour enfants, des lattes du ponton... Je m'avance jusqu'au bout de l'embarcadère, là où normalement j'ai l'habitude de retrouver Emerson. Je vois sa silhouette, mais ici plus encore qu'ailleurs l'étrange goudron semble avoir dévoré la zone. Tout le bout du ponton est ainsi quasiment recouvert de cette matière visqueuse. Alors que j'approche, j'ai l'impression un quart de seconde de voir l'immense flaque de pétrole se contracter. Je m'arrête au bord de la matière noirâtre. J'hésite, puis finalement soulève mon pied et le repose sur la matière. Étonnamment, comme s'il s'agissait de quelque chose de vivant, le goudron s'écarte sous mes pieds. On dirait qu'il veut éviter tout contact avec moi. À chaque nouveau pas, la matière s'étire ainsi et laisse apparaître le bois du ponton. J'arrive auprès du banc. Il est quasiment recouvert par le goudron. Emerson est là, assis, regardant dans le vide. Lui-même est en partie couvert de poix, des filaments épais de mazout reliant son corps au banc, au sol du ponton. Pire, on dirait que la matière se faufile à l'intérieur de son corps par sa bouche entrouverte, ses narines. J'appose ma main sur son visage et encore une fois la matière, comme effrayée, se retire. Les yeux d'Emerson sont vitreux, recouverts d'un voile blan-châtre. Mais bon Dieu, que se passe-t-il ici ? J'essaie de parler à Emerson, mais il ne réagit pas. Je m'efforce de retirer le maximum de matière noire de son corps en passant ma main sur sa chemise, son dos, son pantalon. Je remarque alors que ses yeux retrouvent un petit peu de leur couleur naturelle. Je m'approche de son visage et lui parle d'une voix la plus douce possible :

— Docteur Emerson, c'est James.

Il me répond d'une voix monocorde, éteinte.

— James, oui, je me rappelle. James. Vous êtes dans mon rêve. Vous êtes revenu…

— Oui, je suis là.

— Aidez-moi, James.

— Que se passe-t-il ici ?

— Elle arrive…

— Qui ?

— Elle vient pour moi. Pour nous.

— Mais de qui parlez-vous ?

— Ils ne veulent pas me laisser sortir… Ils disent qu'il faut que je me calme. Mais je ne peux pas, je la sens qui rentre dans ma tête, dans mes veines, par-tout. Elle va me prendre, elle vient. Elle va tous nous prendre. Et vous aussi, James.

Alors qu'il parle, je remarque que le goudron semble à nouveau se répandre sur lui, de ses pieds, remonter vers ses genoux. J'essaie de l'en chasser, mais cette fois rien n'y fait, la matière aqueuse ne semble plus me craindre. À nouveau, les yeux d'Emerson sont recouverts du voile blanc et l'homme retombe en catatonie. Sa tête tombe en avant. Je suis en train de le perdre. Je n'ai pas le choix. J'attrape son visage entre mes deux mains, l'approche du mien. Je lui parle, même si je sais qu'il ne m'entend plus.

— Je suis désolé Emerson, j'aurai dû venir avant, essayer de vous aider. Je suis désolé. Je peux encore peut-être faire quelque chose, laissez-moi prendre le contrôle.

Je me concentre, ferme les yeux et me projette en Emerson. Je sens que je pénètre son enveloppe, que je rentre en lui.

Une douleur terrible me vrille le crâne.

Je rouvre les yeux.

J'ai réussi. Je suis dans sa tête.

Je suis assis par terre dans une petite salle. Les murs sont en béton. Au sol, un matelas dépouillé, une écuelle en métal cabossée. Il fait froid et sombre. Les sons commencent à se dessiner.

J'entends d'abord un brouhaha indistinct, puis tout devient clair. Des cris, des hurlements provenant d'à côté. J'essaie de me soulever. Je manque de chuter au sol alors qu'une nouvelle décharge de douleur fulgurante me traverse le crâne. Je parviens enfin à me redresser. Je remarque que les avant-bras d'Emerson sont constellés de traces de piqûres. Ses veines sont saillantes, d'un bleu foncé. Avec grand mal, je parviens à faire un premier pas. Je m'avance en prenant appui sur un mur, sors de l'obscurité et regarde un peu mieux autour de moi. Le matelas au sol, l'écuelle... là des traces d'excréments. Et en face de moi une grille en fer en lieu et place de la porte. Il n'y a pas de doute possible, je, enfin Emerson est enfermé dans une sorte de cellule. Mais que fait-il là ? Je m'avance encore et colle mon visage contre la grille épaisse.

J'essaie de regarder à droite, à gauche. De situer l'endroit dans lequel nous nous trouvons. Je ne vois rien qu'un couloir illuminé par des ampoules frémissantes. À droite, les cris deviennent de plus en plus hystériques, de plus en plus stridents. Au bout d'un moment, j'entends des bruits de pas et remarque des silhouettes qui semblent se diriger dans notre direction, du bout du couloir. Ils sont trois. J'ai d'abord du mal à les discerner. Enfin, entre les rais de lumière des ampoules, je reconnais l'un des trois hommes. Je n'en crois pas mes yeux, il s'agit de Brimley. Il est accompagné de deux soldats en armes. Si Brimley me fait face, cela veut dire qu'Emerson est toujours quelque part dans la station. Certainement dans cette fameuse zone rouge. Brimley passe devant ma geôle, s'arrête quelques secondes. J'ai un mouvement naturel de recul, m'enfonce dans les ombres et baisse les yeux de peur qu'il ne me reconnaisse... même si c'est bien entendu impossible qu'il réalise que je suis dans la peau d'Emerson. Brimley me regarde longuement avec une expression de tristesse. Enfin, il dit quelques mots à l'oreille du soldat, puis, après un hochement de tête, passe à côté. Le soldat me fait face, puis lentement arme son fusil sur son épaule. Il me vise. Je reste stupéfait. J'entends un coup de feu qui provient de la cellule d'à côté. Les cris s'arrêtent dans un gargouillement. Le soldat face à moi semble hésiter à tirer. Son canon tremble. Brimley revient à ses côtés, puis lui pose la main sur l'épaule. Je l'entends cette fois qui dit : « Faites-le, nous n'avons pas le choix. »

Le soldat resserre son étreinte sur son arme, me vise.

Il faut que je me retire maintenant. La dernière fois que je suis « mort » dans la peau d'un de mes hôtes, c'était avec le chef viet, et je me suis réveillé au cœur des Terres Mortes. Je ne supporterai pas d'y retourner. Pas avec ce qui y rôde en ce moment.

Je ferme les yeux. Le temps se ralentit. J'entends le bourdonnement de la détonation et *in extremis* parviens à m'extraire du corps d'Emerson.

Instantanément, je me réveille en sursaut dans mon lit, en sueur. Je repousse les draps, pose les deux jambes au sol et, pris d'un soubresaut, vomis sur le linoléum imitation bois du sol. Je m'essuie la bouche, attrape un pantalon, l'enfile, ouvre le dernier tiroir de ma commode, fouille au fond et en sors mon revolver. Je vérifie que le barillet est plein, place l'arme dans ma ceinture. Je sors de ma chambre. Je ne sais pas quelle heure il est, je ne sais pas vraiment ce que je fais. Mais une chose de sûre : Brimley va payer.

J'avance dans les couloirs déserts de la station. J'arrive devant la porte de la chambre de Brimley. Sans même frapper, je l'ouvre. J'ai du mal à d'abord cacher ma surprise. L'homme est là, attablé, un verre d'alcool à la main. Mais en face de lui : Kleiner. Brimley a l'air effondré, mais, étonné par mon arrivée inopinée, il se lève pour s'approcher de moi. Je ne lui laisse même pas le temps de parler et lui décoche un violent coup de poing dans le visage. L'homme chancelle et chute au sol. Je me poste au-dessus de lui et braque mon arme sur son front.

Brimley stupéfait essaie de reculer au sol jusqu'à ce qu'il bute contre le mur derrière lui.

Kleiner se lève et d'un mouvement de main apaisant me dit :

— James, qu'est-ce qu'il vous prend, voyons ? Calmez-vous, baissez votre arme.

— Docteur, cet homme vient de faire exécuter de sang-froid le Dr Emerson et certainement au moins un autre homme. Et je vais lui faire payer.

— Je sais ce qu'a fait le Dr Brimley…

— Comment ça ?

— C'est moi qui lui ai demandé.

Je reste sous le choc et tourne la tête vers Kleiner.

— Baissez votre arme et calmez-vous, James, je vais tout vous expliquer.

— Non… Je… je ne bougerai pas.

Je braque mon arme sur Kleiner. Après un sursaut de surprise, il me fait face, digne, comme toujours.

— Je ne vais pas lâcher mon arme et vous allez m'expliquer.

— D'abord, expliquez-moi, vous, ce que vous croyez avoir vu.

— Hier soir, j'ai vu passer la dépouille du Dr Mayer, je me rappelais de lui. Je me rappelais aussi que ça faisait plusieurs semaines qu'on ne l'avait plus vu, qu'il avait été soi-disant renvoyé auprès des siens, comme Emerson. J'ai senti qu'il se passait quelque chose, alors j'ai visité Emerson dans ses rêves. Mais Emerson n'était plus le même homme. Et son rêve était comme sali, possédé par quelque chose d'autre. J'ai pris le contrôle sur lui pour en savoir plus, savoir où il était. Et là j'ai vu. J'ai vu qu'Emerson était enfermé comme un chien dans une cellule miteuse. J'ai vu ce salopard de Brimley ordonner à un soldat de tirer sur Emerson. Vous êtes tous devenus fous… Il faut que ça s'arrête.

Tandis que je parlais et malgré la menace de mon arme, Brimley s'est relevé et s'est rassis à la table.

Il se ressert un verre de whisky, le boit d'un trait, puis me répond.

— Tout ce que vous dites est vrai, James, mais vous n'avez pas tous les éléments en main. Il y a un peu moins d'un mois, à peu près au moment de la visite de Lettinger, nous avons remarqué que les scientifiques qui servaient d'hôtes aux Éveillés, à Caleb, Thomas et vous, vivaient ces visites de plus en plus difficilement. On a d'abord cru à un gros coup de fatigue. Mais c'était autre chose. À peu près au même moment, les trois scientifiques sont entrés dans une sorte de catatonie. Ils restaient dans un état léthargique toute la journée, avec des phases de rémission de plus en plus rares où ils retrouvaient la conscience. Pour ne pas inquiéter les équipes, nous avons décidé, le Pr Kleiner et moi-même, de les emmener dans la zone rouge où nous chercherions à les aider. Et c'est ce que nous avons fait.

Kleiner prend le relais.

— Nous avons tout essayé, James. On les a placés sous nutrition artificielle, puis tenté de leur administrer diverses drogues puissantes, des piqûres d'adrénaline... mais les trois hommes ne sortaient pas de leur état comateux. Cela a duré plus de deux semaines. Puis il y a quelques jours, les trois scientifiques ont commencé à s'agiter dans leurs rêves. De plus en plus. Soudain, ils ont eu des phases d'éveil. On a alors cru qu'ils étaient sortis d'affaire. On se trompait. Car quand ils revenaient à eux, ils étaient pris de violentes crises d'hystérie. À tel point que nous avons été obligés de poser des grilles à la place des portes de leurs chambres qu'ils avaient réussi à mettre en pièces. Puis ça a encore empiré. Mayer a fait une

282

crise terrible... Il ne s'arrêtait pas de hurler. Alors que nous tentions de le calmer, de le raisonner, il s'est jeté sur un soldat et l'a mordu au bras. Mayer était comme enragé. Nous n'avons eu d'autre choix que de l'abattre. C'était la nuit dernière. Et cette nuit, ça a recommencé. Nous avons dû faire la même chose avec Emerson et Glenane. Nous n'avions pas d'autre choix, James. Ils étaient devenus incontrôlables. Ils menaçaient l'avancée du projet.

— Si, vous aviez le choix : vous auriez dû nous en parler. Nous aurions pu faire quelque chose !

— Mais il fallait avancer sur le projet. Lettinger avait besoin de résultats. Il ne pouvait pas découvrir que nous rencontrions des problèmes. Il ne fallait pas qu'il le sache.

— Alors, vous les avez abandonnés dans ces cages. Vous avez préféré continuer comme si de rien n'était.

Brimley se lève péniblement et me répond :

— Nous avons vraiment fait tout ce qui était en notre pouvoir pour les aider. James, je connaissais Emerson depuis vingt ans. Je n'ai pas fait ça de gaieté de cœur. Mais ils étaient devenus fous, complètement incontrôlables.

— Incontrôlables ? Eh bien pourtant, moi, cette nuit, j'ai parlé à Emerson dans son rêve. Pendant quelques secondes, il est revenu à lui. Je ne sais pas ce qui lui est arrivé, mais ce que je sais, c'est qu'il y avait encore un espoir.

Kleiner prend la parole d'une voix douce et paternaliste :

— Vous vous trompez, James.

— Je n'en peux plus... vous me dégoûtez...

Sans m'en rendre compte, j'ai abaissé mon arme. Plus écœuré qu'autre chose, je la replace à ma ceinture. J'ai comme un énorme coup de fatigue. Je m'appuie sur le mur. J'ai du mal à respirer.

Comme si j'étouffais, comme si j'avais le souffle court, j'ai un besoin incroyable de sentir du vent, de l'air sur mon visage, de sortir de cette crypte nauséabonde…

— Il faut que je sorte d'ici. Je n'en peux plus. Je suis fatigué de tout ça, de toute cette folie. Si fatigué. Il faut que je sorte.

Kleiner me regarde, incrédule.

— Comment ça ?

— Laissez-moi sortir, dehors…

Brimley se lève, prêt à me retenir.

— Mais, vous devez respecter le protocole James. Ensuite, nous réfléchirons ensemble à…

— Je n'en ai rien à foutre, de votre protocole. Des hommes viennent de se faire abattre, ici, sous mes yeux. Et c'est de votre faute. Je vous avais prévenus du risque encouru. Nous avons réveillé quelque chose dans les Terres Mortes, et c'est cette créature qui vient de tuer Caleb et ces hommes. Nous aurions dû nous arrêter avant d'aller trop loin. Caleb avait raison.

— Mais…

— Je veux sortir, je vous ai dit…

Kleiner soulève la main pour apaiser la discussion, puis se tourne vers Brimley et lui dit :

— Bien. Brimley. Donnez des vêtements chauds à M. Hawkins et accompagnez-le à l'extérieur. Emmenez-le dans les baraquements et laissez-le se reposer.

— Mais, professeur, c'est contraire au règlement !

284

— Faites ce que je vous dis ! James, de votre côté, reposez-vous et réfléchissez. Réfléchissez bien. Nous savions en nous lançant dans un tel projet que nous rencontrerions des difficultés. Mais il faut raison garder. Nous contrôlons encore la situation.

— Vous ne contrôlez plus rien, professeur...

Brimley m'accompagne en silence vers la sortie du bunker. Alors que nous remontons lentement vers la sortie, je réalise combien je me sens vidé, la fatigue accumulée ces dernières semaines et toutes ces morts successives semblent m'écraser d'un seul coup. Je manque de trébucher et tomber en avant. Brimley me retient et m'aide à marcher. Nous arrivons devant l'impressionnante porte blindée. À chaque pas, je me sens de plus en plus faible. Brimley me laisse m'appuyer contre la paroi, tandis qu'il attrape un manteau doublé. Il me le pose sur les épaules et demande aux gardes à l'entrée d'ouvrir le sas.

— Autorisation expresse du Pr Kleiner.

Dans un lourd grincement, le sas tourne sur ses gonds et s'ouvre. Quasi instantanément, un souffle glacial pénètre le bâtiment sombre, quelques flocons de neige épars commencent à virevolter autour de nous. Il fait froid. Je ferme les yeux et aspire de tout mon corps. De l'air frais, enfin. Je me sens mieux. Je me sens vivant...

Nous sortons à l'extérieur et nous mettons à marcher péniblement sous la neige. L'un des soldats nous accompagne, son arme à l'épaule. Derrière nous, l'immense portée siglée d'un K27 se referme lentement. Je marche et regarde autour de moi. Les arbres que j'avais laissés feuillus et verts sont désormais rachitiques et recouverts de neige. Partout autour de nous le monde est blanc, immaculé. Je réalise que cela fait maintenant plus de trois mois que je suis enfermé là-dessous, terré. Durant toutes ces semaines, j'avais un peu perdu la notion du temps, entraîné dans notre recherche effrénée de découvertes. Que ça fait du bien de respirer, enfin ! J'en oublierais quasiment ce qui vient de se passer.

Nous arrivons près d'un baraquement.

Nous entrons, tapons nos pieds sur le pas de la porte pour en dégager la neige. Je me sens faible, si faible. Il faut que je m'allonge, vite. À l'intérieur, quatre hommes, en pleine partie de cartes, lèvent la tête et nous fixent stupéfaits, la bouche entrouverte. Je reconnais de suite Nate malgré sa barbe épaisse. Je tente péniblement de lever la main, de lui sourire, mais je me sens trop faible. Nate, lui, se dresse d'un bond, faisant basculer sa chaise en arrière. Il s'avance vers nous et vient me soutenir en me tenant par le bras.

— Qu'est-ce qu'il se passe ? James, ça va ?

— Oui... je...

— Putain, qu'est-ce que vous lui avez fait, il est si maigre...

— Ça va. Il a juste un coup de mou.

Il m'aide à m'allonger sur un lit, me passe une couverture sur le corps.

— Un coup de mou, vous vous foutez de moi ? Vous êtes en train de le tuer avec vos conneries. Qu'est-ce que vous foutez là-dessous ? Il se passe des choses, on...

Alors que je continue à entendre Nate s'en prendre à Brimley, je sens mes paupières lourdes se refermer sur mes yeux. J'essaie de me retenir de m'endormir, mais je chute. Les bruits de discussions autour de

moi se chuintent, s'effacent, ne sont plus qu'un brouhaha indistinct. Mais avant de sombrer, j'ai une dernière pensée. Et si la créature m'attend, tapie au cœur
de mes rêves pour me prendre à mon tour ? Aurai-je
encore la force de me battre ?

Malgré la peur qui m'étreint, je m'endors.

18

20 octobre 1971
Station K27, 200 km au nord de Galena, Alaska
Température extérieure : – 12 °C

C'est la sensation d'un rai de soleil sur mon visage qui me réveille. Pendant quelques instants, je reste là les yeux fermés, tournant ma tête de droite à gauche pour sentir glisser la chaleur de ma joue vers l'arête de mon nez, la laisser passer par-dessus ma paupière. J'aimerais oublier où je suis. Me dire que je n'ai jamais quitté Cedar City. Que je suis dans ma chambre d'enfant en train de doucement me réveiller d'un mauvais rêve. Me dire que je vais me lever et que ma mère va me préparer une assiette pleine à craquer de pancakes dégoulinant de sirop d'érable. Me dire que tout ça n'est jamais arrivé…

Mais le bruit du vent qui siffle le long de la toiture et fait vibrer la tôle me rappelle à la réalité. Je ne suis pas à Cedar City. Je suis toujours au cœur de l'Alaska, au-dessus de cette putain de station K27. J'ouvre les yeux. Je suis allongé sur l'un des lits du baraquement.

Toutes les autres couchettes autour de moi sont faites, tirées au cordeau. Le baraquement est silencieux. Je me soulève péniblement, mes membres semblent encore endoloris, tout endormis. Je me redresse en m'appuyant sur le matelas, puis me dirige vers les sanitaires. Je m'approche d'un évier, m'abaisse, ouvre le robinet et me passe longuement les mains sous l'eau fraîche, puis je me frictionne le visage avec mes mains remplies d'eau. Je reprends lentement mes esprits. Je me relève et tombe devant mon reflet dans le vieux miroir ébréché qui me fait face. Je me rappelle assez mal la discussion de la veille entre Brimley et Nate. Mais je crois me souvenir l'avoir entendu dire : « il est si maigre »… et c'est vrai qu'en me regardant en cet instant dans le miroir je réalise à quel point j'ai perdu du poids ces derniers mois. Mes joues sont creusées. Et j'ai de larges cernes grisâtres sous les yeux. Ces derniers semblent d'ailleurs enfoncés dans mon crâne. « Le prix à payer », me dirait Kleiner dans son habituel ton paternaliste. Alors que je détaille l'étendue des dégâts sur mon visage, je n'entends pas le grincement derrière moi. La voix me fait sursauter.

— Ouais, t'as vraiment une putain de sale gueule…

Je me retourne. Nate est dans l'embrasure de la porte, une casserole fumante entre les mains et un café dans l'autre.

— Salut Nate.

Je m'avance vers lui et lui tapote sur l'épaule longuement, heureux d'enfin voir un visage ami.

— Je suis content de te voir debout. Je n'y croyais plus. Tiens, va t'asseoir, je t'ai ramené à manger.

Je m'assois sur un tabouret, accolé à une petite table en bois. Nate pose le plateau devant mes yeux, puis s'assoit sur le lit le plus proche.

— Allez, mange vite, avec le froid dehors, tout refroidit à une vitesse terrible ici.

— Ça tombe bien, je rêvais de pancakes…

— Et bah, t'auras du corned-beef, des beans, un café dégueulasse et du pain rassis, désolé.

Je lâche un sourire à Nate… et commence à plonger ma fourchette dans la conserve qui me fait face. Ça a beau ne pas être très ragoûtant, je mange avec appétit.

— J'ai dormi longtemps ?

— Longtemps, tu veux rire ? Une éternité oui. Tu viens de dormir plus de vingt heures d'affilée.

— Tant que ça ?

— Je crois que tu en avais vraiment besoin. Tiens, d'ailleurs, ton petit copain, le Dr Brimley, il nous a quittés pour retourner dans le blockhaus. À croire que ça lui manquait. Par contre, ils ont quand même laissé un garde armé devant le baraquement. T'as fait une connerie ou quoi là-dessous, James ?

— Non… Ils ont besoin de moi. C'est compliqué.

— J'ai tout mon temps.

— Tu ne croiras jamais ce que je vais te raconter.

— Ces derniers temps, je suis prêt à croire pas mal de choses…

Pendant les deux heures qui suivent, je tente tant bien que mal de lui relater les événements de ces trois derniers mois. Le projet des Limbes, l'étude et le contrôle des rêves, la découverte des Terres Mortes… Plus je parle, plus je réalise combien tout cela est fou. À chaque nouvelle information, je lève la tête vers Nate pour voir s'il continue à me suivre, s'il ne me prend pas pour un dingue. Mais, au contraire, Irving m'écoute avec attention, comme si, pour lui aussi, tout prenait soudain sens.

Après que j'ai terminé mon récit, il me propose de me montrer, lui aussi, quelque chose. Il me laisse le temps de prendre une douche et de m'habiller. En plus de mes vêtements, Nate me tend une combinaison épaisse en polyamide spécialement conçue pour le grand froid. Je la passe et ferme la fermeture Éclair jusqu'en dessous de mon cou. Je passe la capuche et la resserre autour de ma tête, enfile des bottes, une paire de gants, puis sors à la suite de Nate. Devant l'entrée, le militaire semble surpris de nous voir sortir.

— Mes ordres sont stricts, vous n'avez pas le droit de quitter le baraquement.

Il s'apprête à nous empêcher de passer, mais Nate s'approche de lui, lui tend une cigarette, l'air amical.

— Écoute vieux, je sais que c'est ton boulot, mais relaxe-toi un peu. On va juste faire un tour autour de la station. On sera revenu dans une demi-heure. Et où veux-tu qu'on aille de toute façon ? C'est une prison à ciel ouvert ici. Tiens, prends quelques clopes et coule-la-toi douce. On revient.

— Bon, une demi-heure pas plus. Sinon, je préviens le Q.G.

— Pas de problème.

Nate attrape deux paires de raquettes, il m'en jette une. Je les accroche à mes semelles. Il est bien plus aisé ainsi de marcher sur la neige épaisse qui nous entoure. On fait le tour des baraquements. Le soleil est haut, mais ici à l'extérieur, on sent moins la chaleur de l'astre incandescent. Le froid attaque le visage et filtre à travers la combinaison pourtant épaisse. Mais c'est tout à fait vivable. Au contraire, après mes trois mois d'enfermement, c'est plutôt agréable de sentir le vent souffler jusqu'au cœur de ses entrailles, aspirer un grand coup d'air pur et glacé, et le sentir se répandre dans sa gorge, sa trachée… Ça change de l'air vicié et sans cesse recyclé de la station. J'ai du mal à regarder au loin, tant la neige blanche immaculée me renvoie des reflets aveuglants. Je me déplace avec ma main devant les yeux. Nate s'en rend compte et fouille dans sa poche pour en sortir une paire de lunettes de soleil et me les donner.

— Où on va, Nate ?
— Pas loin.
— Qu'est-ce que tu veux me montrer ?
— Tu vas bientôt le découvrir par toi-même.

Alors qu'on marche depuis une petite dizaine de minutes, serpentant entre les pins recouverts de neige, au bout d'un moment, je commence à remarquer à quelques centaines de mètres des centaines de taches noires sur l'étendue blanche. Comme plein de minuscules points faits sur une page blanche. Je me demande même s'il ne s'agit pas d'une illusion d'optique et baisse mes lunettes de soleil pour voir de mes propres yeux. Mais non, les taches noires restent là. On se rapproche encore. Plus on avance, plus les formes se dessinent. Il doit y en avoir des milliers, toutes accumulées au sol sur une même zone. L'étendue blanche contraste radicalement avec cette zone parsemée de taches.

Nous ne sommes plus qu'à quelques mètres. J'ai d'abord du mal à y croire, mais je réalise que les points noirs sont en réalité des oiseaux morts, des milliers d'oiseaux morts qui choient au sol, gelés, à moitié recouverts de neige. Leurs positions donnent l'impression qu'ils se sont jetés au sol, s'écrasant volontairement le bec sur le sol gelé. Partout autour des cadavres, des taches givrées de sang noirâtre. Plusieurs espèces se mêlent dans ce ballet macabre. Je reconnais des petites mésanges à tête noire, des passereaux, des corneilles. Plus surprenant, de-ci de-là, quelques aigles semblent aussi s'être écrasés au sol, leurs somptueuses ailes gisantes déformées dans la neige fraîche.

— Que s'est-il passé ici ?

— On n'en sait fichtrement rien. C'est Mongo qui a découvert ça en allant chasser l'autre jour. Ça faisait plusieurs jours qu'il nous disait qu'il trouvait ça bizarre qu'on n'entende plus aucun bruit d'oiseau et puis, soudain, il est tombé là-dessus.

— C'est comme s'ils avaient été tous attirés ici et qu'ils s'étaient volontairement écrasés.

— Ouais. Mongo qui connaît assez bien la faune d'Alaska me dit ne jamais avoir vu de truc pareil. On a rapidement laissé tomber l'hypothèse d'un virus, car le plus bizarre c'est qu'ils sont tous venus crever ici dans un rayon d'à peine cent mètres.

— C'est dingue…

— En réfléchissant, on a vite fait le lien avec les expériences que vous meniez en dessous. Avant que tu me racontes tout, on pensait que vous travailliez peut-être sur des trucs électriques ou que vous utilisiez des ondes. On a vérifié sur de vieux plans que l'on a retrouvés de la station et ça s'est confirmé.

— Quoi ?

— Tu sais ce qu'il y a juste en dessous de nous, à quinze mètres sous terre ?

— Non.

— La station K27 et plus exactement ce qu'ils semblent appeler le Labo 1. C'est la plus grande pièce.

— C'est là que se passaient les expériences… mon Dieu…

— T'y comprends quelque chose ?

— Non rien, mais ça ne fait que m'inquiéter encore un peu plus.

— Et bah attend la suite… Ce n'est pas le seul événement bizarre. Depuis, forcément, on a un peu plus fait attention. Tu sais que, même en hiver, l'Alaska reste peuplé d'animaux, oiseaux, mammifères… et là, plus rien.

— Comment ça, rien ?

— Mongo a trouvé tout un tas de traces de pas : des rongeurs, des cervidés, des renards, même des ours. Ils semblent tous fuir la zone.

— Il n'y a plus rien de vivant ici ?

— À part nous, non. Et d'ailleurs, il y a à peine une semaine, en faisant une patrouille, on est tombé sur une tribu inuit en transhumance. On s'est arrêté pour discuter avec eux et essayer de leur acheter du poisson. Mais ils ne voulaient pas nous parler. Ils nous disaient qu'ils fuyaient d'ici, car nous avions « réveillé les ombres »…

— Putain…

— Alors, t'imagines que quand tu m'as raconté toute ton histoire, tout a pris sens.

— Et c'est pour ça que tu ne m'as pas traité de dingue.

— Ouais, car je sais qu'il se passe un truc pas net là-dessous.

— Nate. Il faut qu'on foute le camp d'ici.

— Tu ne me le fais pas dire. Mais comment ?

— On est loin de Galena à pied ?

— Oui. Impossible. Déjà qu'en plein été il faudrait plusieurs jours. En cette période, c'est du suicide. D'autant plus que la météo annonce une tempête de tous les diables.

— Alors ?

— Il y a bien le Huey, l'hélicoptère du vieux Jack… Je m'entends bien avec lui. Je pense que je pourrais le convaincre de nous prendre avec lui lorsqu'il ira à Galena chercher des vivres.

— Parce que tu crois que Kleiner et ses sbires vont nous laisser partir comme ça ? On est au courant d'un des secrets les plus dingues de l'Histoire, je te rappelle.

— Oui. Je sais. Et ils ont besoin de toi pour continuer, je le sais aussi. Écoute, on verra. On trouvera bien un moyen.

De retour au camp, j'accompagne Nate vers le hangar auprès duquel se trouve l'hélicoptère, un Bell UH1-Huey, ainsi que le chasse-neige de la station. C'est là qu'est censé travailler Jack, à la réparation d'un moteur de générateur. Mais lorsque l'on arrive, personne.

Nate semble surpris.

— C'est bizarre… normalement il est toujours fourré ici, les mains dans le cambouis à bricoler.

On entend alors plusieurs voix provenant du petit baraquement à quelques mètres à notre gauche. Nous nous approchons.

À l'intérieur, Jack le pilote de l'hélicoptère, le garde censé me surveiller ainsi que les deux militaires responsables de la sécurité de la station, Mongo et Cole Delauney, sont tous attroupés autour de la station radio tandis que le jeune Kenneth, responsable radio, est penché sur le micro noir qui lui fait face et semble répéter inlassablement le même message : « Galena, Galena, ici la station K27. Nous n'avons pas bien compris votre message, veuillez répéter. Terminé. »

Nous rentrons dans la station radio. Au départ, les hommes ne semblent pas nous remarquer. Puis finalement, ils se tournent vers nous. Mongo et Delauney me jettent un regard noir. Nate s'approche de Kenneth.

— Qu'est-ce qu'il se passe, Kenneth ?

— Je ne sais pas, c'est bizarre. Il y a un quart d'heure, j'ai reçu un message de Galena.

— Et qu'est-ce qu'il disait ?

— C'était un SOS en code rouge. L'opérateur appelait au secours. Le signal n'était pas clair. Je n'ai pas bien compris. J'ai juste cru entendre : « Ils sont devenus fous, nous avons perdu le contrôle, demande urgente d'évacuation… »

— Qu'est-ce que c'est que ces conneries ?

Delauney prend la parole :

— C'est peut-être juste une mauvaise blague des gars de Galena pour se payer notre tête ?

— Au son de sa voix, je peux te garantir qu'il ne blaguait pas. Le gars avait l'air terrifié, reprend Kenneth, franchement paniqué.

Nate se penche sur l'installation radio comme s'il pouvait trouver une réponse en regardant le ballet des aiguilles oscillant de droite à gauche.

— Tu as réussi à les joindre à nouveau depuis le message ?

— Non. Après les dernières paroles de l'opérateur, il y a eu comme un grésillement, un cliquetis et un terrible larsen. J'ai dû retirer le casque, ça m'a pété les oreilles. Mais j'ai quand même cru entendre…

Kenneth semble hésiter.

— Tu as entendu quoi ?

— Comme un putain de cri, Irving. Un putain de cri terrifiant. Et depuis plus rien. Plus aucun signal.

Je prends la parole.

— Avant ce message, quand avez-vous eu votre dernier contact avec Galena ?

Après m'avoir regardé avec surprise, comme s'il se rendait seulement compte de ma présence, Kenneth se décide à me répondre.

— Il y a deux jours pour l'appel de routine. Tous les trois jours, Galena entre en contact avec nous pour savoir si tout va bien et faire l'inventaire des provisions. Ça dure quelques minutes et après, le plus souvent avec Dougall, l'opérateur radio de la station, on papote un peu. Je demande des nouvelles de la station, il me raconte ce qui se passe au pays, me parle des actualités. On n'est au courant de rien, nous, ici. Ça fait du bien de se sentir un peu moins isolé.

— Et ?

— Et cette fois-ci, Dougall, le responsable radio, m'a parlé d'un truc bizarre.

— Quoi ?

— Soi-disant un virus se serait déclaré dans la station. De plus en plus de soldats semblaient tomber dans un état comateux. Comme s'ils étaient endormis et qu'on ne pouvait plus les réveiller.

Nate me lance un regard intrigué. Instantanément, moi aussi je me dis que cela a un rapport avec ce que nous avons fait. Le visage d'Emerson me revient en mémoire. J'ai comme un frisson qui me parcourt

298

l'échine. Comme si une terrible certitude venait de naître en moi. Je le sens, au fond de moi. Ce qui arrive à Galena est lié à ce que nous avons réveillé dans les Terres Mortes.

Alors que je reste coi, pensif, Delauney s'avance vers moi, l'air agressif, en braquant son doigt sur mon torse.

— C'est à cause de vous tout ça. Putain, mais qu'est-ce que vous trafiquez là-dessous, bordel ? Tout part en vrille, c'est pas normal.

Alors que je ne sais quoi répondre, Nate s'interpose entre nous deux.

— Arrête tes conneries, ça n'a rien à voir. Et l'urgence n'est pas là ! Il faut prendre une décision pour Galena. Jack, l'hélico est en état de marche ?

— Ouais, sûr. Le seul problème, c'est qu'avec la tempête qui s'annonce on va avoir du mal à rejoindre Galena et encore plus à en revenir, ça risque de secouer un max.

— Oui, mais il s'agit d'un code rouge. Nous sommes la garnison militaire la plus proche de Galena, il faut qu'on intervienne. Il y a peut-être moyen de les aider.

— De les aider, mais tu te fous de ma gueule ? Ils sont trois cents là-bas. Dont plus de la moitié de militaires. Tu crois qu'ils ont besoin de quatre pékins comme nous ? Non, c'est trop risqué. Vaut mieux attendre que ça se tasse. Une autre base va certaine-ment intervenir.

Alors que le ton commence à monter entre les deux hommes, Kenneth intervient :

— Personne d'autre n'a reçu le message…

— Comment peux-tu en être sûr ?

— Le message était émis en basse fréquence. On ne peut le recevoir qu'à une dizaine de kilomètres à la ronde. Et, dans le coin, il n'y a que nous.

— Mais Galena n'est pas équipé d'un émetteur radio qui permette de communiquer à plus longue distance ?

— Si, bien entendu. Ils sont équipés d'une putain d'antenne radio dernier cri qui permet d'émettre en très basse fréquence et même d'entrer en contact avec des sous-marins. Il y a dû avoir un problème. J'en sais foutre rien…

Delauney s'avance vers Kenneth et tape le poing sur la table sur laquelle est entreposé l'émetteur.

— T'en sais foutre rien ? Mais pourtant, c'est bien ton boulot, non, d'être opérateur radio. Tu ne sers à rien dans cette putain de station. Assis bien au chaud dans ton cagibi de merde alors que, nous, on se caille à faire des patrouilles. T'es bon qu'à cliquer sur un putain de bouton et parler dans un micro. Tu devrais savoir ce qui se passe là-bas !

Nate s'interpose.

— Ferme ta gueule, Delauney. Bon, il faut qu'on réagisse. Est-il possible que nous, de notre côté, puissions émettre un message pour relayer le Mayday de Galena vers une base plus lointaine ?

— Non, je ne suis pas équipé pour communiquer à longue distance. À la base, ce putain de poste radio sert juste pour entrer en contact avec Galena. Normalement, ce sont nous qui les appellons si on a un problème, pas l'inverse.

Le garde intervient à son tour.

— Je crois qu'il faut qu'on prévienne les responsables de la station, c'est le protocole. Ils sauront peut-être quoi faire.

Nate semble hésiter, puis finalement acquiesce.

— J'ai des doutes, mais tu as raison, on ne sait jamais.

Nate s'éloigne et s'approche d'un combiné téléphonique rouge accroché à un pilier du baraquement.

Il le décroche et appuie sur une série de chiffres. Au bout de quelques secondes, quelqu'un répond.

— Allô. Laboratoire ? Ici, station de surface. Nous avons peut-être un problème.

Je colle mon oreille contre le combiné pour entendre moi aussi et reconnais la voix de Nauls, le chef de la sécurité.

— Capitaine Irving, je n'ai pas le temps. J'allais vous appeler. Le Dr Kleiner exige le retour d'Hawkins dans le Labo au plus vite. Il y a une agitation de tous les diables ici en bas. Je ne sais pas ce qui se passe.

— Mais écoutez-moi au moins, bordel ! On a reçu un appel de détresse de Galena. Il se passe quelque chose là-bas. On doit intervenir. On pensait envoyer l'hélicoptère.

— Mes ordres ont été stricts. Personne ne quitte la station. Vous restez là. Et vous me renvoyez Hawkins au plus vite. C'est le bordel en bas. Les blouses blanches courent dans tous les sens.

— Vous voulez ma réponse ? Allez vous faire foutre. Vous n'avez aucune autorité sur moi. Vous faites partie de la CIA, moi de l'armée. Je n'ai pas d'ordre à recevoir de vous.

Nate raccroche brutalement le combiné.

Il se tourne vers les autres hommes.

— Ils ne veulent rien savoir. Ils veulent juste qu'Hawkins redescende dans la station. Mais comme vous l'avez entendu, nous ne dépendons pas d'eux. Une base militaire est peut-être en danger, nous devons venir en aide à nos frères d'armes. C'est un putain de devoir. L'un de vous a-t-il un avis contraire ?

Le garde commence à avancer vers Irving.

— Je suis désolé, mais si mes ordres sont de ramener Hawkins, il faut que je le fasse.

À ces mots, en moins d'une fraction de seconde, Nate attrape son pistolet derrière sa ceinture et le braque sur le front du garde.

— Si tu ne veux pas te joindre à l'expédition, pas de problème, mais un conseil : ne te mets pas en travers de notre chemin. Que ça soit clair : Hawkins reste avec moi.

L'homme recule d'un pas, la trace du canon du colt marquée sur son front.

Nate rabaisse son arme.

— Qui est volontaire ?

Jack s'avance.

— Moi, de toute manière, c'est hors de question que je laisse quelqu'un piloter ma belle Betty.

Mongo s'avance aussi.

— Moi aussi, je viens.

Nate se tourne vers Delauney. Ce dernier baisse les yeux.

— Je vais rester là. Il faut bien assurer la sécurité du camp.

— Ça va, j'ai compris. Pauvre type…

Kenneth à son tour s'avance vers nous.

— Je viens aussi…

— C'est bien, Ken. Tu pourras peut-être nous aider à rétablir la liaison radio depuis Galena.

— Toi, le garde, c'est quoi ton prénom déjà ?

— Aidan…

— Aidan, tu vas rester sagement dans le local radio. Delauney, tu ne le laisses pas sortir ni entrer en contact avec quiconque.

Sur ces mots, Nate s'avance vers le téléphone rouge et en arrache les fils d'un coup sec.

— Il nous faut des armes, Mongo, tu as la clé de l'armurerie ?

— Ouais, mais il n'y a pas grand-chose. Mon fusil de chasse et quelques colts 1911.

— Ça fera l'affaire.

19

20 octobre 1971
Galena, Alaska
Température extérieure : – 15 °C

La nuit est tombée. Nous ne sommes plus qu'à quelques encablures de Galena. Le début du trajet en hélicoptère s'est bien passé, sans perturbation. Mais, depuis une dizaine de minutes, l'engin est chahuté par de terribles bourrasques. L'hélicoptère fait de franches embardées à droite, à gauche. Jack et Nate sont à l'avant. Mongo, Kenneth et moi, à l'arrière sur des banquettes le long de la carlingue. Pour nous tenir, nous n'avons que les poignées de sécurité. Ça commence à vraiment devenir difficile de ne pas basculer en avant. Jack semble avoir toutes les peines du monde à maintenir la direction avec son manche à balai. Mais ce qui est encore plus inquiétant, c'est ce qu'il nous a confié entre deux secousses : « Ça s'annonce mal, ce n'est que le début de la tempête et ça souffle déjà dans tous les sens. C'est un bordel sans nom. Il ne faut pas que l'on s'attarde sur place où il sera impossible de refaire décoller l'hélico. Le vent va le plaquer au sol. » Surtout que, plus on avance vers Galena, moins la visibilité est bonne. Dans le cockpit, la neige vient fouetter le pare-brise. Les essuie-glaces du Huey ont beau s'activer, une couche de givre s'accumule lentement sur le verre de la carlingue. Par le hublot derrière moi, depuis quelques secondes, je vois comme une lumière jaunâtre au loin apparaître et disparaître entre les flocons de neige. Au casque, j'entends la voix de Jack : « Galena en vue. On y sera dans un peu moins de deux minutes. Il y a un truc bizarre. La lumière. Ce n'est pas celle habituelle de la ville. Normalement, on verrait déjà la piste d'atterrissage, les lumières des habitations, les néons du pub… Il y a un problème. En arrivant au-dessus de la ville, je vais essayer de passer en rase-mottes. »

Et c'est vrai qu'en y regardant mieux on a l'impression qu'une seule lumière, impressionnante, éclaire la ville. Il s'en échappe une imposante fumée noire. On dirait un feu.

Nous passons au-dessus du fleuve Yukon partiellement gelé et survolons les premières habitations. Péniblement, Jack parvient à stabiliser l'hélico à une vingtaine de mètres de hauteur. Malgré la neige, je distingue les entrepôts le long de la berge et quelques maisons. Comme le notait Jack, il n'y a aucune lumière dans aucun des bâtiments. On dirait que la ville a été soudainement abandonnée. L'hélicoptère passe au-dessus de rues désertes. Avec les secousses, j'ai du mal à y voir quelque chose. Je remarque cependant une motoneige renversée, plus loin, la devanture de la supérette de la ville éventrée, des centaines de boîtes de conserve répandues sur la neige… sur ma gauche, je crois voir un chasse-neige encastré dans un bâtiment et ayant entraîné dans son sillage toute la toiture… Mais que s'est-il passé ici ?

Jack parvient à manœuvrer l'hélico et à le rapprocher de l'immense feu qui brûle en pleine rue au milieu d'une intersection. L'hélico fait un premier passage. Le brasier est énorme. Les flammes s'élèvent à plus de cinq ou six mètres. Après un demi-tour, on repasse au-dessus du foyer de l'incendie. Cette fois, je crois distinguer une vingtaine de silhouettes autour du feu… Alors que je m'efforce de mieux y voir, Jack décroche l'hélicoptère.

— Désolé, je ne peux pas rester sur la zone. La fumée que dégage ce putain de feu me bloque toute visibilité. C'est trop dangereux. Putain, mais il se passe quoi en bas, ils se croient à un camp scout ou quoi ? On va aller se poser à la base. Ce qui m'inquiète, c'est que je ne réussis pas à contacter la tour de contrôle.

On s'approche maintenant de la base militaire qui longe la ville. Encore une fois, j'ai l'impression qu'il n'y a aucune lumière. Les trois grands baraquements sur deux étages, un pour les bureaux, un pour les dortoirs et le dernier réservé aux officiers, sont tous plongés dans le noir. Je souffle tellement que ma buée recouvre le hublot. J'ai beau frotter avec ma main, j'y vois de moins en moins. Alors que je passe ma main sur le carreau glacé de l'hélicoptère, je crois discerner une silhouette entre deux bâtiments, au milieu de la neige. Elle semble traîner quelque chose derrière elle. À un moment, elle lève la tête vers nous, puis disparaît avec son fardeau dans le bâtiment B, celui qui sert de dortoir.

Alors qu'on se pose, j'entends la voix de Jack malgré le brouhaha du rotor : « Putain de Dieu… » Je ne comprends d'abord pas sa réflexion. Les roues du Huey touchent enfin le sol dans un dernier soubresaut. Le rotor ralentit, puis s'arrête. Dehors, pas un bruit. Juste celui du vent qui souffle entre les bâtiments.

Avec l'aide de Mongo, j'ouvre la large porte coulissante. La neige s'engouffre dans l'hélicoptère. Je mets ma capuche, mes gants, vérifie que mon revolver est bien passé à la ceinture de ma combinaison, puis je descends de l'engin.

Il me faut quelques secondes avant que mes yeux ne s'habituent à l'obscurité. Puis je comprends la stupéfaction de Jack. Devant moi, c'est le chaos absolu. Un camion-citerne a, semble-t-il, percuté un avion de chasse. Les décombres des deux engins ont beau avoir été partiellement recouverts par la neige, il s'en échappe encore une fumée noirâtre. À quelques mètres de l'accident, une roue continue de brûler. Alors que mes camarades sortent à leur tour du Huey, je m'avance vers l'avant de l'engin pour mieux voir le reste de l'aérodrome de la base. Je sors une lampe de ma poche et l'allume. Je passe le faisceau de ma torche vers le haut de la tour de contrôle. Au travers de la neige, elle en éclaire péniblement le sommet. Encore une fois, j'ai du mal à comprendre, à croire en ce que je vois. Il semblerait que la tour de contrôle ait explosé. Ses vitres ont volé en mille morceaux et la neige commence déjà à s'accumuler à l'intérieur recouvrant les fauteuils, les bureaux, les moniteurs de contrôle. Une partie du toit s'est effondrée. C'est comme... comme si quelqu'un avait fait exploser une grenade à l'intérieur de la tour...

Jack, Nate, Mongo et Kenneth me rejoignent. À leur tour, ils restent pétrifiés.

Nate prend la parole :

— Putain, mais qu'est-ce qui s'est passé ici ? Bon les gars, tout le monde garde son arme au poing. Laissez le cran de sécurité. Avec cette purée de neige, on n'y voit tellement rien qu'on pourrait se tirer dessus. On reste à moins d'un mètre les uns des autres. Je passe en premier, derrière moi James, ensuite Kenneth et Mongo. Jack, tu fermes la marche, ton fusil à l'épaule.

On se met à avancer péniblement dans la neige entre les entrepôts censés abriter les jets et différents avions de la base. Mais, à chaque fois, nous constatons le même spectacle de désolation. Dans le premier hangar, nous découvrons trois jets F102 carbonisés. Dans un autre, deux hélicoptères S61 ont, semble-t-il, été détruits dans une autre explosion. Nous nous approchons des décombres fumants des hélicoptères. Je remarque des bidons d'essence abandonnés à quelques mètres des carcasses. Je donne un coup de pied dans l'un d'eux, il sonne creux. Il est vide. Les bidons ont dû servir pour embraser les S61. Il s'agit donc d'incendies criminels ? Mais qui serait assez fou pour détruire le seul moyen de fuir de la base ? Je montre les barils à Nate. Il semble tout aussi dépassé que moi, mais s'efforce de donner l'illusion de garder le contrôle.

— On reste sur nos gardes. Il n'y a rien à voir ici. Il faut qu'on évite de trop rester en terrain découvert. On va essayer d'aller jeter un œil aux bâtiments de garnison.

J'attrape mon camarade par le bras et lui dis :

— Justement. Tout à l'heure quand on passait au-dessus des bâtiments, j'ai cru voir une silhouette rentrer dans l'un d'eux.

— Très bien. C'est la seule putain de bonne nouvelle que j'entends de toute la journée.

On se dirige vers les trois bâtiments qui longent la piste d'atterrissage. Plus on se rapproche, plus je me sens mal à l'aise. Des frissons me parcourent l'échine. C'est le silence qui me pèse. À part le vent qui nous souffle dans les oreilles, on n'entend rien, rien d'autre. Après quelques minutes à marcher péniblement dans la neige de plus en plus épaisse, nous accédons au bâtiment B. C'est là que j'ai vu la silhouette s'engouffrer tout à l'heure. Je tape sur l'épaule de Nate pour lui montrer du doigt le bâtiment. On s'en approche. Alors que nous ne sommes plus qu'à quelques mètres de l'entrée, je remarque au sol, sur le manteau neigeux, un sillon large d'une cinquantaine de centimètres, le long duquel on peut voir des traînées rouges. Du sang ? Le sillon se dirige vers la ville et semble venir du bâtiment. Je retiens Nate et m'abaisse au sol pour mieux discerner la trace. Ken, Mongo et Jack nous rejoignent. L'opérateur radio demande :

— Qu'est-ce que c'est que ces traces ?

Mongo répond :

— On dirait une traînée de sang... D'après les mouvements, ça vient du bâtiment et ça part par là.

On se retourne tous pour voir la traînée de sang se perdre dans les ténèbres.

Je prends la parole :

— Tout à l'heure en arrivant, j'ai cru voir un homme traîner quelque chose. C'est certainement lui qui a laissé ces traces. En nous voyant, il est entré dans le bâtiment.

— Allons voir, rétorque Nate.

310

On fait les derniers mètres qui nous séparent du bâtiment B. J'entends un clac, clac... La porte est ouverte et tape contre le chambranle. Nate lève sa lampe à hauteur de visage et tend son arme à bout de bras. Nous entrons dans le bâtiment. Un long couloir mène vers une salle plongée dans l'obscurité. Nate avance lentement, son pistolet braqué devant lui. Nous arrivons dans la salle de repos. Les faisceaux de nos lampes balaient l'espace. Devant nous, un spectacle de désolation totale. Les fauteuils sont renversés, les cadres arrachés. Un canapé de couleur beige est saccagé, sa mousse synthétique répandue partout dans la salle. Au sol, une table en bois est explosée en mille morceaux, comme si quelqu'un ou quelque chose avait été projeté dessus. Je distingue des traînées rougeâtres sur les murs. Je m'approche de l'une d'elles, l'éclaire avec ma lampe et y pose mon doigt. La matière est épaisse et collante. Il s'agit sans aucun doute de sang coagulé. Un peu à ma droite, une excroissance sur le mur se détache des ombres et attire mon attention. C'est une hache plantée dans l'une des cloisons. Elle est recouverte de sang. Alors que je rejoins mes camarades, je marche sur quelque chose qui craque sous mes pieds. Je regarde avec ma lampe. Je mets quelques secondes avant de comprendre de quoi il s'agit. C'est une mâchoire éclatée, la lèvre béante, les tendons de la joue rose pâle arrachés, les dents blanches contrastant avec le rouge vermillon. Des dents sont éparpillées autour de la mâchoire. Cette dernière baigne dans une impressionnante mare de sang noirâtre. C'est comme si on avait tabassé un homme, le frappant au sol jusqu'à ce que sa mâchoire se disloque... J'ai du mal à me retenir de vomir. Je montre ce que je viens de trouver aux autres.

— Mais où est le corps ?

— Je ne sais pas. Si on suit les traces, on dirait qu'ils l'ont emmené ailleurs.

Kenneth semble de plus en plus paniqué.

— Putain, mais qu'est-ce qu'on fout ici ? Il faut qu'on se tire, et vite.

— Calme-toi. On va juste faire un tour, chercher la station radio et on fout le camp. Dans un peu moins d'une demi-heure, tu es dans l'hélico. OK ?

— D'accord.

On continue à avancer.

Avant de quitter la salle, je remarque quelque chose au sol : des entailles sur plusieurs dizaines de centimètres. Je comprends instantanément de quoi il s'agit : des traces de griffures. Comme si quelqu'un avait planté ses ongles dans le lino du sol alors qu'on le traînait au sol. Je me retiens d'en parler... il vaut mieux que les autres ne voient pas ça, surtout Kenneth.

On pénètre dans un long couloir étroit. Tous les cinq mètres, à gauche et à droite se trouvent des portes ouvrant sur des chambres. Elles sont toutes vides. Si certaines sont rangées, impeccables, la plupart sont sens dessus dessous. Le matelas du lit renversé au sol, les draps recouverts de sang. Et toujours cette traînée rougeâtre au sol qui serpente de chambre en chambre, de salle en salle, comme un fil d'Ariane sordide. Je pénètre dans l'une des chambres et m'approche du lit. Les draps blancs sont déchirés, recouverts de sang, d'urine, d'excréments. L'odeur est intenable. Je me protège le visage avec la manche. En regardant mieux le matelas, je remarque des dizaines d'entailles, on dirait des stries de couteau. Quelqu'un a poignardé la personne qui dormait là dans un acharnement hallucinant. Nous reprenons notre route. On ne prend plus la peine d'entrer dans les chambres, car on connaît désormais le spectacle macabre qui nous y attend. À un moment, Nate me dit de faire attention où je marche.

Je regarde au sol.

Des viscères, peut-être des intestins, s'étalent le long du couloir sur plusieurs mètres. Je me mords fort la langue pour ne pas vomir. Je serre si fort que j'ai un goût de sang dans la bouche.

Je fais passer le message à Kenneth en lui disant d'avancer en posant ses pieds au plus près des murs et j'insiste bien pour qu'il ne regarde pas ce qu'il y a au sol. Nous arrivons devant l'escalier qui mène à l'étage supérieur. Nate lève le poing devant moi. Instantanément, nous nous arrêtons. À pas de loup, je m'approche de lui. Je susurre à son oreille.

— Qu'est-ce qu'il y a ?

— Tu n'entends pas ? Il y a du bruit qui vient de là-haut.

Je tends l'oreille. Je n'entends d'abord rien d'autre que le vent qui fait grincer la structure. Puis, je discerne un petit bruit sourd suivi d'un autre visqueux. J'ai du mal à reconnaître ces sons.

Nate me dit de le suivre. Je monte à sa suite les escaliers. Lui comme moi avons nos flingues braqués devant nous. Du sang dégouline des marches de l'étage. J'essaie de ne pas y penser et me concentre sur ce qu'il y a en haut de l'escalier. Nous montons. Une marche de plus. Une forme apparaît. Encore une marche. C'est un homme de dos. Il est voûté, recourbé sur quelque chose. Une autre marche. Son bras se soulève lentement au-dessus de la tête, puis retombe lourdement. Il tient dans sa main ce qui semble être un tournevis. Il frappe encore d'un geste mou et lourd, comme endormi. Une dernière marche. L'individu est en réalité accroupi au-dessus d'un cadavre. Il semble lui frapper la cage thoracique. Il a des cheveux filasse qui recouvrent une partie de son visage. Ses vêtements sont en partie déchirés. Je remarque que son pantalon baigne dans le sang.

On s'arrête à quelques mètres de l'homme, toujours de dos. Il ne semble pas nous avoir remarqués et continue à frapper au sol. Nate braque son arme vers l'homme, puis prend la parole.

— Retournez-vous lentement. Nous sommes armés.

Pas de réponse. Mais l'individu s'arrête de frapper et oscille sa tête légèrement sur le côté comme pour mieux nous écouter.

— J'ai dit retournez-vous. Identifiez-vous ou nous ouvrons le feu !

Alors, lentement l'homme se soulève, puis toujours la tête de travers se retourne. Il laisse apparaître le corps qu'il malmenait. La cage thoracique est ouverte, béante. Ce cadavre n'a plus rien d'humain. C'est un amas de chair immonde. Comme si l'homme était là depuis des heures à le frapper sans relâche. L'homme est face à nous. Il nous fixe, ses bras s'agitant lentement de droite à gauche. J'ai du mal à discerner son visage, mais j'ai l'impression qu'il est entaillé sur toute la partie gauche. Soudain, il fait un pas vers nous. Il marche bizarrement, de manière désarticulée et un peu mécanique comme s'il avait du mal à coordonner ses mouvements. En cet instant, bizarrement, je me dis qu'on dirait une marionnette. Il se rapproche encore. Ses pieds traînent au sol.

— Si vous faites un pas de plus, je tire. Identifiez-vous, bordel !

L'homme fait encore un pas et lève son tournevis au-dessus de sa tête.

Nate n'hésite pas un seul instant et tire une première balle dans le genou de l'homme. Sans un cri, ce dernier chute au sol et s'étale de tout son long sur le ventre. De longues secondes s'écoulent sans qu'il fasse le moindre mouvement. Enfin, l'homme soulève sa tête. Encore une fois, j'ai l'impression que c'est comme s'il était mû par des ficelles invisibles. Il se redresse sur ses bras, se met à genoux, puis met sa tête en arrière, complètement cambré dans une position démente. Le haut de son crâne touche quasiment sa nuque. Un hurlement guttural sort alors de sa bouche, comme un enchevêtrement de plusieurs sonorités en une même voix. Une première terriblement grave et une autre plus aiguë, comme un vrai cri de douleur. Le son monte de plus en plus fort, de plus en plus insoutenable. Sans s'arrêter de hurler, l'homme redresse la tête et nous fixe. Son visage passe sous le rayon de ma lampe. J'ai du mal à croire en ce que je vois. Je cligne des yeux, déglutis et fixe à nouveau son visage. Ce n'est pas possible... L'homme a toute la partie inférieure du visage arrachée. Les tendons de sa joue pendent dans le vide, je vois sa langue claquer. La mâchoire que nous avons trouvée il y a quelques minutes était donc la sienne. Mais personne ne pourrait continuer à se déplacer, ni même à être conscient après une telle blessure... L'homme se redresse péniblement et recommence à avancer vers nous.

Sans perdre son sang-froid, Nate tire une nouvelle balle, cette fois dans l'épaule. L'individu défiguré recule de deux pas, manque de perdre l'équilibre, mais finalement progresse à nouveau vers nous. Son cri devient insupportable. Il tend alors la tête vers nous, comme si son cou allait se détacher de son corps, puis ouvre grand ce qui lui reste de gueule et pousse un cri encore plus strident. Nous percevons alors ses yeux sans vie. L'homme n'a plus ni iris ni pupilles, tout son œil est comme recouvert d'un voile sombre, d'une pellicule d'un noir abyssal. Nate, une troisième fois, arme, vise et tire une balle entre les deux yeux. Cette fois, l'homme tombe de tout son poids au sol et, après un dernier soubresaut, s'arrête de bouger. Nate rabaisse son arme dans un soupir. Kenneth, qui est monté jusqu'au milieu de l'escalier, est sous le choc. Nate monte les dernières marches, puis s'avance vers le cadavre. Il lui donne un petit coup de pied. Rien. Un autre. Toujours rien. Finalement, du bout de sa botte, il le retourne. Je m'approche. J'éclaire la dépouille avec ma lampe. En plus de son visage défiguré, ce qui me frappe d'emblée, ce sont les traces d'impacts de balles sur son corps. Car outre celle dans le genou, l'épaule et la tête tirées par Nate, il en a plusieurs autres dans le thorax, le bras, le ventre. Personne n'aurait pu résister à de telles blessures. Personne... En passant ma lampe sur son visage nécrosé, je remarque quelque chose.

— Regarde Nate. Ses yeux, ils n'ont plus la même couleur.

En effet, ses yeux ont retrouvé une teinte normale d'un gris pâle.

— Mais qu'est-ce qu'il se passe ici ?

Alors que nous étudions le cadavre sur lequel le forcené s'acharnait, on entend un bruit provenant du fond du bâtiment. Nate et moi levons la tête comme un seul homme. Une silhouette apparaît au bout du couloir. Elle semble traîner un corps. Elle ne bouge pas, nous fixe. Soudain, elle lâche la jambe du cadavre qu'elle tenait dans la main. Et toujours dans la même démarche désarticulée se met à avancer vers nous. Sauf que cette fois, l'homme ou devrais-je dire la créature accélère rapidement et se met à courir de manière grotesque et terrifiante. Elle émet un cri sifflant, beaucoup plus aigu que l'autre. Je n'arrive plus à bouger. Mes membres sont tétanisés par la peur. La créature se jette sur moi et me fait chuter en arrière. Je perds mon arme. Il faut que je reprenne le contrôle. Je résiste comme je peux. L'homme me martèle de coups. J'essaie de saisir mon colt en me protégeant le visage de mon autre bras. Le fou me griffe la combinaison et me lacère la peau. Et toujours ce cri. D'un œil, je vois Nate se placer au-dessus de nous. Lentement, précautionneusement, il vise la tête et tire. Je reçois une giclée de sang sur le visage, dans la bouche. Le corps de l'homme s'effondre sur moi. Cette fois, ne pouvant plus me retenir, je le repousse, me tourne sur le côté et vomis au sol. Au bout de quelques instants, Nate m'aide à me relever.

— Reprends-toi, James. Il faut continuer... Les gars, il faut qu'on avance. Nous devons impérativement localiser la station radio. Kenneth, tu sais où elle se trouve ?

Kenneth ne répond pas. Il regarde par la fenêtre de l'escalier.

Puis lentement, péniblement, il articule :

— Là, il y a du mouvement…

Nous nous approchons de la fenêtre.

En effet, au cœur des ténèbres, on voit se déplacer plusieurs silhouettes. Elles avancent avec la même démarche saccadée et démente.

— Il faut qu'on y aille maintenant. Les coups de feu ont dû attirer l'attention.

— Si je me rappelle bien, dis-je, il y a un escalier de secours à l'extérieur, au bout du couloir. On sortira plus discrètement.

— Ken, la station radio est loin ? demande Nate.

— Non, je ne crois pas. Derrière l'autre bâtiment d'habitation. À trois cents mètres environ.

Mongo prend la parole :

— On ferait mieux d'éteindre nos lampes torches, sinon on va vite se faire repérer.

On obtempère. On se retrouve dans une obscurité quasi totale. Nous avançons vers le bout du couloir. Aux aguets, le doigt sur la gâchette, Nate ouvre la marche. À chaque fois qu'il arrive devant une porte, il la pousse lentement et braque son arme. Mais rien ne bouge.

Mon bras gauche me lance terriblement. Le forcené m'a entaillé tout l'avant-bras.

Nous arrivons devant la porte qui mène vers l'escalier extérieur. Nate l'entrouvre lentement, puis après avoir observé les alentours nous fait un signe. Nous sortons.

L'un après l'autre, nous descendons les marches en toute hâte.

Nous nous retrouvons sur la terre ferme. Sans lampe, la visibilité est quasi nulle. La tempête de neige fait désormais rage. On n'y voit guère à plus de deux mètres.

Nate saisit Ken par l'épaule.

— Où se trouve la station radio, Ken ?

— Je ne sais pas trop. On n'y voit rien. C'est dur de me repérer.

— Fais un effort…

— Ouais, je crois que c'est par là.

On plonge au cœur des ténèbres. Alors qu'on s'éloigne du bâtiment, un cri strident se laisse entendre, puis un autre, puis encore un. Les cris se mêlent à l'unisson comme s'ils ne formaient qu'une seule et terrible mélopée.

Mètre après mètre, nous commençons à distinguer notre environnement…

Au loin parmi les ombres, nous voyons apparaître l'immense antenne radio de la station.

Kenneth la montre du doigt.

— C'est par là !

Nous avançons péniblement. Le vent me fouette le visage. Je ne sens quasiment plus mon bras gauche. Ma combinaison ayant été déchirée, il est à nu et le froid, vorace, commence déjà à l'attaquer.

Au bout de longues minutes, nous arrivons devant le bâtiment de la station radio. C'est un cube de dix mètres sur dix surplombé d'une antenne recouverte de glace.

Mais plutôt que de se diriger vers l'entrée du bâtiment, Ken se dirige vers son côté droit. Je le suis. Là, je découvre une autre antenne, beaucoup plus impressionnante que la première.

Je finis par comprendre pourquoi il s'y intéresse. Toute une partie de l'antenne est explosée et brûlée.

Un scooter des neiges est venu s'emplafonner dans la structure métallique. On distingue encore les restes carbonisés du pilote.

Je m'approche de notre opérateur radio et lui demande :

— Qu'est-ce que tu en penses, Ken ?

— Je ne sais pas. Elle est bien abîmée. Mais on peut peut-être quand même tenter d'émettre.

Nous revenons sur nos pas et arrivons devant la porte de la station radio. Nate tourne la poignée, mais rien ne se passe. Il donne un coup d'épaule contre la porte, mais ne parvient pas à l'ouvrir.

— Putain, c'est fermé. Quelque chose bloque derrière…

Jack s'approche de nous et arme son fusil.

— Poussez-vous…

Il tire une semonce de son fusil dans la serrure avant même que nous ayons le temps de l'en empêcher. Le son de la détonation emplit l'espace. Le plomb s'enfonce dans la tôle de la porte, mais rien n'y fait, la porte ne bouge pas.

Nate attrape Jack par le col et lui hurle au visage :

— Espèce d'imbécile. Tu vas nous faire repérer. Contrôle-toi !

— Écoute Irving, moi, j'ai qu'une seule envie, c'est foutre le camp au plus vite de ce putain d'enfer. Alors plus vite on voit que cette station radio est H.S., plus vite on rentre au bercail.

— Et pour y faire quoi ? Si on ne demande pas de secours, on va faire comment pour tenir tout l'hiver, Jack ? Tu peux m'expliquer ?

Jack se renfrogne et s'éloigne de quelques pas.

Je m'approche de Kenneth.

— Ken, tu connais un autre moyen d'entrer ?

— Ouais, justement, il y a bien une trappe là-haut sur le toit. Elle permet d'aller contrôler l'antenne de secours et de retirer les congères qui se posent sur sa structure.

— Bien, tu peux monter ?

— Ouais, je peux essayer.

— Je vais te faire la courte échelle alors.

J'informe Nate et les autres de l'idée de Ken. Tandis que je l'aide à monter sur le toit en le soulevant, Jack, Mongo et Nate surveillent les alentours en braquant leur arme vers l'obscurité.

Ken parvient à se hisser sur le toit du bâtiment.

— Fais vite, Ken. Ils risquent d'arriver d'une minute à l'autre.

Le jeune homme disparaît sur le toit.

Je retourne devant le bâtiment radio, me plaque dos à la porte, sors mon flingue et fais face aux ténèbres.

Au bout de quelques secondes, je crois percevoir un mouvement dans l'obscurité. Une forme semble bouger à quelques mètres sur la gauche. Mes camarades la voient aussi et braquent d'instinct leurs armes en direction de la silhouette.

Elle s'avance de quelques pas. Je reconnais d'emblée la démarche hésitante. C'est l'une de ces monstruosités qui s'avance vers nous. Je retire mon cran de sécurité, prêt à tirer. Secrètement, je prie pour que Ken ouvre la porte derrière moi au plus vite.

Je m'efforce de viser la forme, mais ma main tremble, de froid autant que de peur.

La silhouette se fait enfin plus distincte. C'est un homme à la stature impressionnante. Son uniforme est déchiré par endroits. Il traîne à bout de bras quelque

321

chose. Je mets quelques secondes avant de comprendre qu'il s'agit d'une hache. L'homme ou la monstruosité qui la possède laisse glisser l'arme sur la neige derrière elle dans un crissement.

Nous avons tous nos armes braquées sur lui. Il ne semble pas nous avoir encore repérés. Personne ne tire encore. C'est comme si, chacun, nous attendions le premier coup de feu pour faire fondre sur l'homme un déluge de balles. Comme si personne ne voulait tirer le premier. Comme si chacun, au fond de lui-même, partageait la même pensée, les mêmes questions, le même dégoût à l'idée de ce que nous nous apprêtons à faire. Nous ne sommes pas en guerre, il ne s'agit pas de nos ennemis. Cette personne qui nous fait face, quoi qu'il ait pu lui arriver, est l'un de nos frères d'armes. Peut-être qu'une partie de lui-même est encore éveillée dans cette carcasse, consciente de ce qui se passe. Peut-être qu'il y aurait un autre moyen. Peut-être qu'on pourrait l'aider…

La voix de Nate me rappelle à la froide réalité.

— J'ai sa tête en ligne de mire. Je tire à trois. Un, deux…

— Attends !

Mongo vient de poser sa main sur l'arme de Nate. Et l'abaisse lentement.

— C'est trop risqué de tirer une autre balle. On va tous les attirer ici. Si on veut survivre, il faut être le plus discret possible.

— Qu'est-ce que tu comptes faire ?

— En finir à ma façon.

Sur ces mots, Mongo tire de la ceinture de sa combinaison un couteau de chasse.

Il s'avance alors lentement vers la silhouette. Cette dernière s'est arrêtée à quelques mètres et nous dévisage en tournant la tête de droite à gauche dans un mouvement effrayant qui me fait penser à celui du pendule d'une horloge.

La créature commence à ouvrir la gueule. Elle va crier et rameuter les autres.

Mongo fond alors sur elle et, avant même qu'elle n'ait pu émettre un seul son, lui enfonce son couteau dans la gorge. La créature chute sous le poids du soldat. Elle a beau se débattre au sol, Mongo, de sa force herculéenne, la tient fermement en tenaille. Après quelques soubresauts, la créature s'immobilise et meurt dans un dernier soupir mêlé d'un gargouillement de sang. Mongo retire sa lame du larynx de la créature et l'essuie sur sa combinaison.

Il revient vers nous.

Mongo n'a pas l'air satisfait de ce qu'il vient de faire. Son regard est noir, chargé d'une certaine tristesse.

— Je connaissais ce type. Je l'ai reconnu quand je lui ai enfoncé ma lame dans la gorge. C'était le lieutenant Zane. Je l'avais rencontré en permission, il y a trois mois. Un chic type…

— Désolé.

Alors que Mongo revient à nos côtés, j'entends du bruit derrière moi à l'intérieur de la station radio.

Au bout d'un instant, un lourd grincement se fait entendre suivi d'un cliquetis, puis la porte s'ouvre enfin. Nous nous engouffrons tous à l'intérieur. Kenneth referme à clé derrière nous et se colle à la porte, à bout de souffle.

Nous allumons nos lampes et balayons l'espace. Nous comprenons instantanément pourquoi la porte était fermée. Un homme s'est enfermé ici. L'opérateur radio. Il avait barricadé la porte avec une armoire renversée. Je m'approche de la station radio. L'opérateur est là devant moi. Il gît dans une mare de sang, la tête renversée en arrière sur son fauteuil. Sur ses jambes un pistolet. L'homme s'est tiré une balle dans la tête. Sur le bureau devant lui, deux bouteilles de whisky vides.

Ken est sous le choc, il a du mal à respirer.

— Putain, mais pourquoi Dougall a fait ça ? On aurait pu l'emmener avec nous. Merde, il y a quelques heures, je lui parlais encore. Il aurait pu tenir le coup. Si seulement j'avais pu le prévenir qu'on arrivait.

Je m'approche du jeune homme.

— C'est trop tard, Ken. Il n'y a plus rien à faire. Est-ce que tu as pu jeter un œil aux instruments radio. Ils marchent encore ?

— Je ne sais pas. Je vais vérifier.

Ken inspecte les différents boîtiers. Il essaie de mettre le contact sur plusieurs machines, mais rien ne se passe.

— Et merde, tout est H.S. Je pensais qu'ils auraient au moins un générateur de secours pour la station radio.

— Et ça, qu'est-ce que c'est ?

Mongo nous montre quelque chose au pied du cadavre de l'opérateur.

J'éclaire de ma lampe un appareil gris. Il s'agit d'un magnétophone à bande Nagra. Un fil sort de la machine et serpente jusqu'à la main du cadavre. J'y regarde de plus près. Le défunt tient un micro dans sa main.

Ken tire la machine vers lui et l'active.

— C'est un Nagra. Il fonctionne à piles. Dougall a dû enregistrer un message.

Ken s'abaisse auprès du magnétophone, puis l'active. Après plusieurs clics, les deux bandes commencent à se dérouler. On entend un crépitement, puis une voix fragile, fatiguée…

« Je suis le sergent Dougall, opérateur radio de la station Galena, matricule 808 515 7245. Je suis l'un des derniers survivants d'une attaque qui vient d'avoir lieu dans la station. Je me suis retranché dans la station radio, il y a moins d'une heure, j'ai pu être en contact avec la station K27. Mais je ne sais pas s'ils ont reçu mon Mayday. C'était la dernière communication faite avec l'extérieur. L'antenne radio est H.S. Ils… ils ont réussi à la détruire…

Un clic.

Dougall a dû certainement faire une pause à ce moment-là. Après un long souffle, le récit reprend :

« Comment expliquer ce qui vient de se passer ici ? C'est de la pure folie. Ça a commencé il y a quelques jours. Une sorte de maladie s'est répandue dans la base et la ville. Des gens tombaient en catatonie et ne se réveillaient plus. On a d'abord cru à une sorte de virus. Puis, après vingt-quatre heures, les victimes ont commencé à se réveiller.

— Clic –

Mais ils ne vont pas s'arrêter ? Ils savent que je suis là. Je les entends rôder. Ils tournent tout autour de la station. Ils m'attendent. »

Un cri strident vient saturer le son quelques secondes…

« Mais putain, ils vont s'arrêter de crier ? Je n'en peux plus de ce bruit. Je n'en peux plus.

— Clic –

Il est 19 heures, ça fait huit heures que je suis enfermé ici. Où j'en étais ? Oui. Ils ont commencé à se réveiller. On a d'abord eu des cas d'attaques isolés. Ça a commencé avec un cas dans la ville. Un père qui s'en est pris à son fils. On l'a retrouvé en train de lui bouffer le visage. Son propre fils, putain... Ça a été le début du chaos. On pensait pouvoir contrôler la situation, mais ça a été si rapide, si soudain. La nuit suivante la plupart des gars de la base ont attrapé la chose, le virus. Quand on a compris, il était trop tard. Il ne fallait pas dormir. Il ne faut pas dormir. C'est là qu'on attrape cette maladie, cette putain de mort noire...

— Clic –

Je les ai vus s'entre-tuer. La maladie, elle vous change. Elle vous transforme en un monstre. Les balles ne leur font quasiment plus rien... J'ai vu Tennant mettre quatre balles dans le buffet d'un type. Quatre balles et le gars s'est relevé ! Le pire, ce sont leurs yeux, ils sont noirs comme des abysses. On a l'impression que l'enfer vient de s'ouvrir ici. L'enfer.

— Clic –

Je n'ai pas eu le courage de me battre. Je me suis enfermé ici. J'ai entendu les cris de douleur des autres dehors, les rares survivants. Mais je n'ai rien fait.

— Clic –

Je pourrai plus tenir longtemps, je n'ai pas de vivres, je n'ai que quelques balles dans mon barillet.

— Clic –

Mais taisez-vous bordel ! Taisez-vous par pitié !

— Clic –

Il est 22 heures. Je suis ici depuis plus de onze heures, je crois, je ne sais plus. J'ai si mal à la tête. Depuis une heure, ils n'arrêtent pas de frapper sur la porte, sur les murs. Ils veulent rentrer, mais je ne les laisserai pas…

— Clic –

Je suis si fatigué. Je n'ai pas fermé l'œil depuis deux nuits. Mais il ne faut pas dormir. Il ne faut pas.

— Clic –

J'ai sombré à l'instant. J'ai juste eu l'impression de fermer mes yeux quelques secondes. Et je l'ai vu, une immense ombre noire qui venait vers moi. Mais heureusement, j'ai rouvert les yeux. Elle ne m'aura pas. Ils ne m'auront pas. Je n'ai plus le choix.

— Clic –

Je suis le sergent Dougall, opérateur radio de la station Galena, matricule 808… 515… 245. Dougall, je suis le sergent Dougall… Je dois appuyer sur la gâchette… je dois appuyer sur la gâchette… je dois…

— Clic »

La bande continue à défiler, mais on n'entend plus rien. Nous restons ainsi à écouter le grésillement du magnétophone un long instant. Personne ne parle. Puis je me décide à arrêter le Nagra.

Jack passe la main dans sa barbe épaisse et s'exclame :

— Mais merde, c'est quoi cette putain de maladie ? C'est un virus ? C'est une arme secrète des Russes, c'est ça ? Vous avez une idée, vous ?

Nate me lance un regard. Lui a compris que tout cela était lié au projet des Limbes, à ce que nous avons réveillé dans les Terres Mortes, mais il ne dit rien.

— Jack, chaque chose en son temps. Les questions, on se les posera quand on aura foutu le camp d'ici. Pour l'instant, notre seule priorité, la seule chose qu'on doit avoir à l'esprit, c'est de retourner à l'hélico et de déguerpir d'ici.

On se retrouve à l'extérieur. Chacun prend son arme en main. Aussi vite que possible dans cette purée de pois, nous nous déplaçons vers la piste d'atterrissage de l'hélicoptère. À chaque bruit, chaque grincement de tôle, nous braquons tous nos armes vers l'obscurité. Mais, étonnamment, nous ne croisons aucune créature et n'entendons aucun cri. Soudain, Mongo se fige en pleine course.

Je dis aux autres de s'arrêter et m'approche de Mongo.

— Qu'est-ce qui se passe ?

— Pourquoi tu t'arrêtes ? On n'a pas le temps.

— Tais-toi…

— Quoi ?

— Écoute !

Je tends l'oreille. Au départ, je n'entends rien à part le souffle du vent qui me rebat les oreilles. Puis, enfin, je discerne des cris lointains. Des cris qui me semblent humains.

— Ce sont peut-être encore les créatures ?

— Non, j'en suis sûr, c'est un cri humain, ajoute Mongo.

Nate arrive à nos côtés et écoute à son tour. Comme nous tous, il entend alors un hurlement de douleur terrible.

— Merde, il y a des survivants quelque part.

— On n'a pas le temps, ils sont probablement foutus, il faut retourner à l'hélico. On a encore une chance, dit Jack.

— Non, on ne peut pas partir s'il reste des survivants. Il faut qu'on aille voir, ajoute Nate.

— Vous, vous faites ce que vous voulez, moi j'en ai rien à foutre. Je retourne à l'hélico et, dans cinq minutes, avec ou sans vous, je décolle !

— Très bien. Qui me suit ?

Je m'avance vers Nate, Mongo fait un signe de tête ainsi que Ken.

— Tu vas devoir faire le trajet tout seul jusqu'à l'hélico Jack, ça te semble possible ? demande Nate au pilote.

— Qu'il y ait seulement un seul de ces trucs qui se mette en travers de ma route et je lui explose la cervelle… Vous avez cinq minutes.

Nos chemins se séparent. Tandis que Jack disparaît vers la gauche, nous partons à droite vers l'origine des cris. Au bout de cent mètres, nous arrivons devant le portail de sécurité de la base. Il est éventré. Nous passons au travers de l'ouverture. Nous évoluons désormais parmi les habitations de la ville de Galena. Partout autour de nous, c'est le même spectacle de désolation. Des traces d'incendies, de combats, de destruction apparaissent à chaque pas.

Tandis que nous progressons, une impressionnante lueur traverse le rideau de neige. C'est le feu que nous avions aperçu en arrivant. Mongo qui a pris la tête de l'expédition pointe le feu du doigt.

— Les cris viennent de là-bas, j'en suis sûr. Le vent souffle dans notre direction, c'est grâce à ça que nous les avons entendus.

Nous longeons quelques maisons. Nous ne sommes plus maintenant qu'à quelques dizaines de mètres du brasier. Toute la zone est illuminée par les immenses flammes qui dansent au-dessus des toits à plus de cinq mètres de hauteur. Au sol, la lueur laisse apparaître sur la neige plusieurs traînées de sang. On dirait qu'elles viennent des quatre coins de la ville pour se rejoindre ici, au cœur du brasier. Plus nous nous approchons, plus nous sommes exposés. Le vent transporte désormais une odeur de bois brûlé, de braises, mais d'autre chose aussi. Une odeur de chair calcinée.

Les flammes font naître des ombres démentes sur les murs des maisons environnantes.

Nous ne sommes plus qu'à quelques mètres du brasier. Discrètement, nous longeons le mur d'une maison et courons jusqu'à un amoncellement de tonneaux. Nous nous cachons derrière. Je lève la tête pour regarder le feu. Il est large d'une dizaine de mètres. Ses flammes crépitent et dansent dans une sinistre farandole.

Je peux sentir la chaleur des flammes d'ici. Une trentaine de créatures sont réunies tout autour du brasier. Elles le regardent brûler de leur œil noir et sans vie. Elles bougent toutes de droite à gauche comme si elles exécutaient une danse sinistre. Je ne sais pas pourquoi, mais, en cet instant, les silhouettes me font penser à des méduses qui onduleraient sous un même courant. De leur gueule béante s'échappe un râle profond et rauque... Je regarde le feu lui-même. J'ai d'abord du mal à accepter ce que je vois. Car là, devant mes yeux, se dresse la chose la plus démente, la plus horrible qu'il m'ait été donné de voir de ma vie.

Le brasier est en réalité composé d'un énorme tas de cadavres humains calcinés ou en train de brûler. Alors que les chairs se consument, je distingue ici un bras, ici une jambe, là un torse mangé par les flammes. Je vois un crâne encore à moitié épargné par l'enfer environnant. Un œil bleu sans vie, des cheveux bruns... puis dans un crépitement, les cheveux s'enflamment et le visage disparaît dans la géhenne. Le charnier est haut d'au moins un mètre. Il y a devant nous au moins une centaine de corps qui brûlent.

Alors que nous regardons stupéfaits le spectacle macabre qui se joue, une des créatures semble sortir de sa torpeur, de sa transe. Elle se met à avancer lentement vers le feu. J'ai peine à croire ce que je vois, pourtant c'est bien vrai. Sans hésitation, la créature entre dans le feu et continue à progresser alors que les flammes déjà consument ses vêtements. C'est seulement après de longues secondes au cœur du brasier qu'un cri humain se laisse entendre comme si la créature avait lâché son emprise pour libérer son hôte dans cet enfer.

C'est donc de là que provenaient les cris... L'homme se tord dans tous les sens sous la douleur, puis tombe à genoux et se fait dévorer par les flammes. Bientôt, une autre créature entre à son tour dans la fournaise et, après quelques pas, se laisse chuter dans les flammes. Une nouvelle fois, les terribles cris de douleur me font crisser des dents. Sans m'en rendre compte, je serre le rebord en métal du bidon devant moi à m'en éclater les ongles.

Je me force à enfin détourner le regard de ce spectacle d'horreur et regarde mes camarades. Comme moi, ils observent d'un œil halluciné le brasier. Je tape sur l'épaule de Nate.

— Nate, il faut y aller, on ne peut plus rien faire.
— C'est monstrueux... il faut les faire payer...

Nate lève son arme et la braque sur les silhouettes.

Je pose mes mains sur les siennes et retire son doigt de la gâchette.

— Nate, non ! On ne peut rien faire. C'est trop tard.

Alors que je m'efforce de raisonner mon ami, je ne prête pas attention au jeune Kenneth. Sans un bruit, il se lève, fait le tour du tas de bidons et, à découvert, marche à pas lents vers les flammes. D'un geste maîtrisé, il lève son arme vers les silhouettes et commence à tirer. Une première créature chute au sol, puis une autre. Soudain, les autres sortent de leur torpeur et tournent la tête à l'unisson vers Ken. Je hurle le nom du jeune homme. Mais il ne se retourne pas…

Je sors mon arme et, désespéré, me mets à tirer pour essayer de protéger l'opérateur radio. Nate et Mongo à leur tour dégainent et tirent. Les balles sifflent dans tous les coins, dans toutes les directions. Le gamin continue d'avancer vers le brasier et de tirer. J'ai beau hurler son prénom pour le rappeler à la raison, il ne m'entend, semble-t-il, pas. Je vois ses yeux emplis de larmes, la rage qui bouillonne en lui. Mais je vois aussi les créatures qui s'approchent de lui comme animées par une seule et même force. Nos balles viennent se ficher dans la poitrine de l'un, dans le bras d'un autre. Mais l'étau se resserre, ils sont trop nombreux. Une créature arrive à la hauteur de Ken. Il lui tire dans le ventre, mais le monstre attrape le canon et tire Ken à elle. Avant même qu'il n'ait pu réagir, il lui mord l'épaule. Ken chute au sol, à genoux. Je vise et tire dans la tête de la créature qui, la bouche pleine de sang, s'apprêtait à fondre sur le jeune homme. Ken, péniblement, se soulève en s'appuyant sur son pistolet. Du sang gicle de son épaule. Alors qu'une dizaine de créatures s'approchent de lui, il se retourne vers nous. Je vois son visage recouvert de larmes, la bouche déformée par la douleur et son regard... Son regard désespéré qui vient de comprendre que c'en est fini, qu'il est trop tard pour lui. Je continue de tirer. L'instant suivant, quatre créatures se jettent sur Ken. Il disparaît sous l'amas de chair. J'entends un cri, puis plus rien. Sans m'en rendre compte, je continue d'appuyer sur la gâchette de mon revolver alors que je n'ai plus de balles dans le barillet. Nate me tire en arrière.

— Il faut y aller, maintenant ! C'en est fini pour lui.

À la suite de Mongo et Nate, je me mets à courir vers la base. Alors que l'on s'éloigne des flammes, je me retourne une dernière fois et vois une dizaine de silhouettes se mettre à courir à notre poursuite.

Alors que l'on court, on entend derrière nous les cris des créatures. Nate, de temps en temps, se retourne et tire à l'aveugle vers les ténèbres. Mais je sais que cela ne changera rien, qu'à quelques mètres, elles sont là et qu'elles gagnent du terrain, seconde après seconde. Nous n'y arriverons pas. Tout en courant, je regarde autour de moi cherchant une issue, quelque chose qui puisse nous aider. Je remarque le long d'un baraquement une pompe à essence. À ses côtés, des barils. Je m'en approche haletant, renverse un baril et le pousse vers le milieu du chemin. Nate qui court quelques pas devant moi s'arrête et me dit de continuer.

— Il faut les ralentir. Continuez, je vous rejoins.

Je vois déjà les silhouettes se profiler dans les ténèbres. J'entends leurs pas crisser dans la neige.

Je place le bidon au milieu de la route. Et m'éloigne à reculons de quelques mètres. Il faut que je recharge mon arme. Je cherche des balles dans ma poche. Il m'en reste trois. J'ouvre mon revolver, fais tourner le barillet et place les balles. Les créatures sont là, à moins de dix mètres. Je braque mon arme vers le bidon. Je vois une dizaine de monstruosités sortir du brouillard. Pas encore… Elles sont à cinq mètres du bidon… à deux mètres… Maintenant ! De ma main tremblante, je tire une première balle qui vient se ficher dans la neige. Une deuxième rate aussi sa cible. La première des créatures est quasiment à ma portée. Je prends ma respiration, me concentre malgré la peur viscérale qui m'envahit. Je vise et tire. Dans une terrible détonation, le baril explose et projette les créatures environnantes à plusieurs mètres. Le souffle de la déflagration me jette moi-même au sol. Je me relève tant bien que mal et reprends ma course. Je distingue la tour de contrôle, je suis presque arrivé… J'entends le bruit du rotor qui s'active. Derrière moi, les cris reprennent de plus belle. Les créatures sont à nouveau en chasse.

Enfin, surgissant des ténèbres comme un radeau salutaire, l'hélico apparaît. Mongo me fait de grands signes depuis l'intérieur du Huey, le bras sur la porte coulissante. Je me jette dans la cabine et Mongo referme derrière moi.

J'ai à peine le temps de reprendre ma respiration que j'entends un choc contre le fuselage, puis un autre. Je m'approche du hublot. Quatre créatures sont derrière la porte coulissante de l'hélico. J'en vois une, puis une deuxième qui se mettent à essayer d'en tirer la poignée. Bientôt, elles sont quatre à s'escrimer à la tâche. Mongo a toutes les peines à retenir la porte fermée. Je me rends dans le cockpit et demande à Nate son arme.

— Dépêchez-vous, ils essaient d'entrer…

— Je ne peux pas décoller tant que le rotor ne tourne pas à fond. Encore une minute.

Je rejoins Mongo.

Il se retourne vers moi, tout en retenant de toutes ses forces la poignée et articule péniblement quelques mots.

— Je… je ne peux plus.

En cet instant, dans un grincement terrible, la porte coulissante s'ouvre et laisse apparaître les créatures. Mongo perd l'équilibre et se retrouve happé. Je me jette pour le retenir. J'attrape *in extremis* son bras.

— Je ne te lâcherai pas.

Je le retiens de toutes mes forces, mais je sens déjà son gant qui glisse entre mes mains. Derrière lui, les créatures enserrent leur emprise et l'entraînent vers elles. De mes deux mains, je tente de le hisser vers moi, mais mes bottes glissent sur le sol trempé de l'hélico. Dans l'amas de monstruosités à l'extérieur, j'aperçois l'une des créatures lever le bras et planter un couteau dans le dos de Mongo. Dans un hurlement, il lâche ma main et disparaît dans les ténèbres, happé par les monstres. J'attrape le flingue de Nate et tire quelques balles à l'aveugle. Mongo a disparu dans le brouillard ainsi que les créatures. Je referme la porte coulissante et m'éloigne à l'autre bout de la carlingue, l'arme braquée sur la porte. Finalement, l'hélico commence à tressaillir. On va décoller. Je reste pourtant pétrifié, le pistolet tremblant pointant dans le vide. Un rai de lumière vient soudain éclairer le cockpit. Tant bien que mal, je reprends mes esprits et m'avance vers Jack et Nate. Devant l'hélico, à moins de dix mètres, vient d'apparaître un énorme chasse-neige.

Ses phares nous aveuglent. Il fonce sur l'hélico. Jack tire le manche vers lui. L'hélico se soulève un peu plus. Je vois l'étrave de l'engin fendre la neige et s'approcher du cockpit. On monte encore. Le chasse-neige va nous percuter. C'est fini. Je ferme les yeux. Mais dans un soubresaut inespéré, l'hélico prend de l'altitude. Je sens le toit du chasse-neige frôler le train d'atterrissage, mais Jack parvient à maintenir l'assiette. L'hélico se soulève encore… Nous gagnons en altitude, nous sommes sauvés.

Nous survolons la ville dans un silence de mort. Une dernière fois, nous passons au-dessus du brasier infernal. Debout entre Nate et Jack, les mains agrippées à leurs fauteuils, je regarde disparaître la ville. Là-bas, Ken et Mongo sont en train de se faire dévorer. Là-bas, des centaines de personnes sont mortes…

Et tout ça est de notre faute.

Je m'écroule au sol et, la tête enfoncée dans les mains, sans pouvoir me retenir, je fonds en larmes.

20

21 octobre 1971
Station K27, 200 km au nord de Galena,
Alaska
Température extérieure : – 17 °C

Le voyage de retour vers la station K27 se fait dans un silence lugubre, simplement entrecoupé par le marmonnement de Jack. Dans le micro de son casque, je l'entends répéter pour lui-même : « Putain, putain… »

Les conditions météo empirent de minute en minute. À l'intérieur de l'hélico, ça chahute dans tous les sens.

Finalement, après plus d'une heure de trajet chaotique, nous arrivons à la station. Jack parvient à se poser malgré le train d'atterrissage défoncé par le chasse-neige. Les rotors s'arrêtent. Au-dehors, la tempête fait toujours rage. J'ai du mal à trouver la force de me lever. Les visions choquantes accumulées ces dernières heures me retombent dessus d'un coup. Je me sens si las. Fatigué.

Nate quitte le cockpit et me rejoint, il me secoue par l'épaule alors que je suis en train de m'endormir.

— Il faut y aller, James. Dans quelques minutes, il va faire un froid glacial dans cette carlingue.

— Et aller où ? Qu'est-ce que tu comptes faire maintenant ?

— Je ne sais pas. On va aller voir l'équipe de la station. Leur expliquer ce qui s'est passé et essayer d'organiser l'évacuation.

— L'évacuation ? Est-ce que tu te rends compte qu'on est au milieu de nulle part avec aucun moyen de transport si ce n'est ce foutu hélicoptère.

Jack s'approche de nous.

— Un foutu hélicoptère qui ne pourra d'ailleurs plus aller bien loin avant que je n'aie pu le réparer.

— Comment ça ?

— Je pense qu'en nous percutant le chasse-neige a foutu en l'air l'arrivée de fioul. Je ne vous l'ai pas dit pour que vous ne paniquiez pas, mais durant le trajet la jauge d'essence se vidait à vue d'œil. On est arrivé *in extremis* avant la panne sèche.

— Très bien. Écoute Jack, on verra ça plus tard. Pour le moment, la priorité, c'est de se mettre à l'abri dans la station et de prévenir l'équipe scientifique de ce qui se passe. On va chercher Cole et le garde de la station, puis on file à l'entrée du bunker.

— Et l'hélico ?

— On verra ça quand la tempête sera passée. De toute manière, c'est impossible de réparer quoi que ce soit dans un tel chaos.

Nous avançons dans le froid glacial, la neige nous fouettant le visage. Je sens que mes sourcils et les quelques cheveux qui dépassent de mon bonnet se maculent de glace. Et mon bras gauche me lance terriblement. J'ai eu beau créer un bandage de fortune durant le trajet en hélico, le froid, vorace, s'immisce entre les plis déchirés de la combinaison. Nous arrivons enfin vers le baraquement où nous avions laissé Cole et le garde de la station. Immédiatement, nous réalisons qu'il y a un problème. La porte est grande ouverte, laissant s'engouffrer la neige dans le petit baraquement. Instinctivement, Nate dégaine son arme. Jack et moi faisons de même.

Nous montons les quelques marches en bois du perron, puis pénétrons dans le baraquement. Il y fait assez sombre et il nous faut plusieurs secondes avant que nos yeux s'acclimatent à l'obscurité. La neige et le vent ont laissé leur empreinte dans le bâtiment. Déjà, quelques centimètres de neige s'accumulent sur le bureau. Le poêle est éteint et il fait un froid de canard. Cela doit faire plusieurs heures que la porte est ouverte. Nous avançons dans la pénombre.

Nous le voyons tous au même moment.

Au milieu de la salle, le garde de la station est là, assis devant nous. Il est attaché par des cordages sur une chaise. Sa tête est penchée en arrière. Il a été égorgé. Une plaie béante traverse sa gorge de gauche à droite. Son corps est déjà bleu, dévoré par le froid. De sa gorge, un filet de sang congelé reste suspendu dans le vide, donnant à la scène un aspect surréaliste, comme si une cascade rouge vermillon avait jailli de son cou.

— Putain, mais qu'est-ce qu'il s'est passé ?

— Je ne sais pas, répond Nate.

— Moi, je sais, dis-je. C'est en train de se produire ici aussi. Ça a commencé.

— Cole a fait ça ?

— Oui, rappelez-vous ce que disait l'enregistrement de l'opérateur radio Dougall. Les gens se transforment, deviennent possédés quand ils dorment. Regardez là-bas, le lit d'appoint est défait. Cole a dû vouloir piquer un somme. Et ça l'a pris…

— Là, toutes les installations radio ont été défoncées.

En effet, l'appareillage radio gît au sol, grésillant. Cole a certainement dû le détruire à coups de hache. On voit, de-ci de-là, les coupes franches dans le métal, des appareils.

— OK. On reste sur nos gardes et on file à l'entrée de la station.

— En espérant qu'il ne soit pas trop tard.

Nous ressortons à l'extérieur. Alors que nous avançons entre les baraquements, Nate m'attrape par le bras et me montre quelque chose au sol.

— Regarde, là, des traces de pas.

En effet, des empreintes de bottes se laissent entrevoir devant nous. On les discerne encore nettement, bien qu'elles se fassent rapidement recouvrir par la neige fraîche.

— C'est Cole, il est passé par là il y a peu de temps. Sinon, ses traces auraient été recouvertes par la neige. Qu'est-ce qu'on fait ?

— On suit sa piste, c'est la priorité. Si l'on en croit ce qui s'est passé à Galena, les créatures vont essayer de détruire toutes les installations de la base en priorité, il faut qu'on empêche ça.

Nous suivons les empreintes de pas dans la neige. Elles se mettent à serpenter entre les sapins, avançant, semble-t-il, en direction de l'entrée de la station. Mais, étonnamment, la piste bifurque rapidement et, plutôt que de se diriger vers l'entrée, passe sur le côté de l'impressionnant bâtiment en béton et le longe sur quelques mètres. Finalement, les traces semblent s'arrêter devant une échelle jaune qui grimpe vers le toit du bâtiment.

Jack, Nate et moi, nous nous regardons quelques secondes réfléchissant à la marche à suivre.

Je prends la parole :

— OK, je monte là-haut. Vous, vous braquez vos armes vers le toit, histoire de m'éviter de mauvaises surprises.

Je monte lentement à l'échelle en métal. Je manque de glisser à plusieurs reprises sur le givre recouvrant les barreaux. À mi-parcours, je me retourne et demande à mes camarades.

— Vous ne voyez toujours rien ?

— Non, pas un mouvement.

Je continue de grimper. J'arrive sur le toit du bunker. Face à moi, l'immense antenne radar déploie son impressionnante ossature. Après quelques secondes, je retrouve la trace des pas. Ils longent la structure de l'antenne et s'arrêtent à l'arrière de cette dernière devant un bâtiment en brique. Sur la porte en métal, un panneau « Danger Électrocution ». Je remarque que des coups ont été donnés sur le cadenas qui ferme la porte. Mais sans succès.

Je redescends sur la terre ferme et demande à mes camarades ce qu'abrite le bâtiment derrière l'antenne.

— Je crois que c'est là qu'est le générateur de la station.

— Le seul point positif, c'est que Cole n'a pas pu y rentrer. Il faut qu'on l'arrête tant qu'il est temps.

Jack, qui s'était éloigné de quelques pas, nous appelle.

Nous le rejoignons.

Il nous montre des traces de pas, les mêmes que celles que nous suivions depuis le début, mais qui, cette fois, repartent vers les baraquements.

— C'est étrange. C'est comme s'il avait fait subitement demi-tour.

— C'est nous… répond Nate en observant de plus près les traces.

— Quoi ?

— C'est nous. Il nous a entendus. Il a dû faire demi-tour en entendant arriver l'hélicoptère.

— Ça veut dire qu'on croyait le pister alors que ce serait lui qui nous traquerait ?

D'instinct, comme un seul homme, on se colle dos à dos et l'on pointe nos flingues vers les quelques arbres qui nous encerclent. Entre les branches qui bougent sous le vent, la neige épaisse qui gêne la visibilité, impossible de prévoir d'où pourrait venir une attaque. C'est l'endroit idéal pour une embuscade. En cet instant, je me dis que nous sommes faits. Que si, par malheur, Cole a un fusil avec lui, il pourra nous tirer les uns après les autres, sans même avoir à se montrer à découvert.

Mais, alors que la panique est en train de monter en moi, un bruit se fait entendre au loin, un bruit d'explosion, puis un nuage de fumée monte dans le ciel.

Jack, quasi instantanément, baisse son flingue et se met à courir vers les baraquements.

— Putain, il n'est pas sur nos pas. Il est en train de foutre le feu aux baraquements.

Nous courons comme des dératés dans la neige. Un pas sur cinq, mes bottes s'enfoncent dans la poudreuse et me font trébucher en avant. À plusieurs reprises, je manque de me fouler une cheville. Plus nous avançons, plus la fumée se fait épaisse dans le ciel. Arrivés à proximité des baraquements, nous comprenons enfin d'où vient cette fumée. Cole a mis le feu au hangar où sont entreposés les motoneiges et le chasse-neige. Les flammes s'élèvent à plus de dix mètres. Avec tout le kérosène entreposé là-dedans, il est trop tard pour faire quoi que ce soit. Le feu a déjà tout ravagé. Nous voyons les carcasses métalliques des engins carbonisées par les flammes. Nous n'avons désormais plus aucun moyen de fuir d'ici.

Un nouveau bruit se fait entendre. C'est celui du rotor de l'hélico. On se remet à courir vers la piste d'atterrissage. À bout de souffle, nous arrivons en vue du Huey. Le rotor tourne déjà à toute allure. L'hélico va décoller d'une seconde à l'autre.

À travers le cockpit, je vois le visage sans vie de Cole, les yeux recouverts d'un voile noir et un étrange rictus de satisfaction sur sa bouche. Je braque mon arme et vise. Je tire une première balle qui se fiche dans le pare-brise, le fendille sur quelques centimètres, mais ne le fait pas voler en éclats.

Jack, comme fou, me décoche un coup de poing dans le visage. Je chute en arrière.

— Mais tu es fou ?

— Tu ne te rends pas compte, il faut tout faire pour ne pas détruire Betty. C'est notre seul moyen de foutre le camp d'ici. Si tu détruis le pare-brise, on sera bloqué ici.

Nate m'aide à me relever.

— Il a raison.

— Qu'est-ce qu'on peut faire alors ?

— Je ne sais pas… je vais le faire sortir de ma putain de Betty.

343

Jack se met alors à courir tant bien que mal en direction de l'hélico. Ce dernier, lentement, se soulève dans les airs. *In extremis*, Jack parvient à s'accrocher à la carlingue de l'engin. Cole a semble-t-il du mal à maintenir l'assiette. L'hélico oscille de droite à gauche, percute de sa queue un tas de bidons qu'il envoie valdinguer dans les airs. Péniblement, Jack s'accroche à une barre sur le côté du cockpit, il essaie d'ouvrir la poignée, mais sans y réussir. Après un soubresaut de l'engin, il manque de lâcher prise, puis resserre son étreinte sur la poignée.

L'hélico s'élève encore, puis se stabilise. Il est désormais au-dessus de nous à une vingtaine de mètres du sol. Nous distinguons Jack, qui ayant attrapé son pistolet de sa main libre s'efforce d'ouvrir la portière pour viser Cole dans le cockpit. Mais soudain le Huey part en avant. Jack lâche son arme, perd l'équilibre et glisse. Il parvient à s'accrocher de justesse au train d'atterrissage.

J'entends Nate à côté de moi lâcher un « merde »… Je me sens impuissant, inutile. De là où nous sommes, nous ne pouvons rien faire. L'hélicoptère est en train de passer au-dessus des baraquements. Je vois Jack s'escrimer à se hisser à nouveau sur le train d'atterrissage. Il est presque parvenu à se soulever quand soudain l'hélico fait une nouvelle embardée à gauche. Jack lâche prise. Comme au ralenti, il chute dans les airs. Son corps désarticulé s'écrase sur la toiture d'un baraquement, puis roule jusqu'au sol. Nous nous ruons vers sa dépouille tandis que, lentement, l'hélico s'éloigne.

Nous trouvons Jack le long du baraquement, les yeux exorbités, un filet de sang coulant de ses lèvres.

Son corps s'est enfoncé dans la neige fraîche dans une position démente. Une de ces jambes fait un angle droit avec son bassin. Je remarque l'os saillant de son tibia qui a transpercé sa combinaison. Il a une partie du crâne éclatée. La neige se teinte lentement de rouge. Sa respiration n'est plus qu'un hoquet frémissant. Nate s'approche du pilote, s'agenouille à ses côtés et lui saisit la main. Vu l'état de Jack, il n'y a plus grand-chose à faire : l'accompagner pour ces derniers instants, être là à ses côtés, ne pas détourner le regard…

Finalement, après quelques secondes, Jack pose des yeux effrayés sur nous deux, crache un caillot de sang, puis s'effondre. Nate repose lentement le cadavre du pilote, croise ses mains sur son torse, lui ferme les yeux.

Nate se relève et, après un soupir, se reprend.

— James, nous n'avons plus le choix. Il faut détruire ce putain d'hélico avant qu'il n'atteigne la station.

Nous nous mettons à courir à la poursuite du Huey.

L'hélico est à une cinquantaine de mètres devant nous. Entre des embardées de droite à gauche, des pertes subites d'altitude, l'hélicoptère avance péniblement vers la station. Mais malgré sa faible vitesse, il s'éloigne inexorablement.

Nate comme moi sortons nos armes et, sans grand espoir, tirons sur l'engin qui s'éloigne.

Si nos balles parviennent à se ficher dans la carlingue, elles ne stoppent pas le monstre de métal dans sa progression funeste. Alors qu'il est à une quinzaine de mètres de l'entrée du bunker, nous voyons, impuissants, le Huey plonger vers le sol à toute allure et venir s'encastrer dans l'antenne radar de la station. Pendant quelques secondes, il ne se passe rien, puis une formidable explosion retentit. Des flammes embrasent le ciel.

— Nous avons échoué.

— Nous ne pouvions rien faire, James. Rien…

Après avoir repris notre souffle, nous avançons vers l'entrée du bunker.

Devant nos yeux, le spectacle de désolation est total. L'antenne, par la violence du choc, s'est écroulée au sol. Elle gît comme un squelette dément de métal et de câbles le long du côté gauche du bâtiment. L'énorme carcasse du Huey est, elle aussi, tombée au sol, sur le côté. D'énormes flammes s'en dégagent. Les pales sont tordues dans tous les sens, semblables à des doigts crochus. Nous slalomons entre les décombres fumants de l'engin. Puis nous nous arrêtons devant l'impressionnant sas en acier. Je tambourine à la porte.

Au bout de quelques secondes, un judas s'ouvre laissant apparaître un œil.

— Ouvrez-nous, c'est moi, James Hawkins. On est en train de geler dehors.

L'œil nous fixe immobile, sans répondre.

Nate prend la parole.

— Dépêchez-vous de nous ouvrir et de venir éteindre l'incendie. Vous avez entendu non ? Vous avez entendu quand même ? L'hélico vient de s'encastrer dans la station. Nous n'avons rien pu faire.

Sans un mot, le visage de l'homme se tourne sur le côté, comme s'il cherchait une approbation quelconque.

— Je ne peux pas vous laisser entrer. Vous êtes peut-être infectés.

— Infectés ? C'est quoi ces conneries ? Nous n'avons rien. Au contraire, réagit Nate.

— J'ai mes ordres. Je ne peux rien faire. Désolé. Retournez aux baraquements et nous viendrons vous chercher quand la situation sera stabilisée.

— Mais la situation ne va pas se stabiliser, ça va empirer ! Nous savons ce qui va se passer.

Une nouvelle fois, l'homme regarde sur le côté. J'entends des chuchotements.

— Désolé, j'ai mes ordres.

Là, j'ai comme une soudaine intuition.

— Ça a déjà commencé, c'est ça ?

— Je...

— Vous avez eu de nouveaux cas dans la station depuis notre départ pour Galena ?

Je repense à Mayer, Glenan et, bien sûr, Emerson. En réalité, toute cette folie a commencé depuis bien longtemps...

— Oui...

— Écoutez-moi bien, on revient de Galena, là-bas tout le monde est mort. Est-ce que tu comprends bien ce que je te dis, imbécile ? Tout le monde est crevé et c'est ce qu'il va se passer ici, si vous ne nous laissez pas entrer immédiatement.

— Je ne peux rien faire, encore désolé.

— Demandez au Pr Kleiner s'il veut me laisser dehors. Demandez-lui. Je suis le seul à pouvoir vous aider. Dites-lui, dites-lui que tout ça, c'est à cause des Terres Mortes, de ce que nous y avons réveillé, il comprendra...

— Je...

Nate prend le relais.

— Putain, fais ce qu'il te dit ! Parce que je te préviens, nous, on ne bougera pas d'ici. Alors si tu veux obéir à tes putains d'ordres, il faudra te faire à l'idée de nous regarder crever de froid et te dire que c'est de ta faute. Si tu veux nous aider, bouge-toi et vite.

L'œil du soldat disparaît alors qu'il referme la lucarne du sas.

Durant de longues minutes, nous restons dans le froid glacial. Je commence à me dire que l'équipe scientifique ne nous laissera jamais entrer, que malgré tout ce que j'ai fait pour le projet Limbes, ils préféreront nous voir crever ici, que de prendre le risque de nous ouvrir. Mais, finalement, alors que je commence à ne plus sentir mes pieds au fond de mes bottes et que mon bras à nu se met à virer au bleu, dans un lourd grincement, le sas s'ouvre et laisse apparaître les silhouettes du garde et d'un autre militaire. Nous rentrons à l'abri. Les hommes nous tendent deux couvertures, nous les serrons sur nos corps grelottants.

Avant même que le garde ne nous parle, je remarque d'emblée les corps posés sur le côté gauche de l'entrée. Ils sont recouverts de bâches, mais j'en compte environ trois ou quatre.

Le garde s'approche de moi, il a l'air exténué.

— Désolé, mais nous n'avions d'autre choix que de nous assurer que vous étiez dans votre état normal.

— Je comprends.

— Qu'est-ce qui s'est passé à Galena ?

— Tous les hommes de la station sont morts et tous les habitants du village aussi.

— Ça veut dire que les secours…

— Oui. Personne ne viendra nous chercher.

— Putain.

— Allez prévenir les Drs Brimley et Kleiner. Je dois leur parler immédiatement.

Nate et moi passons rapidement par ma chambre. Je prête à mon camarade quelques affaires. Nous nous changeons en vitesse. Malgré la fatigue, le fait de porter des vêtements secs et chauds me fait un bien fou. Lentement, mon corps frigorifié se réchauffe. Pourtant, je remarque que la chaleur dans la station a significativement baissé. Là où normalement la température est d'environ vingt degrés, elle avoisine en cet instant péniblement les quinze degrés.

Le garde nous emmène ensuite à l'infirmerie. Là, le Dr Gregson se charge de me nettoyer le bras et panser ma plaie. Alors qu'il est en train de poser un bandage sur mon avant-bras, Kleiner et Brimley nous rejoignent.

L'un comme l'autre ont l'air extrêmement fatigués. Ils semblent heureux de me voir en un seul morceau, mais ne parviennent pas à cacher leur appréhension.

Après leur avoir présenté Nate, je les débriefe sur ce que nous avons vu à Galena : les installations détruites, les Infectés, leur cérémoniel terrifiant, leur attaque, les morts de Ken, Mongo et Jack... Kleiner semble préoccupé. Je lui demande à mon tour ce qui s'est passé à la station durant notre absence.

— Tout a été si vite, James. Ça a recommencé la nuit dernière, alors que vous étiez à la surface. Il était un peu plus de minuit. Nous avons entendu des cris. C'était le Dr Brody. Nous l'avons retrouvé dans la salle des télécommunications. Armé d'une hache, il était en train de détruire tous les appareils radio. Au départ, nous avons cru qu'il s'agissait d'une sorte de crise de panique. Puis nous avons vu son visage, ses yeux révulsés. Ce regard sans vie. Nous avons tout de suite fait le rapprochement avec les crises des

Drs Glenane, Mayer et Emerson. Nous avons tout de même essayé de le raisonner, de le calmer. Au bout d'un moment, il a baissé la tête et s'est assis au sol, comme s'il lâchait prise. Il haletait. Deux gardes ont alors tenté de s'approcher pour le désarmer. Mais, soudainement, il s'est relevé et leur a asséné des coups de hache d'une violence inouïe. Le plus étrange, c'était ses mouvements, ils semblaient à la fois désorganisés et parfaitement maîtrisés. C'était un peu comme s'il n'était pas pleinement maître de son corps.

— Comme s'il n'était qu'une marionnette.

— Exactement. Les gardes n'ont eu d'autre choix que de l'abattre. Il nous a fallu plus de cinq balles pour que Brody ne bouge plus. Cinq balles… Nous étions tous sous le choc. Mais alors que l'on croyait que la menace était passée, ça a recommencé.

Brimley prend la parole.

— C'était Mike Donaugh, le responsable technique de la station. Quand on l'a retrouvé, il était en train de détruire les tableaux électriques à coups de masse et avait déjà éventré le générateur.

— Ça a été la même chose avec lui, surenchérit Kleiner. Nous avons eu beau essayer de le calmer, il a levé la tête vers le ciel, lancé un cri terrifiant, puis s'est jeté sur nous avec sa masse. Si l'un des gardes n'avait pas visé avec une précision redoutable, il m'aurait certainement explosé le crâne.

Kleiner s'approche de moi, s'assied sur le lit de l'infirmerie à mes côtés. Il me lance un regard interrogatif.

— Qu'est-ce qui se passe, James ? Vous avez une idée ?

— Je vous l'ai déjà dit, professeur. Nous sommes les seuls et uniques responsables. Vous, moi et tous les membres de l'opération Limbes. Tout ce qui arrive, le carnage de Galena, les dizaines de morts. Tout cela est de notre faute. Nous avons réveillé quelque chose dans les Terres Mortes. Et cette chose, cette créature veut nous détruire. Je ne parviens pas à comprendre encore pourquoi, mais elle semble tout faire pour que la station K27 soit notre tombeau.

Kleiner enfonce son visage dans ses mains. Au ton de sa voix, je comprends qu'il est dépassé par les événements.

— C'est de ma faute, tout cela est de ma faute. À personne d'autre.

— Non, c'est de notre faute à tous. Nous avons ouvert des portes qu'il aurait fallu laisser à jamais fermées. Nous n'aurions jamais dû explorer les Terres Mortes. Nous avons été trop loin.

— Vous aviez raison, James. Nous avons joué, comme des enfants, avec des choses qui nous dépassaient complètement. Et nous en payons le prix.

Nate se soulève de sa chaise et, comme toujours, pragmatique, s'efforce de recadrer la conversation.

— Écoutez, on aura tout le temps pour les jérémiades si on s'en sort. J'ai encore du mal à vraiment comprendre ce que vous avez foutu avec vos expériences, ce que je sais, c'est que nous avons quelques certitudes qui pourraient faire la différence.

— Comment ça ?

— Nous savons d'après ce qui s'est passé à Galena et ici que cette créature « possède » ses hôtes pendant leur sommeil. Tant que nous ne trouvons pas de solution pour ficher le camp d'ici, il faut que personne ne dorme. Personne. Il faut que tous les hommes de la station soient parqués au même endroit. À tour de rôle, nous devrons chacun veiller sur les autres et être certains que personne ne s'endorme. Où en sont vos stocks de nourriture ?

— La nourriture n'est pas le problème. Avec les conserves, nous avons de quoi tenir des semaines. Le vrai problème, c'est le générateur. Maintenant qu'il est H.S., la chaudière ne fonctionne plus. Rapidement, la température va baisser en flèche. Surtout avec le froid qu'il fait dehors. Bientôt, il fera moins de zéro dans la station.

— Vous n'avez pas un générateur de secours ?

— Si, mais il permet uniquement d'alimenter la station en électricité.

— Combien d'hommes vous reste-t-il ici ?

— Je pense que nous sommes une quinzaine.

— Il faut faire vite. Récupérez le maximum de couvertures et de conserves, et entreposez-les toutes au même endroit. Pensez-vous qu'il soit possible de réparer les appareils de télécommunications ?

— Non. L'antenne a été détruite. Nous sommes complètement isolés.

— Bon, il faut espérer que les autorités se rendent compte de ce qui s'est passé à Galena. Ils enverront certainement une équipe de secours dans les prochains jours. J'imagine que vous étiez censés faire des rapports hebdomadaires auprès de vos autorités.

— Oui. Chaque semaine, nous faisions un point sur l'avancée des travaux ici avec Quingley. Mais nos communications étaient relayées via l'antenne de Galena.

— Ça veut dire que, normalement, s'ils découvrent ce qui s'est passé là-bas, ils enverront naturellement une équipe de reconnaissance ici, non ? En général, les unités de secours se mettent en alerte rapidement. Il faut espérer que d'ici moins d'une semaine l'armée sera ici. Nous devons tenir.

Je prends la parole :

— Une semaine ? Sans dormir ? Nous ne pourrons jamais y arriver. Professeur Kleiner, parmi les médicaments stockés dans la station, avez-vous de quoi nous faire tenir sans dormir ?

— Oui. Nous avons un dérivé de Modafinil, il s'agit d'un stimulant puissant. Il force le cerveau à rester éveillé. Mais les effets indésirables restent assez flous.

Brimley enchaîne :

— Si l'un de nous s'endort et que l'on ne parvient pas à le réveiller, nous pourrions aussi lui injecter une piqûre d'adrénaline. Elle accélère drastiquement l'activité cardiaque et devrait entraîner une réanimation instantanée.

— Très bien. Et concernant les armes ?

Brimley continue :

— L'armurerie de l'entrée de la station comprenait quelques pistolets et un fusil.

— Il faut limiter l'accès aux armes. Je propose que seuls les militaires de formation puissent porter une arme. C'est plus sûr. Bon, maintenant, il faut faire au plus vite. Avant qu'un autre de vos hommes ne s'endorme et devienne un danger pour nous tous.

Kleiner se lève et me regarde l'air attristé.

— Il y a autre chose dont je dois vous parler.

— Qu'est-ce qui se passe ?

— Ethan et Thomas, les jumeaux. Depuis quelques heures, Thomas est tombé en catatonie. Son rythme cardiaque s'accélère. Il se passe quelque chose.

— Vous pouvez le réanimer ?

— Nous avons essayé. Même les défibrillateurs n'ont aucun effet.

— C'est Ethan…

— Comment ça ? interroge Nate.

— C'est un peu long à expliquer, Nate, mais Ethan et Thomas sont des frères jumeaux. L'un est dans le coma, suite à un accident. L'autre a créé un lien fort avec son frère. Il est un peu notre porte d'entrée pour les Limbes. Je pense qu'Ethan est bloqué dans les Limbes. Il faut l'aider.

— Non, c'est trop risqué. Il faut les abattre tous les deux, me répond sèchement Nate.

— C'est hors de question. Ce sont mes amis.

— Qu'est-ce que tu proposes alors ?

— Je vais aller chercher Ethan et Thomas. Je ne sais pas. Essayer de les trouver là-bas et les mettre en lieu sûr. Un endroit où la créature ne pourra les trouver.

— C'est de la folie. Tu veux retourner là-bas ?

— Je n'ai pas le choix. Je te le répète, ce sont mes amis. Je sais qu'ils auraient fait ça pour moi. Je dois aller les chercher.

21

22 octobre 1971
Station K27, 200 km au nord de Galena,
Alaska
Température extérieure : – 18 °C

« Au plus profond de mes rêves. » C'est la dernière chose que m'a dite Thomas avant que je ne quitte la Nef. C'est donc là que, normalement, je devrais les trouver, lui et son frère Ethan.

Pénétrer dans les rêves de mon ami a été chose facile. Trouver le chemin qui me mènerait à son esprit ne m'a ainsi pris que quelques minutes. Heureusement, car, plus que jamais, me retrouver seul dans la Nef m'a procuré une sensation de malaise, une peur sourde qui me nouait les tripes. L'obscurité, le silence et savoir que quelque part la créature rôdait.

Je me retrouve projeté dans un des tunnels de la Nef, je prends de la vitesse. Tout est lumière autour de moi. Puis, soudain, je sens le sol sous mes pieds. Alors que je lève la tête, le décor se dessine peu à peu.

Une rue de banlieue cossue.

C'est le crépuscule.

Côte à côte, des dizaines de maisons bordent une petite route. Chaque jardin, chaque perron ressemble un peu plus à celui du voisin. Des voitures sont parquées le long de la rue. Au sol, devant les garages, des vélos. À côté d'un arbre, des jouets d'enfant. J'avance lentement au milieu de la rue.

Je regarde à droite, à gauche, rien ne m'indique où me rendre. Aucun indice, rien.

J'appelle en vain Ethan et Thomas.

Le spectacle qui s'offre à mes yeux est assez dérangeant. Ce lieu qui d'ordinaire, dans la réalité, devrait bouillonner de vie, être plein de bruits, d'animations, est ici absolument silencieux. Pire, tout semble immobile, comme pétrifié. Les feuillages des arbres ne bruissent pas, les parterres de fleurs sont figés, comme s'il s'agissait de jouets en plastique. Rien ne bouge. Cette sensation se confirme lorsque je m'approche d'une voiture. Alors que j'essaie d'en ouvrir la poignée, rien ne se passe, je remarque que la portière est en réalité juste dessinée sur la carrosserie, comme s'il s'agissait d'un jouet d'enfant. Je regarde à l'intérieur du véhicule. L'engin est vide, pas de tableau de bord, de volant, ni de sièges à l'avant, de banquette à l'arrière. Rien. C'est comme si la voiture n'était qu'une coquille vide.

Je m'approche désormais d'une maison. Je tape à la porte. Sans surprise, aucune réponse ne se fait entendre. J'essaie de tourner la poignée. Rien ne se passe. Je longe le perron de la maison, m'approche de l'une des fenêtres, je colle mon visage contre la vitre pour essayer de distinguer l'intérieur de la maisonnée. Et là, même spectacle que dans la voiture. La maison est complètement vide. Pas un meuble, pas même de parquet au sol. J'ai l'impression d'être dans un gigantesque décor, une façade géante. Je reprends ma route, à la recherche d'un indice, quelque chose.

La nuit tombe de manière anormalement rapide. Pendant quelques minutes, je me concentre pour essayer de prendre le contrôle de l'esprit de Thomas et de replacer le soleil à son zénith. En effet, ma recherche serait amplement simplifiée s'il ne faisait pas nuit noire. Mais j'ai beau faire de mon mieux, je ne parviens pas à avoir d'emprise sur l'environnement qui m'entoure. Inexorablement, le soleil disparaît à l'horizon, derrière les toits et les arbres. Pendant quelques instants, j'ai l'impression que l'arrivée de la nuit est tangible, comme une vague, une déferlante qui plongerait la rue dans les ténèbres. Les réverbères le long de la rue s'allument les uns après les autres dans un grésillement. Cependant, aucune maison ne laisse échapper de lumière. Il ne faut pas plus de quelques minutes pour que le monde qui m'entoure soit plongé dans les ténèbres. L'ombre se répand partout, on dirait qu'elle coule, telle une encre épaisse qui se propage sur le monde environnant. Je ne sais pas pourquoi, mais, tandis que tombe l'obscurité, je me sens de plus en plus mal à l'aise, comme oppressé. J'accélère le pas. J'ai l'impression de distinguer au bout de la rue, à une centaine de mètres, une source lumineuse, on dirait qu'une lampe est allumée dans une maison. Je jette un coup d'œil en arrière. Derrière moi, à une vingtaine de pas, c'est le noir absolu, comme si la rue avait été happée. Je m'arrête de marcher quelques secondes, remarquant quelque chose d'étrange. En effet, en fixant le bitume de la rue, au sol, j'ai l'impression de voir les ombres se répandre derrière moi, comme si elles dévoraient le décor, qu'elles recouvraient les voitures, avalaient les arbres, les maisons. Tandis que la vague de ténèbres progresse, les ampoules des lampadaires, les unes après les autres, explosent. Face à moi, le vide, le néant, comme une gueule d'obscur abyssale qui dévorerait tout sur son passage. Je me mets à courir en direction de la maison illuminée.

Je sens derrière moi comme un souffle, comme si quelque chose cherchait à m'aspirer vers l'arrière. Je continue de courir. Je traverse le jardin de la maison, saute les quelques marches du perron et enfonce la porte d'un coup d'épaule. Je m'écrase au sol sur le dos, face à la porte béante vers les ténèbres. Là, je distingue comme des milliers de tentacules qui glissent sur le sol de l'entrée de la maison et commencent à pénétrer à l'intérieur. Je me relève et pénètre dans le salon. Contrairement aux autres maisons, celle-là est meublée. La décoration semble surgie des années cinquante. J'aperçois la source lumineuse. Là, sur la table basse à côté du canapé, est posée une lampe torche allumée. Je n'hésite pas une seconde et la saisis. Instantanément, lorsque je l'attrape, je me sens mieux, comme protégé. Je me retourne vers l'entrée. Lorsque je passe le faisceau de lumière de la torche sur le vestibule, les ombres, comme si elles étaient vivantes, conscientes, opèrent un mouvement de recul. Dans un tressaillement, elles serpentent en arrière, fuyant la lumière. J'en profite pour jeter un œil au salon, à la recherche d'un indice qui me permettrait de localiser les deux frères. La décoration est sommaire. Il pourrait s'agir d'une maison témoin. Hormis le canapé en cuir, la table basse et un buffet en Formica, je ne remarque rien. Alors que je détaille mon environnement, j'entends des craquements à l'extérieur. Ils prennent de plus en plus d'ampleur, ça vient d'au-dessus, des côtés, de partout. On dirait que la structure de la maison craque. À gauche, un pan du mur se met à trembler. Il faut que je fasse vite. J'ouvre les différents tiroirs du buffet. Ils sont vides. Les murs de la maison commencent à se fissurer. Les cloisons autour de moi sont parcourues de dizaines de veinules qui traversent les murs du sol au plafond. Les ombres sont en train de comprimer la maison. Déjà, elles commencent à se faufiler au travers des fissures, semblables à des milliers d'orvets qui dégoulineraient des murs. J'oriente la lampe torche sur ces failles, je parviens à ralentir la progression des ombres, mais il y en a trop autour de moi. Désormais, le plafond est quasiment plongé dans les ténèbres. Je n'ai plus que quelques secondes devant moi. Mais je ne vois rien. Puis, en tournant la tête vers la salle à manger, quelque chose attire mon regard. Là, sous une porte, un fragile rai de lumière s'échappe. Je n'hésite pas une seule seconde et me jette sur la porte. Je l'ouvre et me retrouve aveuglé par une lumière blanche. Par réflexe, je mets mon bras devant le visage et ferme les yeux.

Quand je les rouvre, je ne vois d'abord rien, mon regard toujours voilé par le flash lumineux. Bientôt, je réalise que je suis à nouveau dans un environnement sombre. Je tourne la tête. J'ai du mal à comprendre. Pourtant, il n'y a pas de doute, je suis au cœur d'une forêt de conifères, en pleine nuit. Derrière moi, comme surgis de nulle part, la porte et le chambranle sont là, arrachés au mur de la maison et ouverts sur le vide. Seule bonne nouvelle, je tiens toujours la lampe torche en métal serrée dans ma main droite. Je la rallume et laisse passer le faisceau de la lampe sur la forêt. Autour de moi, de majestueux séquoias aux troncs centenaires se dressent vers le ciel. Leur écorce épaisse et striée par le temps les fait ressembler à des fossiles géants. Au sol, des fougères ondulent sous la brise nocturne. La terre est de couleur ocre. Mes yeux s'habituent à l'obscurité. Entre les séquoias, malgré une légère brume, je distingue, en bas de la colline, un lac. Le sentier serpente dans cette direction. Je commence à marcher. Alors que j'avance, j'essaie de comprendre ce qu'il se passe. Il semblerait que je vienne d'être projeté dans une autre zone de l'esprit de Thomas. Cette forêt est une autre de ses créations mentales, comme la rue de banlieue l'était elle-même. Peut-être conçue à partie d'un de ses souvenirs.

Suis la lumière, m'a-t-il dit… je commence à saisir. En réalité, il s'agit d'un jeu de piste. Thomas et son frère se sont retranchés au cœur de leurs rêves, au plus profond de leur psyché pour que la créature ne les retrouve pas. Mais elle arrive, elle est sur mes traces. Les ombres seront bientôt là, dans cette forêt. Je me hâte et dévale en courant le sentier qui serpente entre les arbres. Mes pieds foulent la terre humide. Pour l'instant, les ombres ne semblent pas avoir accédé à cet endroit. Mais les hauts conifères qui m'entourent et le silence pesant qui règne dans cette forêt n'augurent rien de bon. Car comme dans la rue de banlieue visitée avant, ici, pas un bruit. Les troncs d'arbres ne grincent pas au vent, aucun chant d'oiseau ne se fait entendre. Le monde est en sourdine.

Après quelques minutes, j'arrive enfin auprès du lac. J'ai beau être en terrain dégagé, l'absence de lune et le léger brouillard m'empêchent de bien distinguer ce qui m'entoure. En fixant les eaux noires du lac, je remarque en son centre comme une petite lumière étincelante. Instantanément, comme une évidence, je sais que c'est là que Thomas veut que je les rejoigne. Alors que je fixe le point lumineux dans la purée de pois, durant quelques instants, la brume se dissipe et laisse apparaître une petite île au milieu, recouverte de conifères. Elle est à cent mètres de la berge environ. Je dois trouver un moyen de traverser. Je longe les berges du lac quelques minutes et tombe finalement sur une barque en bois déposée sur une plage de galets. Elle est partiellement recouverte d'herbes folles. Je m'en approche, l'inspecte. À l'intérieur, deux rames, quelques tissus vieillis. Je tâte les lattes de bois pour vérifier l'étanchéité de l'embarcation. Ça devrait faire l'affaire. Le bois est fatigué, certes, mais la traversée ne devrait pas être longue. J'arrache les quelques branches et plantes qui se sont greffées à la coque.

Je pousse la barque sur la grève et embarque.

L'esquif se met à glisser sur l'eau en silence. Je m'installe sur le banc rudimentaire, me saisis des avirons, les place dans leurs tolets et me mets à ramer. Les rames plongent dans l'eau sombre et en ressortent sans un bruit. J'ai posé la lampe à l'avant de l'embarcation. La barque avance rapidement. Je garde toujours en repère la lumière vacillante qui provient de l'île. Plus j'avance, plus je remarque sa teinte orangée, son aspect dansant. Il doit s'agir d'un feu de camp.

J'ai fait la moitié du chemin quand le brouillard devient soudainement plus épais, comme s'il se resserrait autour de moi. Je navigue à présent dans du coton. Je vois difficilement plus loin que la proue de la barque.

Le brouillard est si dense que j'ai l'impression qu'il est compact, quasiment tangible, comme si je le sentais compresser mon corps. Pourtant, étrangement, dans ce purin, le feu apparaît toujours distinctement. Coup de rame après coup de rame, je remarque qu'il m'est de plus en plus difficile de ressortir les rames de l'eau. Mètre après mètre, j'ai l'étrange sensation d'enfoncer les rames non dans de l'eau, mais dans un épais pétrole. Je m'arrête de ramer et jette un œil par-dessus la coque sur l'eau qui m'entoure. Je ne remarque d'abord rien, puis en fixant mon regard à la surface, quelque chose me gêne. Aucun hoquet sur l'eau, aucune vaguelette, aucun courant. La surface du lac est complètement plane, d'un noir brillant. Je plonge mes rames à l'intérieur du liquide et les en ressors. Elles sont recouvertes d'un fluide noir qui s'étire en filament depuis le bois jusqu'à la surface. On dirait de la poisse épaisse, un peu comme le goudron que j'avais vu dans le rêve d'Emerson. Instantanément, je comprends ce qu'il se passe. Les ombres sont là. La créature m'a retrouvé.

J'attrape ma lampe, la pose entre mes jambes serrées, m'éclairant ainsi le visage. Tant bien que mal, je m'efforce de faire avancer l'embarcation. Mais coup de rame après coup de rame, la progression est de plus en plus laborieuse. Au bout d'un moment, je n'avance plus du tout. Je fais du surplace. La barque semble retenue en arrière. Je saisis ma lampe, me retourne et regarde l'arrière de l'embarcation. Des dizaines de filaments d'un noir brillant se sont greffés à la coque. D'autres sont projetés depuis la surface du lac vers les côtés de la barque. Je sens l'embarcation tanguer. J'éclaire la coque avec la torche. Instantanément, les ligaments lâchent et replongent dans l'eau couleur pétrole. Mais à peine ai-je déplacé le rai de ma lampe vers une autre zone de la coque, que de nouveaux ligaments viennent s'accrocher au bois. Je comprends que ce que je fais est vain. Je perds du temps plus qu'autre chose. Je n'ai d'autre choix que de reprendre les rames et, de toutes mes forces, tenter de sortir mon embarcation de son entrave. Je rame et rame encore, la barque se remet à glisser lentement sur la surface épaisse du lac. Je dois être à une trentaine de mètres de l'île. La lumière du feu se fait plus nette. J'ose un regard en arrière. À une quinzaine de mètres, une forme noire bombée se dessine à la surface de l'eau et se met à, lentement, inexorablement, avancer vers moi. Je pousse sur les avirons de toutes mes forces. Mentalement, j'essaie de modifier ma corpulence et renforcer les muscles de mes bras. Je sens quelques tressaillements dans mon enveloppe, mais, encore une fois, il semblerait que je n'aie aucune emprise sur le rêve dans lequel je suis. Je ne peux rien faire. La forme percute la barque et la soulève de l'eau. Je manque de passer par-dessus bord, mais m'accroche *in extremis* aux rebords du bateau. Je vois la forme s'éloigner, puis faire demi-tour. Cette fois, elle longe le côté droit de la barque et s'arrête à ma hauteur. Je me remets à ramer tout en regardant la forme. Je ne réussis pas à bien la distinguer. La surface de pétrole du lac la recouvre ainsi d'un voile épais. J'ai quand même l'impression de voir se dessiner une sorte de colonne vertébrale qui s'enroulerait sur elle-même. La forme semble se compresser, puis se relâcher. Soudain, des dizaines de tentacules se jettent vers le bateau. J'attrape ma lampe et les éclairent afin de les faire céder. La créature lâche son emprise dans un cri strident. Puis se compresse à nouveau et projette une nouvelle semonce de tentacules. L'un d'eux se colle à mon visage. Je le sens se répandre sur ma joue. Alors qu'il s'étend vers mes yeux, l'espace d'un instant, j'ai le sentiment que quelque chose, quelqu'un me sonde l'esprit et, lentement, aspire mon âme. Je me bats de toutes mes forces, me concentre pour reprendre le contrôle. J'essaie de serrer ma lampe dans ma main, de sentir le métal froid contre ma paume. Je voudrais la soulever, mais elle paraît peser une tonne. Mon regard se recouvre lentement d'un voile gris. J'entends des milliers de voix dans ma tête. Des hurlements de toutes sortes, des cris aigus, gutturaux. J'ai envie de me laisser aller, de me laisser tomber en arrière, me faire aspirer au cœur du lac, dans les tréfonds. Que tout cela s'arrête, cette folie. Ce serait tellement plus simple. Juste me laisser tomber en arrière… juste tomber en arrière…

Non.

Je reprends le contrôle. Je concentre le peu d'énergie qu'il me reste pour faire osciller le faisceau de la lampe vers mon visage. Ma main ne bouge que de quelques centimètres et pourtant la douleur est terrible. J'ai l'impression que l'on m'arrache les tendons les uns après les autres. Je hurle et continue à orienter la lampe vers mon visage. Le rai de lumière circule lentement sur mon cou, ma joue, mes yeux. Je sens la chaleur revenir en moi, la vie reprendre le dessus. Les voix cessent de se faire entendre. Je récupère enfin le contrôle. Dans un claquement, le tentacule qui s'était greffé à ma joue cède.

Je vois la forme qui s'éloigne de l'embarcation. Elle va revenir. C'est certain. Il faut que j'agisse et vite. Je regarde autour de moi. La barque est quasiment en charpie, des planches du haut de la coque ont été partiellement arrachées. L'embarcation ne va pas tarder à couler. La prochaine attaque sera la dernière. Je m'efforce d'estimer combien de mètres me séparent de l'île. Je crois distinguer le rivage à une vingtaine de mètres. Et si je plongeais dans l'eau, peut-être que… non, c'est stupide. Alors que je désespère de trouver une issue à cette situation, je remarque, dans le fond de la coque, quelques tissus déchirés. Il n'y a que la lumière que semble craindre la créature.

Un feu…

Certes, il détruira la barque, mais me permettra de garder la créature à distance de l'embarcation. Quoi qu'il en soit, je n'ai aucun autre choix. Je fais un tas sommaire des tissus à l'avant du bateau. Je me retourne, attrape quelques planches déchiquetées de la coque et les arrache. Je les pose sur le tas de tissus. Il faut que je trouve le moyen d'allumer le feu. Je sais pertinemment que je n'ai rien dans les poches, pas de briquet ni d'allumettes. Non. Le seul moyen, c'est de créer une étincelle, une toute petite étincelle qui permettra d'embraser les tissus. Je me concentre sur le tas de textiles. Mentalement, j'essaie de convoquer l'image d'une flammèche fragile, que je viendrais apposer sur le bûcher. Je ferme les yeux.

Une flamme, rien qu'une minuscule flamme.

J'ai créé des mondes.

Pris le contrôle de tant de rêves.

Comme un peintre, je les ai dessinés selon mon bon vouloir.

Rien qu'une petite flamme.

C'est si dur…

Mon cerveau est comme dans un étau, je sens le sang bouillir dans ma tête. Mes yeux se compressent dans mes orbites.

Je suis le maître des rêves.

Je suis le maître.

Rien qu'une flamme.

Du sang se met à couler de mes narines.

Un simple éclat.

Une explosion de particules.

Je rouvre les yeux et fixe le rebord abîmé d'un des tissus.

Un souffle le fait légèrement onduler. Puis le tissu bleu se teinte de gris, de noir, tout en continuant à frétiller. Le bout du textile devient alors orangé, rouge, brûlant… puis s'embrase. En quelques secondes, le feu se répand entre les tissus et un halo orangé protecteur vient baigner l'ensemble de l'embarcation. J'entends à quelques mètres un cri guttural. Autour du bateau, dans un halo concentrique de cinq mètres, l'eau reprend sa teinte normale. Autour, les ténèbres. J'ai réussi.

Sans attendre plus longtemps, je me saisis des avirons et rame avec toute l'énergie qui me reste. J'ai la respiration sifflante, je suis exténué. Du sang coule de mon nez sur ma chemise grise. Il faut que je continue. Le feu commence à se répandre sur le côté gauche de la barque, embrasant les planches de la coque.

Vite… Je rame et rame encore.

Enfin, à bout de forces, et alors que le feu me brûle quasiment le visage, je sens le fragile esquif buter contre le rivage. Sans perdre une seconde, je saisis la lampe torche, saute à terre et cours sur la berge vers le bosquet d'arbres devant moi. Je traverse à la hâte une petite plage de galets. Plus rien n'a d'importance sinon d'accéder à ce feu. Je ne regarde pas derrière moi, je ne veux pas. Car je sais, je sens que la créature est là, sur mes pas, que les ombres vont bientôt tout engloutir. Je ne suis plus qu'à quelques mètres du feu de camp. Je gravis péniblement une petite butte en terre, mes mains griffant la terre pour aller plus vite. J'arrive dans une petite clairière. Devant moi, le feu de camp. Personne autour. Pourtant, tout respire la vie, cette tablée en bois recouverte d'écuelles en étain, de couverts. Ces trois tentes canadiennes. Ces sacs de couchage vides ouverts près du feu. Il faut qu'il y ait quelque chose, un indice. Tout cela ne peut pas être vain. Soudain, comme tout à l'heure, je remarque un faisceau fragile de lumière se faufiler sous l'une des tentes. Je me jette à genoux au sol. Attrape la fermeture Éclair et la remonte. Un nouveau rai de lumière m'aveugle. Je détourne le regard et, avant que la lumière ne m'englobe, j'ai le temps de voir une immense vague d'obscur se dresser à une dizaine de mètres au-dessus de moi, prête à fondre sur l'île. La lumière m'enveloppe complètement. Tout s'efface. Le temps, l'espace. Il n'y a plus rien que la lumière.

●

Je rouvre les yeux.

Il fait froid. Il fait noir.

Je me relève péniblement. J'ai un goût de sang dans la bouche.

Où suis-je ? Je lève la tête.

Je suis au milieu d'une rue dans une grande ville.

Je crie : « Il y a quelqu'un ? »

Qu'est-ce que je fais là ?

J'ai une lampe torche dans la main. Pourquoi ?

Je me mets à marcher dans la rue déserte. Pas âme qui vive autour de moi.

Il me faut plusieurs minutes avant de me rappeler, de comprendre. Oui, ça y est. Je suis dans la tête de Thomas, au cœur de ses rêves. Je dois les retrouver, les sauver lui et son frère. Je ne sais plus depuis combien de temps je suis parti, une éternité peut-être. La lampe grésille, puis se rallume. Je regarde la petite ampoule dont la puissance faiblit minute après minute.

« Suis la lumière. » Je me rappelle ces paroles. Je me rappelle encore.

●

Je...

Je regarde autour de moi. Tout est sombre, tout est noir. Pas un réverbère ne fonctionne, pas un phare de voiture n'est allumé. Les fenêtres d'immeubles donnent sur des gouffres abyssaux. Le monde semble plongé dans l'obscurité.

Qu'est-ce que je fais là ?

Je me rappelais encore, il y a quelques secondes seulement. Je ne vois qu'une seule source de lumière là-bas, dans cet immeuble en briques à une cinquantaine de mètres d'ici. Sur le toit, au cinquième étage, deux faisceaux de lumière montent vers le ciel. J'avance dans cette direction. Alors que je marche, je vois autour de moi les ombres s'étirer, prendre de l'ampleur dès que je passe à proximité de l'une d'elles, comme si elles cherchaient à m'entraver. Mes chaussures, des pans de mon pantalon sont déjà recouverts d'obscurité.

Une partie de moi, de mon esprit répète : elle est déjà là, elle arrive. Elle vient te chercher. Mais je ne sais pas ce que ça veut dire.

Qu'est-ce que je fais ici ?

Je marche.

Je saigne du nez, pourquoi ?

Je dois suivre la lumière, quelqu'un me l'a dit.

Le temps s'étire, se déforme. Je crois avancer pourtant je suis immobile.

C'est comme si des ombres pénétraient mon esprit, dansaient dans mon cerveau. J'ai la tête qui tourne. J'ai de plus en plus de mal à bouger, à me déplacer.

Mes vêtements sont en lambeaux. Ma chemise ressemble à un vieux papyrus, comme si j'errais ici depuis cent ans, mille ans peut-être.

●

Où suis-je ?

Je ne suis plus qu'à quelques pas de l'entrée d'un immeuble en briques. Je lève la tête, tout en haut de ces cinq étages, deux faisceaux lumineux puissants déchirent le ciel d'encre. Je regarde autour de moi.

Comment me suis-je retrouvé ici ?

Où que je regarde, aucune lumière. On pourrait croire que la ville est plongée dans la nuit, mais c'est autre chose. Non, ici, les ombres ont tout dévoré. On dirait qu'elles ont happé la lumière du monde. À la limite du halo de ma lampe, les ombres s'étendent à perte de vue, et comme des milliers de tentacules, des millions de couleuvres d'encre dansent au sol et viennent lécher mes pas. Elles enveloppent tout. La lampe que je tiens dans la main commence à grésiller. Les piles viennent à faiblir.

À chaque grésillement, les ombres s'approchent un peu plus.

« Suis la lumière. »

Je n'ai d'autre choix que d'entrer dans l'immeuble. Je gravis péniblement les marches, je suis essoufflé. Deux étages… trois étages… La lampe m'échappe des mains et dégringole de quelques marches. Elle s'éteint en tombant. Je tâtonne dans le noir et la retrouve finalement. Quand je ressors mon bras de l'obscurité, il est comme entouré d'un voile fumeux. Alors que je rallume la lampe, on dirait que les ombres se faufilent sous ma peau. Je regarde mon bras. Sous mon épiderme, les ténèbres serpentent et remontent lentement vers mon épaule. Je sens que je commence à suffoquer, mais je grimpe encore, sans savoir pourquoi. J'arrive au quatrième étage, les ombres se font toujours plus denses. J'ai l'impression qu'elles me retiennent, qu'elles m'attirent à elles. Mes pieds sont de plus en plus lourds. Je me sens englué, comme si mon corps s'embourbait dans du mazout. Je tends le bras vers la porte qui doit mener vers le toit. De là où s'échappe la lumière.

Je tends le bras, encore un peu. Je ne suis qu'à quelques centimètres de la porte. Le bout de mes doigts frôle quasiment l'acier de la porte. Mais ma lampe s'éteint. Dans un souffle vrombissant, je sens les ombres qui fondent sur moi, me submergent. Elles m'attirent vers elles. Elles m'entrent dans la bouche. J'étouffe. Alors que j'agonise, je me rappelle ce que je fais ici, pourquoi j'ai erré ainsi.

Pour eux, Thomas et Ethan.

Je crie leur nom, comme un dernier souffle.

« Ethan. »

« Thomas. »

Je le scande encore tandis que les ombres m'enlacent.

Je le susurre à peine quand elles me tirent en arrière et que je vois la porte en métal s'éloigner lentement.

« Eth… »

« Tho… »

Ma voix n'est plus qu'un murmure, qu'un souffle sifflant. Il n'y a plus rien que l'obscurité autour de moi, en moi. Je me noie dans les ténèbres quand résonne soudain une voix profonde et calme, grave et fascinante, une voix que je ne connais pas, que je n'ai jamais entendue, elle me répète : « Ça ne sert à rien, cesse de te battre, viens à nous. Viens à moi. »

Alors que j'abandonne tout combat, que je me laisse porter en arrière, happé vers les abysses, la porte s'ouvre au-dessus de moi. Une silhouette baignée de lumière apparaît et me tire vers elle.

•

Je ne sais pas combien de temps je suis resté inconscient, mais de toute façon, le temps ici n'a que très peu d'importance. Je rouvre les yeux. Je suis sur le toit de l'immeuble. Thomas et Ethan me font face et me sourient. Autour de nous, des amoncellements de lampes, de phares de voitures reliés à des batteries, des bougies et chandelles sont éparpillés aux quatre coins du toit. Ici, la lumière est vive, renforçant encore le contraste avec le monde qui nous entoure d'un noir absolu. Nous sommes au cœur d'un cercle de lumière. Je regarde les deux frères, ils ont l'air apaisés, calmes.

Thomas prend la parole :

— Tu nous as trouvés.

Ethan enchaîne :

— Je te l'avais dit Tom. J'en étais sûr. Il ne nous aurait jamais abandonnés.

— J'ai bien cru que je n'y arriverais pas. On peut dire que vous étiez bien cachés.

— Nous avons tout fait pour que la créature ne puisse pas nous retrouver. En nous enfonçant au plus profond de nos rêves, nous avons pu gagner du temps, rien de plus.

— C'est donc vous qui avez façonné tous ces lieux, la ville de banlieue, la forêt, ici ?

— Oui, tu as découvert quelques-unes de nos créations.

— C'est ici que je viens lorsque nous ne sommes pas ensemble dans les Limbes, ajoute Ethan. Et c'est ici que mon frère me rejoint chaque nuit. C'est un peu notre terrain de jeu. Chaque rêve est un peu plus élaboré que le précédent. Un peu plus fin, plus détaillé. Ce sont nos œuvres.

— J'avais compris cela.

— Mais les ombres les ont souillées, reprend Thomas. Nous ne les maîtrisons plus. Nous sommes prisonniers de nos propres créations. Des lieux qui autrefois nous rappelaient notre jeunesse ont aujourd'hui disparu. La créature efface tout, détruit, dévore, ne laisse rien derrière elle.

— Que se passe-t-il ici ?

— La créature est en train de nous tuer. Comme un poison, elle s'immisce dans nos têtes. Il n'y en a plus pour longtemps. Regarde autour de toi, James, et vois.

Je me soulève péniblement, m'approche du rebord de l'immeuble et regarde autour de moi. Le spectacle qui s'offre à mes yeux est à la fois fascinant et désolant. Le décor environnant de la ville est littéralement en train de se déliter. Des pans entiers de façades d'immeubles sont comme aspirés dans les ombres, des rues se craquellent et, morceau après morceau, sont englouties dans un maelström d'ombres. Des voitures se consument et disparaissent dans un souffle. C'est comme si le monde devant moi se déchirait, comme s'il ne s'agissait que d'un dessin sur une feuille que l'on froisse dans tous les sens avant de lui mettre le feu.

Je retourne auprès de mes amis et m'assieds à leurs côtés.

— Que devons-nous faire ?

— Nous, plus rien. Par contre, nous pouvons t'aider à partir.

— Non, il est encore temps. Il doit y avoir un moyen de sortir d'ici. D'aller se cacher ailleurs.

— On ne s'échappe pas de son propre piège. C'est impossible.

— La créature le sait, elle en profite, elle prend son temps, nous nargue en détruisant sous nos yeux ce que nous avons mis une vie à bâtir.

— Je ne vous laisserai pas.

— Tu n'as pas le choix, James. C'est déjà fini. À cet instant précis, les médecins dans la station ont déjà dû nous déclarer cliniquement morts.

— Je ne vous abandonnerai pas.

— Si tu restes une minute de plus, tu ne pourras plus revenir à la réalité.

— Mais comment allez-vous me renvoyer ?

— Nous allons concentrer nos dernières forces pour que tu puisses faire le trajet inverse et revenir vers la Nef. La créature ne te suivra pas. Aujourd'hui, c'est nous qu'elle est venue chercher.

— Il doit bien y avoir un autre moyen ?

— Non... Mais sache, James, que tu n'es pas venu en vain.

— Comment ça ?

— Nos plus beaux souvenirs, les plus belles images qui ont construit nos existences resteront en toi à jamais. Une partie de nous restera à tes côtés, toujours. La créature aura beau nous prendre, elle ne nous ôtera pas complètement la vie tant que tu te rappelleras un peu de nous.

— Souviens-toi de nous, James.

— Adieu mon ami, finit Ethan.

La lumière se fait alors plus forte, puis aveuglante. Au travers du halo qui m'englobe, je distingue encore le visage de mes deux amis. Ils ont beau me sourire, je vois leurs yeux se perler de larmes. Je me sens happé en arrière.

Des flashs.

Une roue de vélo qui tourne.

Une main qui passe lentement sur une rampe d'escalier.

Une bouche qui souffle sur une feuille.

Des rires.

Des enfants qui jouent dans l'eau et s'arrosent.

Le sourire d'un homme d'une cinquantaine d'années.

Des lèvres qui se posent sur un front.

Deux bras qui enlacent.

Des rires encore.

Deux adolescents, une bouteille à la main, qui dévalent une pente en hurlant.

Mille autres images.

Mille autres souvenirs.

Et un dernier.

Deux silhouettes d'enfants qui marchent côte à côte et disparaissent dans les ombres.

22

23 octobre 1971
Station K27, 200 km au nord de Galena,
Alaska
Température extérieure : – 23 °C

10 heures.

J'ouvre les yeux et aspire un grand coup, comme si j'étais au bord de l'asphyxie. Je reprends mes esprits instantanément. Je sais que je suis dans le Labo. D'instinct, je regarde à mes côtés, pris d'un fol espoir : que les deux frères soient toujours là, en bonne santé. Mais non. Alors que Brimley pose une couverture sur mes épaules, je vois des scientifiques recouvrir les corps d'Ethan et Thomas d'un drap blanc et les emmener en civière à l'extérieur du Labo.

Kleiner s'approche de moi. Il a l'air sincèrement atteint. J'aimerais pouvoir dire quelque chose, parler…

— J'ai vraiment essayé…

— Je sais, James. Je sais bien. Si ça peut vous rassurer, ils sont partis en paix, le sourire aux lèvres.

— Vraiment ?

— Oui.

À cet instant, j'entends deux détonations sourdes. Je sursaute et regarde Kleiner, interrogatif.

— Qu'est-ce qu'il se passe ?

— Nous n'avons pas d'autre choix.

— Comment ça ?

— C'est le seul moyen de s'assurer qu'ils sont vraiment… vraiment morts. Il s'est passé des choses durant votre absence, James. Nous avons encore perdu trois des nôtres. Malgré les pilules, malgré notre vigilance, ils se sont endormis. Une fois qu'ils sont, comment dire, possédés, il n'y a qu'une chose qui puisse les arrêter. Une balle dans la tête.

— Mon Dieu… mais combien de temps suis-je resté dans les Limbes ?

— Vingt-quatre heures.

— Professeur, j'ai vu ce que faisait la créature dans les rêves d'Ethan et Thomas. Je crois que rien ne peut l'arrêter. Je crois que nous allons mourir ici.

— Je sais. Mais il nous faut tenir, coûte que coûte.

— À quoi bon ? On sait bien que personne ne viendra à notre secours avant plusieurs jours.

— Nous allons tenir parce que c'est ce que fait l'homme, ce qu'il a toujours fait. Survivre… Bien. Le docteur Brimley va vous emmener dans la cantine. C'est là que nous nous sommes tous réunis. Vous allez pouvoir vous nourrir, vous réhydrater.

Brimley me prend sous son épaule et m'aide à marcher jusqu'à la cantine. Je note d'emblée que la température dans la station a chuté d'une bonne dizaine de degrés. Il doit faire au maximum cinq degrés dans les couloirs. De même, l'ensemble de la base est plongé dans une semi-obscurité. Aux murs, seules quelques veilleuses grésillantes distillent encore une fragile lumière.

Je demande à Brimley :

— Et le générateur de secours ? Il tient le coup ?

— Oui, mais, vous le savez, il n'alimente pas la station en chauffage. Juste en électricité. Du coup, la température est en chute libre.

— Je m'en suis rendu compte.

— On se relaie pour veiller sur le générateur jour et nuit. C'est le pire poste de veille d'ailleurs, difficile de ne pas s'endormir avec le ronronnement lancinant du générateur. Bien, nous voilà arrivés.

Nous arrivons au bout du couloir. Sur la droite, à côté de la porte d'entrée de la cantine, un scientifique monte la garde, assis sur une chaise, une lampe torche à la main. En arrivant, il lève vers nous des yeux gonflés par la fatigue et nous salue.

Nous pénétrons dans la cantine. Là, une dizaine d'hommes est répartie dans la salle. La faible lumière dispensée par les veilleuses est compensée par des dizaines de bougies posées çà et là, des lampes torches suspendues au plafond. Une odeur de tabac froid flotte dans la salle. Certains hommes se sont attroupés autour du four électrique, grand ouvert qui diffuse une chaleur salvatrice. Ils s'efforcent de parler pour tenir le coup. D'autres sont assis à une table et tentent de rester éveillés en jouant aux cartes. Nate est parmi eux. En me voyant arriver, il se lève péniblement et vient à ma rencontre. Ses yeux sont injectés de sang, de sombres cernes strient son visage. Il me serre chaleureusement la main.

— Bienvenue au paradis, James ! Alors, tu as pu aider tes amis ?

— Non.

377

— Désolé.

— Tu tiens le coup, Nate ?

— On fait aller. Faut quand même s'habituer à l'idée que si on se laisse aller, qu'on ferme les yeux, on meurt. Tu sais que… que la créature en a pris trois autres depuis ton départ.

— Ouais, je sais.

— Pour rester éveillé, on s'occupe comme on peut. Avec quelques gars, on a passé douze heures à essayer de réparer l'installation radio, mais il n'y a rien à faire. Elle est foutue. Du coup, on tourne un peu en rond, et c'est là, au moment où tu te relâches, que tes yeux se ferment et…

— Ouais, je sais… T'as des conseils à me donner, Nate ?

— Pas grand-chose à dire James. Il faut juste garder les yeux ouverts. Sauf que tu verras, au bout d'un moment, après deux jours, on ne sait plus trop, on ne se rend même plus compte qu'on est en train de s'endormir. Heureusement, toutes les cinq heures, on a droit au cocktail spécial du bon Dr Brimley. Une dose de Modafinil et c'est reparti. D'ailleurs Doc, vous en êtes où de vos stocks ?

— On devrait pouvoir tenir encore au moins cinq jours.

— Putain… cinq jours. Ça va en faire des parties de poker. D'ailleurs, comme vous nous l'aviez demandé pendant votre absence, on s'est occupé de créer les binômes.

Intrigué, je demande :

— Des binômes ?

— Ouais, des binômes. C'est l'idée de Kleiner : que nous restions tous en binôme afin que chacun puisse veiller sur l'autre. Et devine quoi ? T'as le meilleur des binômes possibles : moi !

Nate part d'un rire exagéré. Il a l'air exténué. Ces mouvements sont lourds. Chaque déplacement semble lui coûter.

Je rejoins mon ami, m'assieds à ses côtés, m'allume une cigarette et commence à compter les heures.

23 heures.

Le temps s'allonge, comme au ralenti. J'ai l'impression d'être là, assis auprès de Nate et de quelques autres, depuis des jours. Mais non, cela ne fait que quatorze heures. Il y a trois heures, j'ai eu droit à un verre d'eau et un nouveau cachet de Modafinil. Comme me l'avait dit Nate, l'effet est quasi immédiat. À peine dix minutes après l'absorption du médicament, j'ai senti comme une décharge, un regain immédiat d'énergie. Mais Nate m'avait bien prévenu. Ce boost n'a duré que l'espace d'une grosse heure. À présent, je me sens encore plus faible, atténué que jamais. Et encore je n'ai pas à me plaindre. Moi, contrairement aux autres, j'ai en quelque sorte vingt-quatre heures de sommeil en rab. Mon corps est bien plus reposé, bien plus fort que celui de mes camarades. Autour de moi, je sens que la fatigue commence à faire des ravages. Ici, un scientifique qui se lève et manque de trébucher. Là, un autre qui se redresse en sursaut en réalisant que sa cigarette se consumait dans sa main sans qu'il s'en rende compte… Kleiner et Brimley s'efforcent d'être les plus vigilants possible. Ils posent sur nous des regards bienveillants et, dès qu'ils voient l'un de nous chanceler, se laisser aller en arrière contre sa chaise, une petite tape sur l'épaule permet de nous remettre d'aplomb. Il faut tenir, nous n'avons pas d'autre choix.

23

24 octobre 1971
Station K27, 200 km au nord de Galena, Alaska
Température extérieure : – 25 °C

7 heures.

Je ne sens plus trop mes mains. Elles sont comme ankylosées. Comme si une partie de mon corps dormait tandis que ma tête non. Le plus difficile, cette nuit, a été de tenir le coup après le dîner. La digestion entraîne une fatigue lancinante, usante. Heure après heure, j'ai l'impression d'un peu plus me détacher de ce qui m'entoure. Parfois, l'espace de quelques secondes, les discussions autour de moi s'effacent, flottent dans l'air. Là, je ferme les yeux, ne serait-ce que quelques secondes. J'ai la sensation de chuter en avant, mes yeux se recouvrent d'un voile noir. Au fond, depuis les tréfonds de ma tête, j'entends comme des voix douces et lancinantes qui m'invitent à les rejoindre. « Viens, viens… » En ces instants, j'ai envie de me laisser aller, de me laisser chuter, mais une part de moi continue à se battre et je rouvre tant bien que mal les yeux. C'est un combat immobile. Un combat qui se joue en quelques secondes, et qui pourtant, si je ne reste pas vigilant, pourrait me coûter la vie.

10 heures.

Le four électrique vient de nous lâcher. Après plusieurs jours d'utilisation non-stop, il a rendu l'âme. Sa chaleur bienfaitrice va nous manquer. Dans la cantine, il fait désormais aux alentours de deux degrés. Nate a eu une idée plutôt astucieuse. Profiter de la hotte aspirante de la cuisine et de son système d'extraction d'air pour faire un feu sur les plaques de cuisson. Nous avons recueilli tout ce que la base comptait de combustible : bois des chaises, lattes des lits, rembourrages synthétiques des fauteuils, bouteilles d'alcool, matelas... Nous avons fait un amoncellement de ces détritus et l'avons embrasé. Le feu a pris instantanément, et sa chaleur salvatrice s'est répandue autour de nous. Cela a été un moment très fort, qui nous a donné à tous un regain d'énergie. Même si une partie de la fumée n'est pas tout de suite aspirée par la hotte et qu'elle stagne dans la cuisine, nous nous pressons autour du feu pour nous y réchauffer. Sur le côté, le tas impressionnant de chaises brisées, de lattes de bois qui a été réuni devrait nous permettre d'entretenir le feu plusieurs jours. Espérons-le.

Je suis au bord de la somnolence, accoudé à une table de la cantine, Nate à mes côtés, quand soudain un bruit de détonation vient me sortir de ma torpeur. Une balle vient de siffler à quelques centimètres de mon visage. Instantanément, comme par un réflexe de survie, je me jette au sol. Entre les pieds de la table, je peux voir à l'entrée de la cantine un homme armé d'un pistolet qui tire sur tout ce qui bouge. Je reconnais le sergent Nauls, le militaire responsable de la sécurité de la base. Entre chaque détonation, des cris. Autour de nous, c'est la panique. Un scientifique qui était assis sur un matelas, plutôt que s'allonger au sol, se lève et se met à courir en direction de Nauls. Ce dernier lui fiche une balle entre les deux yeux. Le corps du scientifique est projeté au sol en pleine course, tressaille quelques instants, puis cesse définitivement de bouger. Nate, comme moi, s'est jeté à terre. Il fait basculer la table en métal et s'y adosse, se créant ainsi une couverture de fortune. Il m'attire vers lui et dégaine son arme. Je fais la même chose.

Je demande :

— Putain. Qu'est-ce qu'on fait ?

— Je ne sais pas. On ne peut pas courir jusqu'à Nauls pour le désarmer. Nous sommes trop à découvert. Il est possédé. Il faut s'occuper de lui.

— Mais je croyais qu'on pouvait essayer de les ramener à eux avec une piqûre d'adrénaline ?

— Je te dis que c'est impossible, putain ! Tu veux tenter de te jeter sur lui ? Ce mec est à plus d'une dizaine de mètres d'ici, armé d'un flingue et c'est un putain de colosse. Si j'ai bien compté, il lui reste au moins sept balles dans son barillet. Moi, je ne prends pas ce risque.

Une autre balle vient s'encastrer dans le métal de la table. Je passe la tête rapidement sur le côté de la table. Dans l'entrée de la cantine, j'aperçois Nauls, la tête sur le côté, les yeux recouverts d'un voile noir, son bras tendu pointant une arme qu'il oriente à droite, à gauche, cherchant une cible potentielle. Encore une fois, j'ai l'étrange sensation d'avoir devant moi un spectacle grotesque et macabre, comme si Nauls était suspendu à des fils invisibles, et qu'un marionnettiste fou s'amusait à le déplacer selon son bon vouloir. Soudain, Nauls nous tourne le dos et se dirige vers la cuisine. C'est là que la plupart de nos camarades, Kleiner et Brimley compris, doivent se terrer derrière le comptoir séparant cet espace de la cantine. Nauls n'est plus qu'à quelques mètres de la porte battante. Je vois Nate se lever au-dessus de la table et braquer son arme sur Nauls. Je ne sais pas pourquoi, peut-être parce que je veux croire au fond de moi qu'il y a un remède, que nous pouvons en réchapper, peut-être parce qu'une partie de moi-même culpabilise toujours pour les morts d'Ethan et Thomas, et pour toutes les autres… Bref, je ne sais pas pourquoi, mais, en cet instant, je pose ma main sur le canon du pistolet de Nate et l'abaisse vers le sol. Je m'approche de son oreille et lui dis :

— Non, il y a encore un espoir. Je vais le surprendre et lui injecter une piqûre d'adrénaline.

— Ça ne servira à rien, c'est trop tard.

— Je veux en être sûr.

Sans un bruit, accroupi, je passe sur le côté de la table. J'évite de marcher sur les bris de verre pour ne pas me faire remarquer. Nauls est à quelques centimètres de la porte battante. Derrière cette dernière,

Kleiner, Brimley et quelques autres doivent attendre, apeurés. Il faut que j'agisse vite. Je me relève lentement, attrape une seringue d'adrénaline sur le meuble qui sert de pharmacie, là où Brimley entrepose son matériel. Je retire le capuchon de la seringue et me mets à courir vers Nauls. Alors qu'il s'apprête à pousser la porte battante, il se retourne dans un sursaut et me fait face. Il essaie de braquer son arme sur moi, mais c'est trop tard. Je me jette sur lui, le fais tomber en arrière. La force de l'impact au sol lui fait perdre son arme. Je le plaque sur le carrelage de la cantine, lève la seringue au-dessus de ma tête et lui enfonce dans la jugulaire. Pendant quelques secondes, je crois bien parvenir à le sauver. Ses yeux alors complètement noirs retrouvent leur couleur naturelle. Durant un éphémère instant, Nauls me regarde d'un air apeuré, paniqué comme s'il revenait soudain à lui... Alors que je relâche mon étreinte, le voile noir recouvre à nouveau ses yeux, tel un nuage de fumée qui remplirait ses globes oculaires. Dans un cri d'effroi, Nauls plante ses mains dans mes côtes et les enfonce. Une douleur brûlante m'envahit. Je ne peux plus bouger. Nauls ouvre grand la bouche, à s'en déboîter la mâchoire et claque des dents vers mon visage. Il veut me dévorer. Il étire le cou. J'ai beau essayer de le repousser, il resserre son étreinte. Ses dents se referment à quelques millimètres de ma bouche. J'appuie de toutes mes forces mes mains sur son thorax pour me dégager de son emprise, mais rien n'y fait. Je sens son haleine fétide contre mon visage. Je n'ai pas le choix, je passe mes mains autour de son cou et me mets à serrer de toutes mes forces. Nauls étire alors le cou de manière surnaturelle. À tel point que j'ai l'impression de sentir les tendons, les muscles de son cou claquer sous mes mains. Sa gueule se désarticule, prête à me dévorer le visage. Je ne peux rien faire. Je ferme les yeux. Je crie.

Une détonation.

Une sensation de liquide chaud sur mon visage.

Je rouvre les yeux.

La gueule de Nauls est en bouillie sous mes mains.

Par-dessus mon épaule, le pistolet de Nate. J'ai le visage recouvert de sang et de morceaux du crâne de Nauls.

Sans un mot, Nate se détourne et s'éloigne. Les survivants sortent les uns après les autres de leurs cachettes de fortune. Je me laisse tomber en arrière. La sensation du carrelage glacé me fait du bien. J'ai une envie terrible de vomir. Nate réapparaît au-dessus de moi et me donne une serviette.

— Essuie-toi le visage.

J'obtempère et commence à retirer le sang et les éclats d'os de mon front.

— Tu avais raison, Nate.

— Ouais. Et toi, tort ! La prochaine fois, écoute-moi. Tu dois bien comprendre qu'une fois possédée, la personne est comme morte. Il n'y a rien d'autre à faire, pas d'autre choix. Il faut la tuer. Et ça marche pour Nauls comme ça marchera demain peut-être pour Kleiner, Brimley ou même moi. Si ça m'arrive, James, tu me promets de faire le nécessaire ?

— Je te le promets.

23 heures.

Au départ, ce fut l'incrédulité. Comment Nauls, une force de la nature, avait pu craquer ? Comment, alors que nous étions présumés rester toujours en binôme, Nauls a-t-il pu sombrer ? La réponse a été assez facile à trouver. En effet, le seul moment où Nauls s'est retrouvé seul, c'était en allant aux toilettes. L'adjudant Miles, son binôme, l'attendait à la sortie. Nauls a dû faire ses besoins, retourner au bord de l'évier, se rincer le visage, fermer les yeux quelques secondes. Quelques secondes de trop. La créature a pris le contrôle. Il est sorti des toilettes, a brisé la nuque de Miles, puis s'est dirigé vers la cantine et a engendré le chaos que l'on connaît. Bilan : quatre morts, dont Nauls et un blessé grave, le Dr Gregson, qui a reçu une balle dans l'abdomen. Nous avons décidé d'éviter les déplacements. Désormais, il faut que nous soyons toujours visibles par l'autre. C'est peu ragoûtant, mais nous avons décidé de faire nos besoins dans le couloir qui longe la cantine. Nous avons empilé quelques sacs de sable pour faire un container de fortune. La personne qui va aux toilettes est ainsi toujours sous le regard de celle qui garde l'entrée de la cantine. C'est humiliant, rabaissant, mais nous n'avons pas d'autre choix. La mort de Nauls a été un coup dur pour tous les survivants. Elle nous a rappelé que la créature était là, parmi nous, en nous, et qu'elle attendait, tapie, la moindre occasion, la moindre opportunité pour nous prendre les uns après les autres. Nous étions douze, il est 23 heures ce 24 octobre et nous ne sommes plus que huit. Et ces morts n'ont fait qu'imposer en nous tous une évidence que nous nous refusions à croire : quoi qu'il arrive, qu'importe le temps qu'on tiendra, nous allons tous mourir.

24

25 octobre 1971
Station K27, 200 km au nord de Galena, Alaska
Température extérieure : – 25 °C

8 heures.

Dehors, quelque part, c'est le matin. Des hommes, des femmes se lèvent, prennent leur petit-déjeuner, leur douche. Partent au travail. Pestent dans les embouteillages. Regardent le soleil se lever. Ici, au fond de notre tombeau, nous défions la mort. On ne sait plus trop quel jour, quelle heure… Tout cela n'a que très peu d'importance.

Je tiens le coup tant bien que mal. En compagnie de Nate, nous sommes allés monter la garde auprès du générateur pendant deux heures. C'est vrai que le ron-ronnement du moteur invite vraiment à la somnolence. Si, de mon côté, ça ne s'est pas avéré trop difficile, pour Nate, ce fut une autre histoire. En même temps, il ne dort pas depuis plus de quatre jours. Malgré mes efforts pour meubler la conversation, pour le garder éveillé auprès de moi, je sens bien qu'il lâche un peu prise. Parfois, il continue à me parler et, lentement, je le vois fermer ses yeux. Il faut que je le remue vigoureusement pour qu'il revienne à lui. Je ne dois pas relâcher ma vigilance. Si ce n'est pour moi, que je le fasse au moins pour lui.

14 heures.

Je regarde ma main. J'ai beau essayer de me contrôler, je tremble. Je ne sais pas si c'est l'effet des médicaments ou bien celui de la fatigue, ou peut-être un peu des deux. Ces tremblements ne sont que la partie émergée de la fatigue qui nous dévore. Lorsque je parle, mes pensées s'embrouillent, je mélange tout. J'oublie ce que je voulais dire. Et les somnolences sont de plus en plus fréquentes. Quand je sens que je sombre, je me pince fort le bras, la douleur me permet de revenir à mes esprits. Jusqu'à quand ?

19 heures.

Le Dr Gregson, qui avait été blessé par Nauls, vient de mourir dans les bras de Kleiner. Un de moins. Nous sommes sept survivants. Gregson a au moins une chance, il peut se reposer, dormir enfin.

20 heures.

Kleiner accuse le coup de la fatigue. C'est, de loin, le plus âgé de nous tous. On sent qu'en cet instant le moindre geste lui coûte énormément. Il ne bouge quasiment plus, restant assis auprès de Brimley qui veille sur lui comme une nurse attentionnée. Il lui donne la becquée, l'aide à boire, à se relever. Son dévouement est admirable. Lorsque je rends visite à Brimley et Kleiner, je sens bien dans le regard bleu de ce dernier que sa volonté, son incroyable pugnacité sont toujours intactes. Mais pour combien de temps ?

22 heures.

Le soir, pour tenir le coup et ne pas nous endormir, nous nous réunissons autour du feu et nous efforçons de parler, même en vain, même dans le vide.

Seul Nate reste un peu à l'écart et ne participe pas directement aux discussions.

Au cours d'une garde que nous faisions ensemble devant la cantine, je lui ai demandé pourquoi il ne se joignait pas à nous le soir. Il m'a répondu :

— Parce que je ne veux pas savoir. Je ne veux pas connaître ces gars, leur vie, leur histoire. Savoir qu'un tel a un gamin de 2 ans, qu'un autre veut se marier l'année prochaine…

— Et pourquoi ?

— Pourquoi ? Eh bien parce que si demain je dois lui coller une balle dans la tête, je ne veux pas avoir une seconde d'hésitation.

— Mais, à moi, tu me parles ?

— Ouais, à toi, oui. Parce que, quoi qu'il arrive, je ferai en sorte que tu sois le dernier à tenir debout ici. C'est pour cela que je suis ici, c'est ma mission. Te protéger.

Malgré la distance de Nate, ces veillées nocturnes me font, à moi, du bien. Nous nous racontons nos souvenirs, les lieux que nous avons visités, ceux où nous aurions aimé aller. Alors que chacun se livre, raconte ses souvenirs enfouis, on se rend aussi compte, heure après heure, que l'espoir s'éloigne, comme si on était enterré vivant ici et que personne ne le savait.

Alors peut-être qu'on parle, qu'on se raconte, en se disant que si tout cela finit mal quelqu'un portera notre mémoire en lui. Et c'est déjà ça.

Quand, au milieu de la nuit, nous n'avons plus rien à nous dire et que chacun se terre dans son silence, j'ai parfois l'impression d'étouffer. Je ne sais pas si c'est la claustrophobie, la peur ou juste la mort qui approche.

25

26 octobre 1971
Station K27, 200 km au nord de Galena, Alaska
Température extérieure : – 27 °C

7 heures.

Les heures passent, se ressemblent, le temps tourne en boucle.

Prendre une dose de Modafinil.

Manger une boîte de conserve.

Tenir deux heures.

Se réchauffer malgré le froid.

Se dégourdir les jambes.

Enchaîner cigarette sur cigarette.

Prendre une dose de Modafinil.

Manger une boîte de conserve.

Tenir…

L'odeur dans le couloir commence à être insoutenable. L'air est rempli d'une pestilence grandissante. Mélange d'excréments des toilettes improvisées et des corps en décomposition. Le tas de cadavres nous attend à la sortie de la cantine comme pour nous rappeler que la créature est là, tapie au tréfonds de nos êtres, prête à nous fondre dessus. Vais-je rejoindre ce tas bientôt ? Un corps froid et sans vie, dévoré par les ombres.

10 heures.

Je suis tombé sur mon reflet dans le métal d'un des réfrigérateurs. J'ai d'abord eu du mal à me reconnaître. J'ai les yeux si creusés, le regard si vide. Et pourtant, il a fallu que je me fasse une raison, ce cadavre qui me fait face, c'est bien moi.

13 heures.

À nouveau, Nate et moi sommes de garde auprès du générateur. Nous tentons de discuter pour pallier l'ennui, une discussion que nous avons peut-être déjà eue un jour, une heure auparavant.

— Tu te souviens de Svay Rieng, James ?

— Bien sûr…

— Je croyais que c'était le pire moment de ma vie, j'avais appris à vivre avec. Je me disais qu'un homme pouvait encaisser ce genre de choses, que les images s'effaceraient avec le temps. Mais c'est toujours là.

— Pour moi aussi.

— C'est ça le pire…

— Quoi ?

Je sens mes yeux qui se ferment. Pour rester éveillé, me pincer ne sert désormais plus à rien. Il faut une douleur plus forte. Je me brûle la paume de la main gauche avec le mégot incandescent de la cigarette que je tiens dans la droite. La douleur fulgurante se répand en moi et me réveille instantanément.

— Qu'est-ce que tu disais ?

— C'est ça le pire. Svay Rieng, on aurait pu vivre avec, mais ça... ce qu'on vit ici, ça ne s'effacera jamais.

— Pourquoi t'es rentré dans l'armée, Nate ? Tu n'as jamais voulu faire un autre métier ?

— Non, moi, je n'ai jamais voulu rien faire. J'étais un sale gamin qui traînait sans projet, sans rien.

— Et alors ?

— Et alors, j'avais 20 ans, mon père ne m'a pas laissé le choix, soit c'était l'armée, soit il me foutait dehors.

— Tu aurais pu refuser.

— Ouais. Mais j'ai aimé l'armée, mon service, mes premières classes. J'avais enfin un rôle. Quelque chose à faire, quelque chose qui ait un sens. Je n'aime pas la guerre, James. Je n'aime pas les armes. Mais, au moins ici, au Viêtnam, je suis utile, je suis quelqu'un. J'ai sauvé des gamins, d'autres sont morts dans mes bras, c'était ma responsabilité.

Je sens, alors que je l'écoute d'une oreille, que sa pensée s'embrouille au gré de ses paroles.

— J'ai fait ce que j'ai pu, tu comprends ? J'aurais dû les aider. Mon père, il n'a jamais rien compris. Même après tout ça, mes premières classes, je suis toujours resté un incapable pour lui. Tu sais, James, toi aussi, j'aurais dû te sauver avant que tu te prennes cette putain de balle. C'est pour ça que je suis là aujourd'hui, pour avoir une nouvelle chance de t'aider. C'est comme si on y était revenu. Comme si ça recommençait.

— De quoi tu parles ?

— Svay Rieng. En réalité, nous n'avons jamais quitté cet endroit. Nous y sommes toujours… je t'ai vu tomber là-bas.

— Arrête de ressasser ça, Nate.

— Mais il y avait tellement de fumée. Il y avait tellement…

Je ferme les yeux. Nate aussi. Un cri strident nous fait nous relever en sursaut. Il provient de la cantine. Nous dégainons nos armes et nous ruons vers la cantine. Arrivés auprès de la porte, précautionneusement, nous l'entrouvrons.

— C'est Brimley, merde !

En effet, Brimley est en train de verser une bouteille d'alcool sur la pharmacie. Là où sont entreposés les médicaments, le Modafinil, les seringues d'adrénaline. Il jette la bouteille au sol, puis allume un briquet. La lueur éclaire son visage sans vie. Ses yeux recouverts d'un voile opaque. Nous sommes prêts à lui tirer dessus quand soudain Kleiner s'interpose entre nous et le Dr Brimley.

— Professeur, qu'est-ce que vous faites ? Il faut lui tirer dessus !

— Non, je veux essayer une dernière fois !

Je m'approche de Kleiner et le retiens par la manche.

— C'est de la folie, professeur, il n'y a plus d'espoir.

— Laissez-moi.

Dans un geste désespéré, Kleiner se dégage de mon étreinte et s'avance auprès de Brimley. Ce dernier abaisse son briquet et oscille la tête de droite à gauche, comme s'il était intrigué ou comme s'il s'amusait de la situation.

— John, écoutez-moi. Je sais qu'une partie de vous a toujours le contrôle. Battez-vous, John, battez-vous, reprenez le dessus ! Vous pouvez le faire. Ne m'abandonnez pas. Pas après tout ce que nous avons entrepris, tout ce que nous avons réalisé ensemble.

Kleiner s'avance encore. Il est à moins d'un mètre de Brimley, j'aimerais tirer, mais le vieillard est en plein dans ma ligne de mire. J'essaie de discrètement me déplacer sur le côté gauche.

— John, pensez à votre femme Helen, à votre fille Annie. Pensez à elles.

Kleiner est à quelques centimètres de Brimley qui reste parfaitement immobile. Il approche sa main de celle de Brimley qui tient le briquet allumé. Il essaie de la desserrer et d'attraper le briquet. J'ai un bon axe, je vais tirer. Mais, dans un mouvement d'une fulgurante rapidité, Brimley se jette sur Kleiner et le mord au cou. Je n'hésite pas une seconde et lui tire dessus, lui logeant une balle dans l'épaule qui le projette en arrière sur l'établi. Je jette un œil à Kleiner, il est au sol, inconscient, baignant dans une mare de sang. Sans cesser de garder Brimley en ligne de mire, je hurle à un des scientifiques de venir en aide à Kleiner et de lui faire une compresse au cou. Alors que je reporte mon attention sur Brimley, à genoux au sol, ce dernier se met à bouger. Dans un râle, il se redresse. Nate lui tire deux fois dessus. Dans l'obscurité environnante, il rate la tête de Brimley. Une balle vient se ficher dans le mur derrière le docteur, l'autre arrache son oreille sans le faire tressaillir. Brimley allume à nouveau son briquet, il le tend au-dessus de lui et se jette sur l'établi. Instantanément avec l'alcool répandu, ce dernier prend feu et embrase Brimley. Le spectacle est dément, comme si les portes des enfers s'étaient ouvertes devant nous. Le corps embrasé de Brimley tourne sur lui-même dans un cri strident, de plus en plus vite. Nate et quelques autres tirent le corps inconscient de Kleiner pour l'éloigner des flammes. Je m'efforce de viser Brimley pour cesser sa transe frénétique. Je repense à cet homme. À ce qu'il a fait pour moi à Saigon, ici. Ce qu'il a aidé à révéler en moi. Je repense à ce qu'il m'a raconté de sa vie. Non. Je ne dois pas hésiter. Je prends ma respiration, me concentre. Tire. La balle vient se loger dans le crâne de Brimley. Le cadavre enflammé chute au sol. Durant quelques secondes, il reste à genoux, immobile. Et en cet instant, je ne sais pas si c'est la fatigue, mais j'ai l'impression de l'entendre rire d'un petit rire sifflant. Puis enfin, le corps chute en avant. Dans les secondes qui suivent, nous nous saisissons d'extincteurs et éteignons tant bien que mal les flammes qui se répandent sur le meuble de pharmacie. Puis nous posons une couverture sur le cadavre calciné de Brimley. Kleiner est emmené auprès du feu. On lui appose une compresse sur le cou, mais il est évident qu'il a perdu trop de sang. Ce n'est plus qu'une question d'heures.

18 heures.

Je suis resté auprès de Kleiner depuis qu'il a été blessé par Brimley. La plupart du temps, il est à peine conscient, ses yeux vitreux fixent le feu. Sa température a grimpé en flèche et pourtant il nous dit avoir froid. Je l'ai recouvert de plusieurs couvertures, l'ai placé au plus près du brasier, mais il continue à grelotter dans mes bras. C'est la fin… Je le tiens serré dans mes bras, je sens sa frêle carcasse se soulever au gré d'une respiration saccadée. Derrière moi, je sens bien la présence de Nate, vigilant, prêt à dégainer son arme s'il voyait que Kleiner devenait possédé.

Pour moi, tout cela n'a plus d'importance. Je regarde le visage émacié du professeur, attendant les rares moments de conscience où il revient à lui.

Au bout de longues minutes, pris d'un tressaillement, le vieil homme détourne le visage et me regarde avec un sourire généreux et enfantin.

— James, vous êtes toujours là…

— Oui, professeur, je suis là.

— Nous y étions presque.

— Pardon ?

— Toute ma vie, je n'ai eu qu'un seul vrai projet, qu'un seul but. Comprendre. Comprendre ce qui se passait là-dedans, dans notre tête, au cœur de notre sommeil. Chaque étude m'a ouvert une nouvelle porte, plus loin, toujours plus loin. Jusqu'aux Limbes, jusqu'à Tjukurrpa, jusqu'à vous, James. Nous étions si proches…

— Si proches de quoi ?

— De comprendre vraiment… de comprendre qui avait créé ces Terres Mortes et pourquoi. Mais nous n'avions peut-être pas le droit. Caleb m'avait prévenu. Et l'enfant aussi.

— Quel enfant ?

— Celui qui est venu dans mes rêves. Il m'avait prévenu d'arrêter, de ne plus vous envoyer dans les Terres Mortes. Mais j'ai d'abord cru qu'il s'agissait d'un rêve comme le vieil illuminé que je suis en fait tant. Aujourd'hui, je crois que tout cela était vrai. Je crois qu'il cherchait à nous prévenir.

— Ce n'est pas de votre faute, professeur.

— Si, tout cela est de ma faute. Je savais qu'il faudrait faire des sacrifices, j'avais accepté cela. Mais tout cela est allé bien trop loin. J'ai été trop gourmand. J'ai passé ma vie à étudier l'homme, son histoire, ses comportements, son évolution et je n'ai même pas été capable de ne pas reproduire sa plus fréquente erreur.

— Laquelle ?

— Malgré son évolution, l'homme reste un prédateur. Insatiable, avide et vorace. Il ne chasse plus désormais, mais continue à vouloir conquérir, dominer, maîtriser, dévorer tout ce qui l'entoure. Par la force, par les armes, par les idées, la politique et la science. J'ai beau être moi-même un scientifique, un esprit cartésien, mesuré, je n'ai pas échappé à cet appétit primaire. Soif de connaissances, de découvertes. Soif d'aller toujours plus loin malgré tout, malgré tous ces morts qui jonchaient le chemin. Qu'importe, puisque je comprenais, que j'avançais. Je pouvais piétiner autant de cadavres qu'il était nécessaire s'ils me permettaient d'avancer. Quel fou j'ai été... Même vous, James. Même vous qui êtes pourtant ma plus belle réussite, j'aurais été prêt à vous sacrifier.

— Je suis certain que non.

Kleiner me lance soudain un regard froid et dur.

— Détrompez-vous. Mes recherches passaient avant tout. Mais Caleb avait raison, certaines frontières n'auraient pas dû être franchies.

— Ne dites pas cela, professeur.

Sa voix devient de plus en plus fluette, comme un léger sifflet. Je m'approche de lui pour mieux l'entendre.

— Malgré tout cela, malgré tout ce que je vous dis, malgré ce chaos, ces morts : Caleb, les jumeaux, Brimley... malgré tout, je continue à vouloir savoir.

Peut-être vais-je fermer les yeux et que cette créature répondra à toutes mes questions avant de m'emmener avec elle.

— Oui. Peut-être.

— C'était un beau rêve n'est-ce pas, James ? Au fond, ce que nous avons vécu... c'était un beau rêve ?

— Oui.

— Faites en sorte que tout cela ne soit pas vain. Survivez.

Le visage de Kleiner se détourne sur le côté. Son corps se relâche, devient plus lourd. Le vieil homme vient de mourir dans mes bras. Quasi instantanément, Nate et un autre homme attrapent le cadavre du professeur et l'emmènent à l'extérieur. J'entends le bruit d'une détonation. Je suis si usé, si fatigué. Tout cela n'a désormais plus aucun sens, plus aucune importance. J'en ai assez. Assez vu. Je n'en peux plus. Lentement, mes yeux se ferment. Je veux dormir.

Tandis que mes paupières se ferment, un voile noir recouvre mes yeux. Puis rien. J'entends le crépitement du feu, le marmonnement des rares survivants, les bruits des pas de Nate qui revient auprès du feu.

Je ne dors pas.

Peut-être suis-je trop fatigué pour dormir...

Ou peut-être est-ce la créature elle-même qui se joue de moi ? Elle veut me voir tenir jusqu'au bout, me prendre en dernier. Très bien, elle en aura pour son argent.

Je rouvre les yeux alors que Nate s'assoit à mes côtés. Il me tapote l'épaule amicalement.

— Ça va, tu tiens le coup ?

— Ouais, je vais tenir.

26

27 octobre 1971
Station K27, 200 km au nord de Galena,
Alaska
Température extérieure : − 29 °C

9 heures.

La mort de Kleiner a tout changé parmi les survivants. Nous ne sommes désormais plus que cinq. Nate et moi ainsi que trois scientifiques : les Drs Bradford, Stilson et Donlevy. Étant donné que Brimley a brûlé toute la pharmacie, nous tenons depuis hier sans l'aide de Modafinil. Et inutile de dire que la mort du Pr Kleiner nous a tous bouleversés.

Mais il y a autre chose.

Nate et moi sentons bien, depuis quelques heures, une distance, voire une certaine animosité des trois scientifiques envers nous. Tandis que nous étions en train de revenir de garde auprès du générateur, nous avons surpris les trois hommes en train de se parler à voix basse, comme s'ils fomentaient quelque chose dans notre dos.

Désormais, alors que nous sommes tous réunis autour du feu, je sens des regards insistants se poser sur moi. Surtout de la part du Dr Bradford, qui était mon anesthésiste lors de nos incursions dans les Limbes. J'ai toujours eu du mal avec cet homme d'une quarantaine d'années qui n'a eu de cesse de se montrer froid et distant envers moi alors que je le voyais bien sympathiser avec certains autres scientifiques. Je me disais alors qu'il devait se sentir plus proche de ses pairs que d'un vulgaire quidam comme moi, qui plus est un militaire. Bref, je n'y prêtais pas trop attention, j'aurais peut-être dû.

Cela fait cinq jours que je ne dors pas. Six pour les autres.

13 heures.

C'est de plus en plus flagrant. Bradford, Stilson et Donlevy ne nous adressent quasiment plus la parole. Lorsque nous sommes réunis autour du feu, ils restent à distance, les uns contre les autres. Tout à l'heure, alors que Nate allait chercher du bois, Bradford l'a interpellé et lui a demandé de venir. Nate s'est agenouillé à côté d'eux, les a écoutés parler. J'essayais de comprendre ce qu'ils se disaient, mais ils parlaient trop bas. Finalement, après quelques minutes, Nate a haussé la voix, a lâché un : « Vous êtes prévenus ! » et est revenu vers moi. J'ai demandé à mon ami de m'expliquer ce qu'ils lui avaient demandé, mais il a botté en touche.

— Rien, on a parlé des stocks de vivres. Ils voulaient manger plus, je leur ai dit que c'était impossible. Point.

Je sais qu'il ment, mais je ne relève pas.

19 heures.

C'est si dur de tenir. Si dur. Je regarde la paume de ma main gauche. Elle est constellée de brûlures de cigarettes. Mais l'accoutumance à la douleur, l'extrême fatigue font que, depuis quelques heures, les brûlures ne me font plus rien. Certes pendant quelques minutes, elles me remettent d'aplomb, font passer la fatigue, mais ensuite c'est pire. Je n'ai pas d'autres solutions… J'ai récupéré un cran d'arrêt. Et désormais à chaque fois que la fatigue me prend, je me taillade la chair du bras. Assez pour me faire mal, mais pas suffisamment pour me blesser dangereusement. Nate ne semble pas avoir remarqué que je me scarifiais. Ce n'est pas plus mal. Je ne cesse de me poser cette question : mais bon Dieu, comment fait-il pour tenir ? Et tous les autres ? On va finir par craquer à un moment ou à un autre, mais qui sera le premier ?

22 heures.

Nous sommes tous en train de lentement perdre les pédales. J'en ai eu la preuve ce soir encore. Le Dr Donlevy, un neurochirurgien brillant, homme discret et effacé, s'est mis à parler tout seul. Au départ, nous croyions qu'il nous adressait la parole, puis nous avons compris à son regard perdu, vide, qu'il n'était plus vraiment en cet instant avec nous. Nous gardons un œil sur lui, mais comme m'a dit Nate :

— Au moins tant qu'il délire, il ne dort pas…

23 heures.

Donlevy continue à marmonner dans sa barbe. Alors qu'il parle pour lui-même, il se gratte frénétiquement la nuque et le cou. Ses camarades ont essayé de l'arrêter, mais il n'y a, semble-t-il, rien à faire. J'essaie de penser à autre chose, mais le monologue halluciné de Donlevy me tape sur les nerfs. Je ne discerne pas clairement ce qu'il dit, mais comprends quelques mots de temps en temps : « Foutus… tous foutus… » Putain, faites qu'il se taise et vite… Sinon…

27

28 octobre 1971
Station K27, 200 km au nord de Galena, Alaska
Température extérieure : – 30 °C

5 heures.

Nous sommes assis autour du feu dans la cuisine, tous dans un état second. Personne ne parle. Soudain, Donlevy se lève et, à la surprise générale, braque une arme sous son menton.

Nous nous levons tous dans un mouvement de recul.

Bradford s'exclame :

— Putain, il est possédé lui aussi ?

Je lui réponds :

— Non, regardez ses yeux, il délire, c'est tout.

Nate s'approche de l'homme qui, les yeux exorbités, creusés par la fatigue, fait un pas en arrière et enfonce un peu plus le canon de son arme dans sa gorge.

— Donlevy, calmez-vous, baissez cette arme, donnez-la-moi.

— À quoi bon, putain ? À quoi bon ? On est foutu. Et vous croyez quoi ? Qu'on va s'en sortir ? Que tout va aller bien ? On va crever ici, seuls. Je ne veux pas que cette maladie, ce monstre, cette putain de créature ou je ne sais quoi vienne me prendre. Je préfère en finir.

— Arrêtez Donlevy. Il y a encore un espoir, les secours…

Bradford s'approche à son tour.

— Steve, baisse ton arme, il y a encore une chance. Nous avons déjà tenu quasiment une semaine. Les secours ne devraient plus tarder…

Donlevy nous regarde les uns après les autres, puis se met à hurler :

— Nous sommes tous déjà morts !

Il appuie sur la détente et se fait exploser la boîte crânienne dans un geyser de sang noir. Son corps chute au sol, sans vie. Bradford et Stilson se ruent sur le corps, le désarment.

Je me rassois, las. Et recommence à regarder le feu. Ça a beau être horrible, mais au fond de moi, je me dis que ce n'est pas plus mal. Caché dans la poche de mon manteau, je tiens encore serré mon revolver dans ma main. Lentement, je relâche le doigt que j'avais sur la gâchette.

Quelques secondes de plus et c'est moi qui le butais…

13 heures.

Nous ne sommes plus désormais que quatre. Bradford, Stilson d'un côté. Nate et moi de l'autre.

Les deux scientifiques ont emmené le corps de leur camarade dans le couloir avec les autres. Ils sont revenus auprès du feu. Nous ne nous sommes plus parlé depuis. Je sens bien le regard noir de Bradford se poser sur moi de temps en temps, mais je ne réagis pas. Ça ne servirait à rien…

Je jette un œil à la réserve de bois. Il ne reste plus grand-chose. Quelques chaises éclatées, deux, trois lattes de lits en bois. D'ici demain, nous n'aurons plus de quoi nous chauffer.

16 heures.

Nate et moi traversons les couloirs glacés de la station. Nous revenons d'une garde auprès du générateur. Certes, ces gardes ne servent plus à rien vu le nombre de survivants qu'il reste, mais au moins elles nous tiennent éveillés. Nous faisons semblant d'avoir toujours des choses à faire pour ne pas sombrer. L'inactivité est notre pire ennemie. Nous marchons en silence dans les coursives plongées dans une semi-obscurité. Nous arrivons dans le couloir qui mène à la cantine. Malgré le froid et le gel qui lentement, inexorablement, viennent recouvrir les murs, les sols, l'odeur de mort est toujours là, présente. Le tas de cadavres a beau être recouvert d'un voile de givre, la pestilence est toujours aussi insoutenable. Je détourne le regard de cet amoncellement de corps. Ici sont entreposées les dépouilles de Kleiner, Brimley, Thomas, Ethan et tous les autres. Tous les autres et bientôt moi. J'essaie de ne plus y penser. Je pousse la porte de la cantine quand je reçois un coup sur le crâne. Je chute au sol, sonné. Je sens que quelqu'un me soulève et me retiens par les bras. Au départ ma vue est brouillée, mon audition aussi.

J'ai du mal à comprendre ce qui se passe. Je sens quelque chose de froid sur ma tempe. Du métal. J'essaie de mieux ouvrir les yeux. Je distingue Nate qui braque un flingue dans ma direction.

Je tourne la tête et comprends la situation. Bradford me tient contre lui tandis que Stilson braque un flingue sur mon front. Putain, mais où ont-ils trouvé cette arme ? Tandis que je me repose la question, la réponse me vient : sur la dépouille de Donlevy, évidemment.

J'essaie de me dégager de l'étreinte de Stilson, mais il me serre fort et je n'ai quasiment plus de forces.

Nate a braqué son colt sur Bradford. Il est immobile, concentré. Sa respiration est calme. Bradford prend la parole :

— Irving, posez cette arme.

— Non.

— Je vous avais prévenu, Irving. Vous ne nous avez pas laissé le choix. Tout cela est de la faute d'Hawkins, nous en sommes de plus en plus certains. Il faut en finir avec lui et je vous garantis que nous n'entendrons plus parler de cette créature.

Je me débats.

— Qu'est-ce que vous racontez ? Putain, je n'ai rien fait. J'ai aussi peur que vous.

— Vous mentez. J'ai vu moi, jour après jour, ce que vous étiez capable de faire et je crois que ça vous a dépassé. C'est vous qui êtes devenu un monstre.

— Vous racontez n'importe quoi !

— Si je raconte n'importe quoi, alors comment expliquez-vous que vous ayez passé vingt-quatre heures à dormir sans avoir de problème, alors que nous tous ici, étions en train de crever.

— Je... je ne sais pas. J'essayais d'aider les jumeaux. Ethan, Thomas. La créature me traquait moi aussi.

— Des conneries. Vous les avez tués, comme tous les autres. Il faut que ça cesse.

Nate, sans perdre son sang-froid, s'exclame :

— Ne tirez pas, ou je vous loge une balle dans la tête. Lâchez-le... Nous allons partir.

— Comment ?

— Lâchez-le et laissez-moi partir avec lui. Nous quitterons la station. Nous vous laisserons seuls ici. Et vous comprendrez bien assez tôt que la créature est toujours là et que le danger ne vient pas d'Hawkins.

— Vous me donnez votre parole que vous n'allez pas essayer de nous tirer dessus ?

— Si j'avais voulu vous tirer dessus, vous seriez déjà tous les deux morts.

— Dans ce cas, lâchez votre arme.

Lentement, précautionneusement, Nate s'abaisse et pose son pistolet au sol.

Bradford s'en empare immédiatement.

Soudain, Stilson relâche son emprise et me pousse vers Nate. Bradford donne le flingue de Nate à Stilson. Les deux hommes braquent leurs armes tremblantes vers nous.

— Très bien, maintenant, on va vous raccompagner à la surface.

Sur un ton calme, Nate demande :

— D'accord, mais laissez-nous au moins prendre des affaires plus chaudes et quelques vivres.

— Non. Vous sortez. Maintenant.

— Mais... on ne tiendra pas plus de quelques heures.

— Je m'en fous. Je vous veux dehors et tout de suite.

Stilson parle à l'oreille de Bradford. Bradford hésite, puis hoche finalement la tête.

Stilson s'écarte, puis ramène deux épaisses combinaisons polaires qu'il nous jette à la figure.

— Voilà, c'est tout ce que vous aurez.

Dans la poche de mon manteau, je tiens mon pistolet serré, le doigt sur la gâchette, prêt à tirer. Mais les deux flingues braqués sur nous me découragent de tenter quoi que ce soit. Nous enfilons les combinaisons.

Après avoir tiré sa fermeture Éclair, Nate s'approche de Bradford, se colle quasiment au canon de l'arme braquée sur lui et lâche :

— Vous vous rendez compte que vous nous envoyez mourir dehors ? J'espère que oui. Car on va crever dehors et vous ici. Et seulement alors, vous comprendrez que vous aviez tout faux.

— Taisez-vous et dirigez-vous vers la sortie.

Nous remontons lentement vers la sortie de la station. Nous traversons des salles vides, des couloirs déserts, et partout les stigmates de l'horreur qui vient de se jouer ici. Des traces de sang sur un mur en béton. Des installations électriques détruites. Des portes arrachées, des tables broyées pour récupérer du bois. D'autres cadavres oubliés là. Les restes d'un incendie... Et dire qu'il y a à peine dix jours, cet endroit bruissait de vie, de normalité. Maintenant, c'est la folie, la désolation et le chaos. Nous empruntons les escaliers qui mènent vers le sas.

Plus nous remontons vers la sortie, plus le gel, le givre sont répandus sur les murs, au sol comme des tentacules de froid que rien ne pourrait arrêter. Dans les derniers mètres, j'ai même l'impression de ne plus être dans une installation bâtie par l'homme, mais davantage dans une caverne de glace. Je manque de trébucher sur le sol gelé. Nate me rattrape. Nous arrivons face à l'impressionnant sas en métal de la station.

Bradford ordonne à Nate d'activer l'ouverture du sas.

J'aimerais tenter quelque chose, mais Stilson garde son arme braquée sur moi. Nate appuie sur un bouton, tourne une lourde manivelle et alors, dans un lourd grésillement, le sas s'ouvre vers l'extérieur. Instantanément, un vent glacé s'engouffre dans les coursives et me force à placer les mains devant les yeux. Des milliers d'épais flocons de neige sont attirés à l'intérieur par l'appel d'air. En quelques secondes, je sens le froid me poignarder les joues. Je mets ma capuche. Alors que le sas est ouvert d'environ un mètre, Bradford dit à Nate d'arrêter la manœuvre et me pousse vers la sortie en appuyant le canon de son arme dans le dos. Dans d'autres circonstances, j'aurais tenté quelque chose, essayé de le désarmer. Mais dans mon état de fatigue, je ne suis plus sûr de rien. Aurais-je les bons réflexes, suffisamment de force ? J'en doute. Nous nous retrouvons dehors. On n'y voit rien. Une terrible tempête de neige bloque complètement la visibilité. Je distingue les silhouettes des conifères qui ploient sous le vent. La neige qui souffle en bourrasques et vient me fouetter les vêtements. Je vais pour me retourner et tenter une dernière fois de raisonner les deux hommes, mais sans un mot, ils reculent dans l'ombre de la station et activent la fermeture de la porte sans cesser de braquer leur flingue vers nous.

Je ne peux m'empêcher de leur hurler au visage :

— Vous vous rendez compte que vous êtes en train de nous tuer, bordel ? Nous n'avons rien fait !

Nate s'approche de moi pour me parler.

— Laisse tomber, ne perdons pas de temps et essayons de trouver un abri.

— Un abri ? Il n'y a rien ici, putain ! Rien que le froid, la neige et la mort. Merde, j'aurais dû tenter quelque chose, j'ai toujours mon revolver dans ma poche.

— Il n'y avait rien à tenter. Ils avaient deux armes, nous n'en avons qu'une. Garde tes balles précieusement, James, elles pourront nous servir.

— Putain, on est foutu.

— Reprends-toi, on va retourner aux baraquements. On trouvera peut-être de quoi se chauffer.

Nate resserre sa capuche, met les mains dans ses poches et commence à se diriger péniblement vers les baraquements. Je le suis. Nous avançons en silence. Résignés. Mes jambes s'enfoncent dans la neige jusqu'aux genoux. Chaque nouveau pas est plus difficile que le précédent. Et cette neige qui fouette le visage et me laisse à peine entrouvrir les yeux. Après dix minutes de calvaire, nous arrivons enfin aux baraquements. Il était temps. Je sens déjà ma combinaison devenir humide. Je serai bientôt trempé jusqu'aux os. Avec Nate, nous inspectons les différents bâtiments. Les dortoirs d'abord. La porte est restée ouverte et les gonds ont gelé. À l'intérieur, les lits, les sommiers, les meubles, les chaises sont recouverts de givre. Nous ne tiendrons pas plus de quelques heures ici. Même constat pour la plupart des installations. Seul un baraquement est resté fermé. Il s'agit de la réserve de vivres. C'est le plus petit. Il ne doit pas faire plus d'une quinzaine de mètres carrés. Nate me demande mon arme et d'un coup de crosse fait sauter le cadenas. Nous pénétrons à l'intérieur. Sans surprise, le baraquement a été complètement vidé des réserves de nourriture. Après avoir fouillé sous les palettes en bois, dans les cartons humides, nous trouvons finalement deux boîtes de conserve de corned-beef. Nate me dit de m'installer et ressort du baraquement. Quelques minutes plus tard, il revient avec une couverture, des tissus et quelques lattes de bois.

— Je n'ai quasiment rien trouvé. Tous les baraquements ont été vidés et tout ce qui aurait pu nous être utile a dû être ramené à l'intérieur de la station. Et le hangar est complètement calciné. Il n'y a rien ici. On peut essayer de faire un feu avec ces quelques lattes de bois sec que j'ai pu dénicher.

— Avec ce froid, tu penses qu'on peut tenir longtemps ?

— Quelques heures, une journée tout au plus.

Nate balance les planches au sol et attrape les deux boîtes de conserve.

— Mais, au moins, on finira en beauté avec un bon gueuleton.

Nate me lâche un sourire forcé, fatigué.

— Tiens, ouvre-moi ça.

Il me donne les deux boîtes de conserve. Je sors mon cran d'arrêt de ma poche et l'enfonce dans le métal. Nate me demande mon arme, je lui donne sans hésitation. Il la pose au sol tandis qu'il prépare un petit tas de bois à même le béton. En son cœur, il place quelques tissus. Finalement, il attrape le revolver, ouvre le barillet, sors une balle, la pose au sol et l'éclate en frappant dessus avec la crosse du colt. Il répand la poudre sur le tas de bois, se saisis d'un briquet et l'allume auprès du bois. Le feu prend quasi immédiatement dans un crépitement. La poudre fait des étincelles qui se répandent et embrasent les tissus. La chaleur du feu m'apporte tout de suite un peu de réconfort. Nate me lance la couverture et me dit de me la mettre sur les épaules. J'obtempère. Sans un bruit, nous mangeons notre conserve de corned-beef, les yeux fixés sur le feu. Je n'ai plus aucun goût en bouche. Mais le fait de me nourrir, de mastiquer me fait un bien fou. La pièce est remplie de fumée, mais ça ne nous dérange pas. Le plus important, c'est que nous ayons chaud. On vide lentement le contenu de nos conserves. Finalement, je prends la parole.

— Tout va se terminer comme ça. Ici ? Dans un baraquement vide ?

— Il vaut mieux ici qu'en bas. Au moins, ici, c'est le froid qui nous prendra et pas cette putain de créature. C'est important de savoir de quoi on meurt… Moi, je préfère ça.

— Tu penses qu'ils ont raison, Nate ?

— Qui ça ?

— Bradford et Stilson. Tu penses que c'est moi ?

— Comment ça ?

— Tu penses que c'est moi qui ai fait tout ça sans m'en rendre compte ?

— Non. En tout cas, je ne préfère pas le croire.

Sur ces paroles, Nate se mure dans le silence.

Le temps passe, une heure, peut-être deux. Dans un état de somnolence, je ne fais plus attention. J'essaie de savoir quelle heure il est, je tapote le cadran de ma montre. Elle est cassée. Le froid certainement.

À intervalles réguliers, Nate se soulève péniblement et remet du bois sur le feu. Il ne reste plus que quelques lattes de bois. Dehors, le vent souffle toujours aussi fort comme pour nous rappeler qu'il nous attend, impatient de se répandre ici, en nous, de nous geler sur place.

Le temps défile tandis que le vent hurle à l'extérieur.

Le feu est mourant et le froid se propage.

Nate me lance une cigarette. Je me l'allume. Tire une latte. Ça fait du bien.

Ça ne devrait plus durer longtemps maintenant.

Mes paupières sont lourdes. Je n'ai plus trop la force de bouger. J'entends comme un cri au loin. Je ne bouge pas, ça ne sert plus à rien. Je vois du coin de l'œil Nate se lever et avancer d'un pas traînant vers la porte. Il l'ouvre, regarde à l'extérieur quelques secondes, puis referme la porte. Il se jette sur moi, comme revigoré.

— James, reviens à toi.

Il me gifle d'un coup sec.

Je reprends lentement mes esprits.

— Ils sont là, James… Bradford et Stilson, ils sont dehors.

— Ils sont revenus nous chercher ?

— Non, d'après leurs démarches, ils sont possédés. Et ils n'ont même pas de combinaisons. Avec ce froid, personne ne pourrait tenir. Il n'y a pas de doute, la créature les a eus. Il faut qu'on en profite.

— Comment ?

— Nous allons essayer de les contourner et retourner à la station. Ils ont dû laisser le sas ouvert. On retourne là-bas, on referme derrière nous, et on laisse crever ces salauds dans le froid. Nous, on aura de quoi tenir encore quelques jours, le temps que les secours arrivent.

— Non Nate, ça ne sert plus à rien. J'en ai assez.

— Allez bouge-toi ou je te jure que c'est moi qui te colle une balle dans la tête !

Sur ce, il me braque le revolver sur le front.

— OK, OK !

Je me lève péniblement, referme ma combinaison jusqu'au col, mets ma capuche.

Nate entrouvre la porte, je regarde par-dessus son épaule. En effet, à travers le blizzard, je distingue les deux silhouettes se déplaçant d'une démarche saccadée. Ils semblent inspecter les baraquements. Ils sont à un peu plus d'une vingtaine de mètres de nous.

— Allez, on y va. Suis-moi.

Nate se rue dehors et longe notre baraquement. Je le suis. Mais mes membres sont endoloris, comme endormis. Après quelques pas, je trébuche et tombe en avant. Ma chute a dû interpeller l'une des créatures. J'entends un cri strident, suivi d'un autre plus grave. Je me retourne et vois l'une des deux silhouettes, je reconnais Bradford. Il pointe une arme sur moi en hurlant. Derrière lui, Stilson le rejoint en courant. Je suis paralysé. Nate revient en arrière, sort le revolver, prend appui et tire deux balles vers Bradford. Elles ratent leur cible et viennent se ficher dans la neige. Nate m'attrape par le col et m'aide à me relever. Bradford tire à son tour. Une balle vient s'enfoncer dans la neige à mes pieds. Une autre dans la tôle du baraquement derrière moi. La dernière siffle au-dessus de ma tête et pénètre quelque chose dans un bruit de chair. Je lève la tête. Au-dessus de moi, Nate porte la main à son ventre, me regarde l'air surpris, puis vacille en arrière. Je me soulève d'un bond et le retiens avant qu'il ne tombe.

— Ça va ?

— Ouais, ça va aller. Aide-moi à marcher, il faut y aller. Vite.

Je passe le bras de Nate au-dessus de mon épaule et l'aide à avancer. Nous nous mettons à couvert derrière le baraquement. Nate se laisse glisser contre la tôle, retire sa main de la plaie et inspecte la blessure. Le sang coule à flots. Il replace sa main contre sa blessure pour endiguer l'hémorragie et me parle d'une voix qui se veut rassurante, mais dans laquelle je peux ressentir une peur viscérale.

— Ça va aller. Ce n'est rien. On va y arriver, James. Allez, aide-moi à marcher. Il nous suffit de traverser l'étendue de neige jusqu'au sous-bois. Là-bas, il sera plus difficile pour eux de nous retrouver. Et on ne sera plus qu'à quelques minutes de l'entrée de la station. On peut y arriver…

En silence, nous nous mettons à marcher dans l'étendue neigeuse. Derrière nous, les cris des créatures se font entendre. Elles sont sur nos traces. J'essaie de presser le pas, mais mètre après mètre Nate me semble de plus en plus lourd. Je sens, aux sons de leurs cris, que les créatures se rapprochent, mais qu'elles prennent leur temps, comme si elles se jouaient de nous. Comme si elles s'amusaient. Le blizzard souffle si fort qu'à deux reprises je manque de chuter sur le côté. Au bout de cinq minutes, nous avons traversé l'étendue neigeuse et arrivons dans le sous-bois. Nate est pris d'une terrible quinte de toux. Il me repousse et s'adosse le long d'un conifère.

Au niveau du ventre, sa combinaison bleue s'est teintée d'un rouge sang. Malgré ses efforts, il a perdu énormément de sang. Mon ami fouille dans sa poche. Il en sort son arme et me la tend.

Je l'attrape. Il lève la tête vers moi et me dit :

— Tu peux y arriver. Cours tout droit jusqu'à la station. Ne te retourne pas. Referme le sas derrière toi. Rationne tes vivres, l'eau. Et tiens le coup. Tiens le coup, James !

— Je ne te laisserai pas ici.

— Non, je le sais. Mais je ne peux plus faire un pas de plus. J'ai essayé, James. J'ai vraiment essayé. Mais je n'ai plus de forces.

— Je vais te porter…

— Si tu me portes, tu te condamnes. Non, James, tu vas foutre le camp, mais avant tu vas me rendre un dernier service.

— Qu'est-ce que tu veux ?

— Le flingue… Il te reste deux balles. Finissons-en.

— Tu veux que…

— Oui. Je ne peux pas accepter l'idée de devenir comme une de ces créatures. D'être moi aussi possédé. Je veux au moins pouvoir choisir ma mort. Fais ça pour moi.

— Non, je ne peux pas.

— Tu m'as promis que tu le ferais. Tu dois tenir ta parole !

— Arrête tes conneries Nate. Viens avec moi, on va y arriver ensemble. Dans la station, je trouverai de quoi te soigner.

— Il n'y a rien dans la station, rien qui puisse m'aider. Toute la pharmacie a cramé, rappelle-toi.

— Mais…

— Et je te le répète, si tu me traînes à tes côtés, ils te rattraperont en quelques secondes.

Nate attrape mon revolver par le canon et le tire vers lui jusqu'à se le coller sur le front. Sous le choc, je le laisse faire.

— Appuie sur la gâchette maintenant !

Mais mon doigt reste figé.

— Non, je ne peux pas.

— Tire, putain ! Tire !

— Non… je suis désolé. Je…

Je m'écarte lentement.

— James ne me laisse pas là comme ça, s'il te plaît, je t'en supplie !

— Je ne peux pas Nate, je ne peux pas. Je vais revenir… je… je vais aller chercher les secours. Attends-moi.

Je m'écarte et me mets à marcher vers le sous-bois. J'entends mon ami qui hurle mon nom. J'entends ses sanglots, mais, trop lâche, je n'ose me retourner.

Je pleure tout en m'enfonçant dans la forêt.

Derrière moi, des cris stridents d'excitation, puis un autre hurlement, celui de Nate.

Puis plus rien.

Plus rien que le bruit du vent.

J'avance dans la forêt. Je ne sais pas où je vais. Je ne sais pas si la station est dans cette direction. Ça n'a plus d'importance. Trouver un endroit… Je tiens le revolver dans la main. Je sens le métal glacé contre ma paume.

Je marche encore.

La forêt est de plus en plus dense et la neige de plus en plus profonde. Je ne réussis quasiment plus à progresser. Je n'en peux plus. À bout de forces, je m'adosse à mon tour contre un tronc d'arbre et me laisse chuter au sol. Ma respiration est saccadée. Je regarde autour de moi. Partout, un spectacle de mort. Des arbres secs sans vie, le blizzard qui chasse tout et cette neige immaculée. J'ai tellement froid. Tellement envie de dormir. Juste fermer les yeux qu'on en finisse. Là, maintenant. J'en ai assez vu. Assez.

C'est donc ici, maintenant, que tout va se terminer…

Je ferme les yeux, les rouvre.

Les ferme à nouveau.

Le temps passe. Mais je ne m'en rends plus vraiment compte.

Je suis en train de mourir de froid.

Entre les arbres, je distingue une silhouette qui s'avance vers moi, puis une autre qui apparaît sur la droite, et enfin une dernière sur le côté gauche.

Fermer les yeux et oublier.

Fermer les yeux pour que tout s'achève.

Fermer les yeux et enfin dormir…

Le visage de Nate m'apparaît alors du tréfonds de mon être, comme un écho. Ses dernières paroles. Choisir ma mort…

Je rouvre les yeux. Les silhouettes sont à quelques mètres. À gauche Bradford, à droite Stilson et au milieu Nate lui-même. Je regarde mon ami, ce que la créature a fait de lui. Ses yeux sont révulsés, son teint blafard. Il avance vers moi. Je lui souris.

Je suis désolé Nate. Si désolé.

Je puise dans mes dernières forces et, lentement, péniblement, lève le bras. Je braque mon arme sur mon ami qui s'avance vers moi. Réussir à maintenir mon bras en l'air relève quasiment de la tâche insurmontable.

Tant que faire se peut, je vise la tête.

Je tire.

Le corps sans vie de Nate chute en arrière.

Je ne sais pas pourquoi, mais je me mets à rire. À rire de toutes mes forces.

J'arme le chien de mon arme et la place sur ma tempe. À mon tour.

Mon rire s'estompe et disparaît comme un murmure. Bradford est au-dessus de moi.

C'est maintenant.

J'essaie d'appuyer sur la gâchette, mais ma main tremble trop. Je n'en ai plus la force. Plus la force de rien.

Je sens la main de Bradford, glaciale, se poser sur la mienne. Lentement, d'un mouvement doux, quasiment affectueux, il abaisse l'arme que je tenais dans la main et me la saisis.

Je le regarde. À travers son visage déformé, ses yeux sans vie, on dirait qu'il sourit.

Il avance la main vers mon visage, puis délicatement me ferme les yeux.

Alors que le noir se fait dans ma tête, dans tout mon corps, j'ai l'impression d'entendre des bruits de rotors au loin, derrière le souffle du blizzard. Puis une voix vient se superposer à tous les autres sons. Une voix qui me dit dans un soupir :

— Dors…

28

29 octobre 1971

Je rouvre les yeux. Je mets quelques secondes à reconnaître l'endroit où je me trouve. Je me rappelle. Je suis dans les Terres Mortes. Dans l'immense mausolée que j'avais découvert en explorant la ville fantôme. À perte de vue, les colonnes semblables à des fémurs géants. Au-dessus de moi, l'incroyable voûte comme composée de dizaines de gigantesques colonnes vertébrales. Toute la salle est désormais recouverte d'un voile de fumée noire. D'une chape de ténèbres.

Au cœur de la salle, l'immense trône. Mais plus une trace de cendres sur ce dernier. Je peux en distinguer toute la démente structure. Comme s'il était composé d'un amas d'os. Je me relève. Partout autour de moi, les ténèbres sont tangibles, seul un halo de quelques centimètres semble me protéger. Les ombres, en volutes tortueuses, dansent partout autour de moi. Elles se posent sur moi, me frôlent, me caressent. J'ai l'impression qu'elles m'attirent à elles et me tirent en avant.

Elles m'entraînent vers le centre de la salle, auprès du trône. Je ne résiste pas et me laisse enlacer par les ombres. J'arrive au cœur de la salle. Les ténèbres relâchent leur emprise. Je chute au sol à genoux. Le trône est soudain recouvert d'un tourbillon de fumée. Comme si des milliers de tentacules se répandaient et s'entremêlaient les uns aux autres. Une forme commence à se dessiner parmi les ténèbres. On dirait une silhouette d'homme. Deux traits fins apparaissent au cœur de l'obscurité. Des yeux, plus noirs encore que le reste du tumulte. Une énorme main sort des volutes et s'appuie sur l'accoudoir tandis que la forme, elle, demeure dans son cocon de ténèbres. Derrière le trône, des centaines de tentacules ondulent de droite à gauche. Je distingue à peine la silhouette.

Une voix se fait entendre alors. Pas comme si elle provenait du corps lui-même, mais plutôt comme si elle venait de partout en même temps. Une voix unie et mille voix en même temps. Ici, une voix cassée de vieillard, là, une voix suave de femme. Derrière moi, une voix d'enfant. Et pourtant, toutes s'unissent dans un chant lugubre et lancinant. Cette voix semble proche, toute proche, mais me fait en même temps l'effet d'un murmure comme si elle provenait de la nuit des temps. La voix parle sur un ton très lent :

— Tout est fini... Tout... Tu es le dernier... Tous, je les ai pris... Mais toi, tu vas vivre.

J'ai tellement de questions qui se bousculent en moi.

Depuis son cocon de ténèbres, la forme bouge. Elle oscille la tête, laissant une volute de fumée derrière elle à chaque mouvement. Elle semble lire en moi comme dans un livre ouvert. Je n'ai besoin de poser aucune question, elle sait.

Puis finalement.

— Pourquoi ? Parce qu'il le fallait… Parce que c'était écrit. Parce qu'il fallait que tu comprennes.

Je parle, sans même ouvrir la bouche. J'entends ma voix résonner dans le mausolée alors que je ne dis rien.

— Que je comprenne quoi ?

— Que tu comprennes quelle était ma puissance.

— Tout cela… tous ces morts, c'est à cause de moi ?

— Oui. Il fallait que tu saches, qu'à jamais tu te rappelles que personne ne m'échappe, que rien ne peut m'arrêter. Mais ces morts, ces êtres importent peu, quant au cadeau que je vais t'offrir…

— Quel cadeau ?

— La puissance… Le pouvoir… Le contrôle.

— De quoi parlez-vous ?

— Si tu acceptes mon marché, je te laisserai vivre. Je te laisserai revenir ici, dans le lieu que tu appelles les Limbes. Je te laisserai aller à ta guise, pénétrer les rêves de quiconque. Le monde est entre tes mains. Grâce à tes pouvoirs, tu pourras écrire l'Histoire comme bon te semble, dessiner le futur. En contrôlant les rêves des hommes, tu contrôleras tout.

— Que voulez-vous de moi ?

— Que tu deviennes le Maître des Limbes.

— Et en échange ?

— En échange… il faudra que tu fasses quelque chose pour moi.

— Quoi donc ?

— Que tu trouves l'enfant.

— L'enfant ?

— En 2008, dans trente-sept ans, un enfant va venir ici même. Découvrir les Limbes. Il faudra que tu le

trouves, que tu le formes à ton tour. Il te sera utile pour
asseoir ton pouvoir. Car en lui est la clé.

— Et si je refuse ?

— Tu ne refuseras pas. Au fond de toi, tu le sais.
Parce que tout cela s'est déjà joué. Parce que tout cela
est écrit.

— Mais qui êtes-vous ?

— Je suis la dernière des sentinelles, le gardien
et l'architecte. Je suis celui d'hier et de demain.
Acceptes-tu mon marché ?

Sans hésitation, sans même savoir pourquoi, je
réponds :

— Oui.

— Eh bien dans ce cas, vis.

La créature s'avance légèrement sur son trône, puis
pointe sur moi son impressionnant bras, autour duquel
s'enroulent, comme des serpents, des volutes de fumée.

Les ténèbres fondent sur moi, pénètrent en moi,
dans ma bouche, mes narines, mes globes oculaires.

Alors que les ombres m'enlacent, j'entends la voix
une dernière fois.

— N'oublie jamais. L'enfant. En 2008. Je serai là,
je t'observerai. Ne me déçois pas.

Il n'y a plus que les ténèbres.

Combien de temps cela dure ? Je ne sais pas.

Puis, enfin, je sens du froid sur mon corps, j'entends
le souffle du blizzard me vriller les oreilles.

Je rouvre les yeux. Je suis à nouveau dans la forêt.

Au-dessus de moi Bradford se redresse, se retourne,
lève son arme vers Stilson, tire. Stilson s'effondre au
sol. Puis Bradford me fait face, enfonce le canon dans
sa bouche et tire.

Je suis seul.

Au bout de quelques instants, je crois discerner des faisceaux de lampes. Puis des cris. Bientôt des aboiements. Je vois des silhouettes se dessiner au loin. Puis le bruit d'un haut-parleur.

« Ici, le 4e corps d'armée. Nous sommes venus à votre aide. Jetez vos armes. Nous sommes venus à votre secours. »

Je relâche mon arme. Une dizaine de silhouettes s'avance vers moi. Finalement, un militaire arrive à mes côtés, il me parle, mais tout est flou, trouble. Il m'aide à me relever, m'entraîne avec lui. Il continue à me parler, me dit des choses comme : « Vous allez vous en sortir mon vieux… » Bientôt, un autre militaire vient l'aider à me porter. Il se saisit d'un talkie-walkie et dit : « Nous avons retrouvé un survivant. On le ramène. Prévenez le Colonel. » Nous arrivons auprès de l'entrée de la station. Deux énormes hélicoptères se sont posés. Leurs rotors continuent à tourner. Des hommes armés sortent de la station, sous le choc de leur découverte macabre. Les deux militaires m'installent à l'intérieur d'un hélicoptère. Ils me posent une couverture chaude sur les épaules. Au bout de quelques instants, un gradé s'approche de moi, me pose des questions.

J'entends vaguement ses paroles.

— Que s'est-il passé ici ? Où est le Pr Kleiner ?

Tout défile au ralenti autour de moi. Je le regarde, souris, puis ferme les yeux.

J'entends une dernière question…

— Qui êtes-vous ?

Je rouvre les yeux. Le regarde fixement puis réponds :

— Je suis le Maître des Limbes.